RAINER EDLER

DAS KERYGMA DES PROPHETEN ZEFANJA

FREIBURGER
THEOLOGISCHE STUDIEN

Unter Mitwirkung
der Professoren der Theologischen Fakultät
herausgegeben von

Remigius Bäumer, Alfons Deissler, Helmut Riedlinger

Hundertsechsundzwanzigster Band
Das Kerygma des Propheten Zefanja

RAINER EDLER

Das Kerygma
des Propheten Zefanja

HERDER

FREIBURG · BASEL · WIEN

Alle Rechte vorbehalten – Printed in Germany
© Verlag Herder Freiburg im Breisgau 1984
Herstellung: Weihert-Druck, Darmstadt 1984
ISBN 3-451-20087-2

VORWORT

Vorliegende Studie wurde im Februar 1983 von der
Theologischen Fakultät der Albert-Ludwigs-Universität
Freiburg als Inauguraldissertation angenommen.

Meinem Doktorvater, Herrn Prof. Dr. A. Deissler, möchte ich an dieser Stelle Dank sagen für seine unauf-
dringliche Hilfe, die mich stützte, wenn ich sie benö-
tigte, die mir aber auch Raum ließ, meine eigenen Vorstellungen und Gedanken auf oft ungewöhnlichen Wegen
zu verwirklichen. Für die freundliche Aufnahme in die
Reihe "Freiburger Theologische Studien" danke ich den
Herausgebern, für die Beteiligung an den Druckkosten
dem Erzbischöflichen Ordinariat Freiburg.

Widmen möchte ich diese Arbeit meiner Mutter.

Wiesloch, im April 1984

Rainer Edler

INHALT

nach SCHWERTNER, S., Internationales Abkürzungsver-
zeichnis für Theologie und Grenzgebiete, Berlin 1974

ANET	Ancient Near Eastern Texts relating to the Old Testament, J.B. PRITCHARD, Princeton ²1955
ANVAO.HF	Avhandlinger i Norske Videnskaps-Akademi i Oslo, Historisk-Filosofisk Klasse, Oslo
AOB	Altorientalische Bilder zum Alten Testament, Hrsg. H. GRESSMANN, Tübingen ²1927
AOT	Altorientalische Texte zum Alten Testament, Hrsg. H. GRESSMANN, Tübingen ²1926
ASTI	Annual of the Swedish Theological Institute, Jerusalem
AT(h)ANT	Abhandlungen zur Theologie des Alten und Neuen Testaments, Zürich
ATD	Das Alte Testament Deutsch, Göttingen
BAC	Biblioteca de Autores Cristianos, Madrid 1947ff
BAT	Die Botschaft des Alten Testaments, Stuttgart 1935ff
BBC	The Broadman Bible Commentary, London 1970ff
BC	Biblischer Commentar über das Alte Testament, Hrsg. K.F. KEIL, F. DELITZSCH, Leibzig 1861ff
BevTh	Beiträge zur evangelischen Theologie, München
BHH	Biblisch-Historisches Handwörterbuch, Göttingen
BHS	Biblia Hebraica Stuttgartensia, Hrsg. K. ELLIGER, W. RUDOLPH, Deutsche Bibelstiftung, Stuttgart 1976/77
Bib	Biblica, Rom
Bib Or	Biblica et Orientalia, Rom
BK	Biblischer Kommentar, Neunkirchen
BOT	De Boeken van het Oude Testament, Roermond 1952ff
BSt	Biblische Studien, Freiburg 1895-1930
BZ (NF)	Biblische Zeitschrift, Basel (Neue Folge)
BZAW	Beiheft zur Zeitschrift für die alttestamentliche Wissenschaft, Berlin
CAT	Commentaire de l'Ancien Testament, Neuchâtel 1963ff

CBQ   Catholic Biblical Quarterly, Washington
1939ff

CNEB   Cambridge bible commentary on the New
English Bible, Cambridge

DS   DENZINGER-SCHÖNMETZER, Enchiridion Symbolorum definitionum et declarationum de
rebus fidei et morum, Freiburg [32]1973

ECarm   Ephemerides Carmeliticae, Rom

EtB   Etudes Bibliques, Paris

EthL   Ephemerides theologicae Lovanienses,
Louvain 1924ff

ExpT (ET)   Expository Times, Edinburgh 1889ff

FRLANT   Forschungen zur Religion und Literatur des
Alten und Neuen Testaments, Göttingen

HAT   Handbuch zum Alten Testament, Tübingen

HBK   Herders Bibel Kommentar. Die Heilige Schrift
für das Leben erklärt, Freiburg 1935ff

HSAT   Die Heilige Schrift des Alten Testaments,
Hrsg. F. FELDMANN, H. HERKENNE, Bonn 1923ff

HUCA   Hebrew Union College Annual, Cincinnati

ICC   International Critical Commentary of the
Holy Scriptures, Edinburgh

JBC   Jerome Biblical Commentary, London

JBL   Journal of the Biblical Literature, Phila-
delphia

JNES   Journal of the Near Eastern Studies, Chicago

JSS(t)   Journal of Semitic Studies, Manchester

KAT   Kommentar zum Alten Testament, Leibzig

KEH   Kurzgefaßtes Exegetisches Handbuch zum Alten
Testament, Leibzig 1897-1904

KuD   Kerygma und Dogma, Göttingen 1955ff

LD (Le Div)   Lectio Divina, Paris 1946ff

LThK   Lexikon für Theologie und Kirche, Freiburg
[2]1957-65; Ergänzungsbände für das Zweite
Vatikanische Konzil 1966-68

LV   Lumière et Vie, Lyon

MGKK   Monatszeitschrift für Gottesdienst und
Kirchliche Kunst, Göttingen 1896-1941

NR   NEUNER-ROOS, Der Glaube der Kirche in den
Urkunden der Lehrverkündigung, Regensburg
[10]1971

NThT (NedThT)   - Nederlands Theologisch Tijdschrift,
Wangeningen 1946/47ff

OTS	– Oudtestamentische Studien, Leiden
RAC	– Reallexikon für Antike und Christentum, Stuttgart 1950ff
RB	– Revue Biblique, Paris
RGG	– Religion in Geschichte und Gegenwart, Tübingen ³1956-62
RSR	– Recherches de Science Religieux, Paris
SANVA.HF	– Skifter utgitt Av det Norske Videnskaps-Akademi i Oslo, Historisk-Filosofisk Klasse, Oslo
SB	– La Sainte Bible, Paris 1948ff
TBC	– Torch Bible Commentaries, London 1948ff
TGI²	– Textbuch zur Geschichte Israels, Hrsg. K. GALLING, Tübingen ²1968
THAT	– Theologisches Handwörterbuch zum Alten Testament, Hrsg. E. JENNI, C. WESTERMANN, München, 2 Bände
ThR NF	– Theologische Rundschau, Neue Folge, Tübingen
ThStKr	– Theologische Studien und Kriterien, Zeitschrift für das gesamte Gebiet der Theologie, Hamburg 1828-1941/42
ThZ	– Theologische Zeitschrift, Basel 1945ff
ThWNT	– Theologisches Wörterbuch zum Neuen Testament, Stuttgart
UF	– Ugarit Forschungen, Neunkirchen 1969ff
VT	– Vetus Testamentum, Leiden
WC	– Westminster Commentaries, London 1930ff
WMANT	– Wissenschaftliche Monographien zum Alten und Neuen Testament, Neunkirchen
WZKM	– Wiener Zeitschrift für die Kunde des Morgenlandes, Wien
ZAW	– Zeitschrift für die alttestamentliche Wissenschaft, Berlin

darüber hinaus:

GESENIUS	– GESENIUS, W., Hebräisches und Aramäisches Handwörterbuch über das Alte Testament, Berlin ¹⁷1962
NEB	– Die Neue Echter Bibel (bis Juni 1982 vier Lieferungen), Würzburg
Theol. AT	– RAD, G. von, Theologie des Alten Testaments, Band I und II, München ⁷1978, ⁶1975

0. EINFÜHRUNG

Zefanja war ein Prophet, der vor über 2500 Jahren in
Jerusalem, der Hauptstadt des Staates Juda, lebte und
wirkte. Ein Mann, von dem wir persönlich, außer seinem
Namen und der seiner Vorfahren, [1] nichts wissen.
Dies darf nicht verwundern, da alle alttestamentlichen
Propheten weitgehend hinter ihrer Botschaft zurücktre-
ten. Nur bei einigen wenigen der Schriftpropheten ist
über die Berichte ihrer Inpflichtnahme durch Gott [2]
und der meist sekundären Buchüberschriften etwas über
die Person des Propheten überliefert. [3]
Zefanja war ein Prophet, d.h. ein Mann, der sich von
Gott angesprochen wußte und in diesem Angesprochensein
den Auftrag sah, seinerseits Menschen anzusprechen,

-----

1) Vgl. Zef 1,1; Abschnitt 4.3.1.

2) Auch diese sogenannten 'Berufungsgeschichten' dürfen
   nicht als protokollarische Aufzeichnung eines Beru-
   fungsgeschehens betrachtet werden, was besonders dort
   deutlich wird, wo der Berufungsvorgang bereits in einer gewissen Stilisierung wiedergegeben wird. Vgl.
   dazu die Berufungsberichte in 1 Kön 22,19-22(Micha
   ben Jimla); Jes 6,1ff; Ez 1-3. Darüberhinaus ist Jer 1
   ein gutes Beispiel einer Berufungsgeschichte. Siehe
   aber auch Am 7-9 (auch 3,8); Jes 40,3-8 (Deuterojesaja); 1 Kön 3,1ff (Samuel) und 1 Kön 19,19ff
   (Elischa). Wie dieser Aufzählung zu entnehmen ist, finden sich nur bei einem kleinen Teil der Schriftpropheten Berichte über deren Berufungserlebnisse. Vgl.
   zu diesen und weiteren Überlegungen zum Prophetismus:
   SEIERSTAD, I.P., Die Offenbarungserlebnisse der Propheten Amos, Jesaja und Jeremia, Oslo 1946; RAMLOT, L.,
   Art.: Prophétisme, in: Supplément au Dictionnaire de
   la Bible, Tome VIII, Paris 1972, Sp. 811-1222; RAD, G.
   von, Theol. AT II, a.a.O., S. 58-78.

3) Von Jesaja kennen wir zwei Söhne (Jes 7,3; 8,3f); bei
   Jeremia seine seelische Not bei der Verkündigung der
   Unheilsbotschaft (z.B. 12,1-6; 15,10-21; 16,2; 20,7-18;
   37,11ff); bei Hosea wissen wir von seiner Ehe und drei
   Kindern (1,2 - 3,5); vgl. auch Am 7,14f.

ihnen Gottes Worte zu verkündigen. Er war einer dieser
'berufenen Rufer', einer dieser unbequemen Leute, die
gegen Selbstzufriedenheit, Unrecht und Unterdrückung
redeten.

Sosehr das Reden jedes Propheten auch in seiner Zeit
verwurzelt ist und damit in eine ganz bestimmte geschichtliche Situation hineingesprochen wird, so behält es doch seine Geltung und seine Wichtigkeit weit
über diese Zeit hinaus. Dies liegt darin begründet, daß
uns in den Prophetenbüchern nicht die persönliche Meinung der Propheten zu den politischen und religiösen bzw.
ethischen Zuständen ihrer Zeit vorliegen, [1] sondern
Gottes Weisung, die keineswegs dem Willen und Wollen des
Propheten entsprechen mußte. [2] Dieses Charakteristi-
kum der Prophetenrede wird ganz klar bei Jeremia ausgedrückt, der auf eine Offenbarung Jahwes warten muß (Jer
42,4.7; vgl. auch Jer 37,17; 38,14, wo vorausgesetzt wird,
daß Jeremia Gottesworte redet). Die Propheten sind daher
nicht von einer Idee Besessene, Fanatiker einer Ideologie,
sondern von Gott Beseelte. Sie sind abhängig vom Offenba-
rungswillen Jahwes. Sprechen sie aber im Namen Jahwes, so
hat ihr Wort Autorität als Wort Gottes, für welches die
Propheten nicht verantwortlich gemacht werden können (vgl.
Jer 26,11-19).

-----

1) Gerade dies, die Verkündigung eigener Gedanken und
   Träume, wird als Kennzeichen eines falschen Propheten
   angeführt; vgl. Jer 23,9-32, besonders die Verse 25ff.
   Daher ist es dem Prophetentext nicht voll angemessen,
   wenn JUNKER, H., Die zwölf kleinen Propheten II, HSAT
   VIII, Bonn 1938, S. 66 schreibt:" Was den Sophonias
   zunächst zur Verkündigung seiner Gerichtsbotschaft an-
   regte, war die Sünde und die Untreue seines eigenen
   Volkes, das ihm für das göttliche Gericht reif erschien."
   Jahwe 'erschien das Volk reif zum Gericht', nicht dem
   Propheten Zefanja.

2) Vgl. die Not des Jeremia mit der Verkündigung der ihm
   zuteilgewordenen Gottesworte (siehe dazu die auf Seite
   1, Anmerkung 3) angeführten Jeremiastellen).

Ist die Verkündigung der Propheten aber Wort Gottes,
so ist sie nicht zeitlich gebunden, sondern kann in
jeder Zeit immer wieder neu lebendig werden. Dies darum, weil die Verkündigung an Menschen erging, die ganz
analoge Nöte, Schwierigkeiten, Versuchungen, Leiden,
aber auch Freuden erfahren, gleich in welcher Zeit sie
leben. Dies war sicher auch jenen bewußt, die die Reden
der Propheten niederschrieben, damit sie auch späteren
Generationen zugänglich seien, sich auch spätere Generationen vom Wort Gottes treffen lassen und daraus Hilfen
erfahren können.
Genau dies ist der Doppelsinn, der in dem Wort 'Kerygma'
(κήρυγμα - Heroldsruf, Bekanntmachung, Predigt, Verkündigung, Zeugnis, Offenbarung) liegt und der dieser Arbeit seinen Stempel aufdrücken soll.

Das Ziel dieser Arbeit ist kein Kommentar über das uns
heute vorliegende Zefanjabuch. Ziel ist, die Botschaft
des Propheten Zefanja in der oben beschriebenen Weise
aus dem vorliegenden Buch herauszuarbeiten und damit
lebendig werden zu lassen. Vorbedingung dieses Unter-
fangens ist die Scheidung authentischer (vom Propheten
Zefanja stammender) und inauthentischer Textstellen
(solche, die von späteren Autoren in das Zefanjabuch
eingearbeitet bzw. angehängt wurden. Dies können ganze
Einheiten, Fragmente, Erweiterungen oder Glossen sein.) [1]
Mit dieser Unterteilung ist kein Urteil über die Wichtigkeit und Bedeutung dieser Texte ausgesagt. Die Schei-

-----

1) Siehe zu diesen Begriffen Abschnitt 4.o.

dung in authentisch und inauthentisch ist völlig wert-
neutral, allein gebunden an eine mögliche Zueignung zum
Propheten Zefanja oder zu einem Ergänzer. [1]
Der Sinn dieser Beschränkung auf authentische Texte liegt
darin, daß in der Zusammenschau dieser Texte ohne notwendig verfälschendes Beiwerk [2] die authentische Botschaft Gottes an diesen Menschen tiefer erfaßt, besser
verstanden und passender verkündet werden kann. [3]
Damit das Gespräch mit dem Propheten gelingen konnte, sah
ich zu Beginn der Arbeit von aller wissenschaftlichen
Diskussion zum Zefanjabuch ab, um das Maß der Beeinflus-
sung durch schon geleistete Forschungsarbeit möglichst
gering zu halten. Erst in einem zweiten Schritt, ver-
glich ich meine Ergebnisse mit denen der neuesten und

-----

1) Das ganze Buch Zefanja wie es uns heute vorliegt ist
   inspirierte Offenbarung, kanonisiert auf dem Konzil
   von Trient am 8.April 1546 (Sessio IV, DS 1501-1508/
   NR 87-93).

2) Nur selten werden die authentischen Gedanken des Propheten ohne Assimilierung an eine neue geschichtliche
   Situation bzw. ohne die Hinzufügung eines neuen Ge-
   dankens in einer Ergänzung fortgeführt. Die Anglie-
   rung von späteren Texten liegt oft nur in Stichwort-
   verbindungen, dem Willen, das vom Propheten Gesagte
   zu überhöhen, oder in den im weitesten Sinne 'ähnlichen' Gedankengängen der Zusätze begründet.

3) 'Penitus percipi, melius intelligi, aptius proponi',
   Pastoralkonstitution über die Kirche in der Welt von
   heute, Gaudium et spes, Art. 44, in: LThK, Das Zweite
   Vatikanische Konzil, Teil III, Freiburg 1968, S.418;
   vgl. RAHNER/VORGRIMMLER, Kleines Konzilskompendium,
   Freiburg 1978, S. 495. Gegenteiliger Meinung ist
   EATON, J.H., Obadiah, Nahum, Habakuk and Zephaniah,
   TBC, London 1961, S. 123, der anführt "that the true
   significance of the work lies in its wholeness. Broken
   apart, it loses its essential meaning." Für ihn gibt
   es auch nur wenige 'finger-prints' späterer Ergänzer,
   deren Zusätze auch nur 'of slight consequence' seien.
   Diese Arbeit wird zeigen, daß dies keineswegs der Fall
   ist.

wichtigsten Kommentare und Monographien über das
Zefanjabuch [1]   und trat somit in den wissenschaftlichen Dialog ein. Nach manch hartem Kampf in dieser
Phase sichtete ich die weitere Literatur, deren Titel
dem Literaturverzeichnis zu entnehmen sind.
Für den Leser wird diese Vorgehensweise dadurch deutlich, daß ein Großteil der wissenschaftlichen Diskussion in den Anmerkungen zu finden ist und sich auf Ver-
weise bzw. kurze Stellungnahmen beschränkt.

-----

1) Diese sind IRSIGLER, H., Gottesgericht und Jahwetag,
   St. Ottilien 1977; KRINETZKI, G., Zefanjastudien,
   Bern 1977; LANGOHR, G., Le livre de Sophonie et la
   critique d'authenticité, in: EthL 52(1976), 1-27;
   RUDOLPH, W., KAT XIII/3, Gütersloh 1975; KAPELRUD,
   A.S., The Message of the Prophet Zephaniah, Kragerø
   1975; KELLER, C.-A., CAT XI b, Neuchâtel 1971;
   ELLIGER, K., ATD 25, Göttingen [6]1967; DEISSLER, A.,
   Sophonie, Paris 1964; HORST, F., HAT 1,14, Tübingen
   [3]1964; GERLEMANN, G., Zephanja, Lund 1942

1. ÜBERSETZUNG DES ZEFANJABUCHES

Hier folgt nun die reine Übersetzung des hebräischen
Bibeltextes. Textkritische Schwierigkeiten werden
durch hochgestellte Kleinbuchstaben angegeben und im
zweiten Kapitel der Arbeit (TEXTKRITIK) kurz angeführt. Versteile, die sich schon von der textkriti-
schen Betrachtung her als Glossen erweisen, sind schon
hier eingeklammert.

KAPITEL I

1   Wort Jahwes, das erging an Zefanja, [1] den Sohn
    des Kuschi, des Sohnes des Gedalja, des Sohnes des
    Amarja, des Sohnes des Hiskija; [a] in den Tagen
    des Joschija, des Sohnes des Amon, des Königs von
    Juda.

2   Ich raffe [a] alles hinweg vom Angesicht der Erde
    - Spruch Jahwes.

3   Ich raffe hinweg, Mensch und Vieh, ich raffe hinweg
    die Vögel des Himmels und die Fische des Meeres, [b]
    die zu Fall gebracht haben die (jetzt) Gottlosen, [b]
    und ich tilge den Menschen vom Angesicht der
    Erde - Spruch Jahwes.

4   Und ich strecke aus meine Hand gegen Juda und gegen
    alle Bewohner Jerusalems, und ich tilge [a] von diesem
    Ort [a] den Rest des Baal und [b] den Namen der Götzen-
    priester [c] mitsamt den Priestern, [c]

5   und jene, die sich auf den Dächern vor dem Heer
    des Himmels niederwerfen, und die sich [a] niederwerfen
    vor Jahwe [b] und schwören bei ihrem 'König'. [c]

-----

1) Alle biblische Eigennamen sind gemäß dem Ökumenischen
    Verzeichnis der biblischen Eigennamen nach den Loccu-
    mer Richtlinien, Deutsche Bibelgesellschaft, Katholi-
    sche Bibelanstalt, Stuttgart 1981, wiedergegeben.

6 und jene, die weichen von Jahwe und nicht nach
   Jahwe suchen und ihn nicht befragen.

7 Stille vor dem Herrn Jahwe! Denn nahe ist der Tag
   Jahwes, denn Jahwe hat ein **a)** Schlachtopfer bereitet,
   seine Gäste geheiligt.

8 Und es wird sein am Tag des Schlachtopfers Jahwes,
   da suche ich heim die Fürsten und die Söhne **a)** des
   Königs und alle, die fremdländische Kleidung tragen.

9 Und ich suche heim alle, die über die Schwelle
   springen, – (an jenem Tag) **a)** – die anfüllen das
   Haus ihres Herrn mit Gewalttat und Trug.

10 (Und es wird sein an jenem Tag – Spruch Jahwes) **a)**
   Horch, Geschrei vom Fischtor und Wehklage von der
   Neustadt her und großes Krachen von den Hügeln.

11 Heult, ihr Bewohner des Mörsers, denn vernichtet
   ist das ganze Krämervolk, vertilgt alle, die Silber
   wägten.

12 **a)** Und es wird geschehen in jener Zeit, **a)** da durch-
   laufe ich Jerusalem mit Laternen, **b)**, und ich suche
   heim die Männer, **c)** die auf ihren Hefen dick geworden
   sind, die in ihren Herzen sprechen: Jahwe tut weder
   Gutes noch Böses.

13 Ihre Habe verfällt der Plünderung und ihre Häuser
   der Verwüstung. **a)** Haben sie Häuser gebaut, so
   sollen sie darin nicht wohnen, haben sie Weinberge
   gepflanzt, so sollen sie deren Wein nicht trinken. **a)**

14 Nahe ist der Tag Jahwes, der große. Er ist nahe,
   schnell **a)** kommt er herbei. **b)**. Der Tag Jahwes ist
   schneller als ein Läufer, und rascher als ein Held. **b)**.

15 Ein Tag des Zorns ist jener Tag, ein Tag der Not
   und der Bedrängnis, ein Tag der Unwetter und der
   Verwüstung, ein Tag der Finsternis und des Dunkels,
   ein Tag der Wolke und der Dunkelheit,

16 ein Tag des Horns und des Kriegsgeschreis wider
   die festen Städte und hohen Zinnen.

17 Und ich stürze in Angst die Menschen, daß sie gehen
   wie Blinde, **a)** denn gegen Jahwe haben sie gesündigt **a)**
   Ihr Blut wird verschüttet wie Staub, ihre Eingeweide **b)**
   wie Kot.

18 Weder ihr Silber noch ihr Gold kann sie retten am
   Tag des Zorns Jahwes. Im Feuer seines Eifers wird
   verzehrt die ganze Erde, denn ein Ende, ja plötzlichen
   Untergang, bereitet er allen Bewohnern der Erde.

KAPITEL II

1   **a)** *Geht in euch, kommt zusammen,* **a)** *Volk ohne Sehnsucht,*

2   *bevor ihr verjagt werdet* **a)** *wie Spreu, die (an einem Tag)* **b)** *verweht,* **c)** *bevor (noch) nicht* **d)** *über euch gekommen ist der glühende Zorn Jahwes, bevor (noch) nicht* **d)** *über euch gekommen ist der Tag des Zorns Jahwes.* **c)**

3   *Suchet Jahwe, gleich* **a)** *allen Demütigen des Landes, die sein Recht erfüllen. Suchet Gerechtigkeit, suchet Demut, vielleicht bleibt ihr geborgen am Tag des Zorns Jahwes.*

4   *Denn Gaza wird verlassen sein, Aschkelon zur Wüste werden, Aschdod wird am hellen Mittag vertrieben, und Ekron wird entwurzelt.*

5   *Wehe euch, ihr Bewohner der Meeresküste, Volk der Kreter. Das Wort Jahwes ergeht wider euch: Ich demütige dich,* **a)** *du Land der Philister, ich vernichte dich, so daß kein Bewohner zurückbleibt.*

6   *Du wirst* **a)** *(Meeresküste),* **b)** *zu Triften (und Auen)* **c)**, *für die Hirten und zu Hürden für die Schafe.*

7   *Und die Küste* **a)** *wird dem Rest des Hauses Juda zufallen. Am Meere* **b)** *werden sie weiden, in den Häusern von Aschkelon werden sie lagern am Abend, denn Jahwe, ihr Gott, nimmt sich ihrer an und wendet ihr Geschick.*

8   *Ich habe die Schmähung Moabs gehört und die Lästerungen der Söhne Ammons, womit sie schmähten mein Volk und wider ihr* **a)** *Gebiet großgetan haben.*

9   *Darum, so wahr ich lebe, Spruch Jahwes der Heere, des Gotts Israels: Moab soll werden wie Sodom und die Söhne Ammons wie Gomorrah, eine Stätte* **b)** *für Nesseln und eine Grube von Salz, eine Wüste für immer. Der Rest meines Volkes wird sie ausplündern, die Übriggebliebenen meines Volkes sie beerben.*

10 *Dies wird ihnen zuteil für ihren Hochmut, denn sie haben gehöhnt und großgetan wider das Volk Jahwes der Heere.*

11 *Furchtbar erweist sich* **a)** *Jahwe für sie, denn er vernichtet* **b)** *alle Götter der Erde, und es werden ihn anbeten ein jeder an seinem Ort, alle Inseln der Völker.*

12 *Auch ihr, Kuschiten, seid* ^{a)} *von meinem Schwert Durchbohrte.* ^{a)}

13 *Dann streckt er seine Hand aus gegen den Norden, er richtet Assur zugrunde, er macht Ninive zur Einöde, trocken wie die Wüste.*

14 *Es werden Herden darin lagern, allerlei Tierarten,* ^{a)} *der Pelikan* ^{b)} *wie die Rohrdommel* ^{b)} *übernachten auf seinen Säulenknäufen, das Käuzchen (eine Stimme)* ^{c)} *ruft im Fenster, der Rabe* ^{d)} *auf der Schwelle,* ^{e)} *denn das Zederngetäfel hat man abgerissen.* ^{e)}

15 *Ist das die ausgelassene Stadt, die in Sicherheit wohnte, die in ihrem Herzen sprach: Ich, und außer mir niemand!? Wie ist sie zur Einöde geworden, ein Lagerplatz für die Tiere. Ein jeder, der vorbeigeht, zischt und schwingt seine Hand.*

KAPITEL III

1 *Wehe der widerspenstigen, der verunreinigten,* ^{a)} *der gewalttätigen Stadt.*

2 *Nicht hört sie auf den Ruf, nicht nimmt sie Zucht an, auf Jahwe vertraut sie nicht, ihrem Gott nähert sie sich nicht.*

3 *Ihre Fürsten in ihrer Mitte sind brüllende Löwen, ihre Richter Wölfe am Abend,* ^{a)} *am Morgen nagen sie keinen Knochen (mehr) ab.*

4 *Ihre Propheten sind unzuverlässig, Männer des Betrugs, ihre Priester entweihen das Heilige, vergewaltigen die Weisung.*

5 *Jahwe ist gerecht in ihrer Mitte, er begeht kein Unrecht. Morgen für Morgen gibt er sein Recht, beim Morgenlicht* ^{a)} *bleibt es nicht aus (aber der Niederträchtige kennt keine Scham).*

6 *Vertilgt habe ich Völker, ihre Zinnen verwüstet, ich habe ihre Straßen öde gemacht, daß niemand darauf einherzieht, verheert sind ihre Städte, menschenleer,* ^{a)} *ohne Bewohner.*

7 *Ich dachte: Nun wird sie* ^{a)} *mich fürchten, wird* ^{a)} *Zucht annehmen und es wird nicht mehr aus ihren Augen* ^{b)} *schwinden, was ich ihr befohlen. Fürwahr, nur um so schlimmer trieben sie all ihre Untaten.*

8   *Darum wartet* ^{a)} *auf mich – Spruch Jahwes – auf*
     den Tag, da ich aufstehe als Kläger, ^{b)} *denn ich*
     habe beschlossen Völker zu versammeln, Königreiche
     zusammenzubringen, ^{c)} *um über euch* ^{d)} *meinen Grimm*
     auszuschütten, die ganze Glut meines Zornes, ^{e)}
     (denn im Feuer meines Eifers wird die ganze Erde
     verzehrt). ^{e)}

9   *Denn alsdann will ich den Völkern* ^{a)} *eine reine*
     Lippe schaffen, daß sie vereint anrufen den Namen
     Jahwes und ihm mit einer Schulter (= einmütig)
     dienen.

10   *Von jenseits der Ströme von Kusch werden meine*
     Anbeter (die Tochter meiner Zerstreuten) ^{a)} *mir Opfer-*
     gaben bringen.

11   *An jenem Tag* ^{a)} *wirst du nicht zuschanden, trotz*
     all deiner Untaten, mit denen du dich gegen mich
     vergangen hast, denn dann werde ich fortschaffen
     aus deiner Mitte deine stolzen Prahler, und nicht
     wirst du mehr übermütig sein auf meinem heiligen
     Berg.

12   *Und ich werde übriglassen in deiner Mitte ein Volk,*
     demütig und gering. Sie suchen Zuflucht im Namen
     Jahwes.

13   *Der Rest Israels* ^{a)} *– Sie werden kein Unrecht tun,*
     sie werden keine Lüge reden und nicht wird man
     in ihrem Mund finden eine trügerische Zunge, denn
     sie werden weiden und sich lagern und niemand
     schreckt auf.

14   *Frohlocke, Tochter Zion, jauchze, Israel, freue dich*
     und juble von ganzem Herzen, Tochter Jerusalem.

15   *Aufgehoben hat Jahwe deine Strafgerichte,* ^{a)} *fortge-*
     schafft deine Feinde. ^{b)} *König Israels ist Jahwe* ^{c)}
     in deiner Mitte, nicht mehr mußt du Unheil fürch-
     ten. ^{d)}

16   *An jenem Tag wird man zu Jerusalem sagen: Fürchte*
     dich nicht, Zion, laß deine Hand nicht sinken.

17   *Jahwe, dein Gott, ist in deiner Mitte ein Held, der*
     hilft. Er freut sich über dich in Wonne, er wallt
     über ^{a)} *in seiner Liebe, jubelt über dich mit Jauch-*
     zen ^{b)} *wie am Tag der Begegnung.* ^{b)}

18   *Ich schaffe weg von dir* ^{a)} *das Unheil, damit du*
     nicht mehr tragen mußt ^{a)} *die Schmach.*

19   *Sieh, ich schreite ein* [a] *gegen all deine Bedränger* [b]
        in jener Zeit, [b] *ich rette die Hinkenden und sammle*
        die Versprengten. Ich bringe sie wieder zu Ehre und
        Namen im ganzen Land ihrer Schande.

20   *In jener Zeit, da ich euch heimbringe, in der Zeit,*
        da ich [a] *euch sammle. Denn ich will euch Ruhm*
        und Namen geben unter allen Völkern der Erde,
        wenn ich vor euren Augen euer Geschick [b] *wende*
        – spricht Jahwe.

2. TEXTKRITIK ZUM ZEFANJABUCH

Die folgenden Bemerkungen zum hebräischen Text des
Zefanjabuches sind mehr eine Zusammenstellung von Ergebnissen als eine ausführliche Erörterung der sich
ergebenden Textschwierigkeiten. Dies erscheint mir
aus folgenden Gründen legitim zu sein:

a) Die drei Kapitel des Zefanjabuches, wie es uns
   heute vorliegt, bergen etwas über 100 fragliche
   Textstellen und Varianten. Eine präzise ausformulierte Besprechung aller Stellen würde somit den
   Rahmen dieser Arbeit sprengen. Es liegen auch schon
   wissenschaftliche Arbeiten vor, welche sich mit dem
   Text des ganzen Buches beschäftigen, und auf die
   immer wieder verwiesen wird.

b) Das Thema dieser Arbeit betrifft nicht das ganze
   uns vorliegende Buch, sondern allein die Textpas-
   sagen, die auf den Propheten Zefanja selbst zurückgeführt werden können, d.h. nach der Scheidung der
   authentischen von den inauthentischen Texten wird
   auf den als ursprünglich erkannten Text in der Auslegung nochmals eingegangen.

KAPITEL I

V. 1 a) Die nur von S und einigen wenigen Handschrif-
        ten überlieferte Textvariante חלקיה ist als
        ein Abschreibfehler zu behandeln, jedoch be-
        deutsam für die Frage, ob mit חִזְקִיָּה der
        'König' Hiskija gemeint sei. Die syrische Text-
        variante gibt Zeugnis davon, daß die Abschrei-
        ber hinter dem Namen חזקיה nicht den
        König vermuteten, da sonst der Abschreibe-

13

fehler wohl kaum geschehen wäre. [1)]

V.2/3 a) Viel diskutiert ist die Lesart der Masoreten
אָסֹף אָסֵף , doch keine Korrektur kann über-
zeugen. So halten wir an M fest, da der Text
auch einen guten Sinn ergibt. [2)]

b) Viele Kommentatoren ändern den Masoretentext
zu וְהִכְשַׁלְתִּי und kommen so zu der Übersetzung:
'und ich bringe die Gottlosen zu Fall'. Ohne
Änderung des Konsonantenbestandes ist die Le-
sung von וְהַמַּכְשֵׁלֹת (כָּשַׁל Part.pl.fem.hi.)
jedoch vorzuziehen; inhaltlich ein Rückverweis
auf die Tiere (vgl. 4.3.2.). Bemerkenswert
ist auch das Fehlen des Textes in G, so daß
wir vielleicht mit einer Glosse rechnen müssen, die die Ausrottung der Tiere erklären
wollte, und daher wohl auf 'Tiergötzenbilder'
anspielt. [3)]

V. 4 a) מִן־הַמָּקוֹם הַזֶּה überlastet den Vers metrisch
und ist daher als Glosse auszuscheiden. Argumente inhaltlicher Art in 4.4.2.

b) Mit vielen Handschriften G,S,T,V ist hier
וְאֵת zu lesen.

-----

1) Vgl. dazu auch Zef 1,1, Abschnitt 4.3.1.; GERLEMANN,
   G., Zephanja, a.a.O., S.1; RUDOLPH, W., KAT XIII/3,
   a.a.O., S.259.

2) Siehe dazu auch DEISSLER, A., Sophonie, a.a.O., S.441;
   GERLEMANN, G., Zephanja, a.a.O., S.2; BALLA, E., Die
   Botschaft der Propheten, Tübingen 1958, S.16; KELLER,
   C.-A., CAT XI b, a.a.O., S.186; IRSIGLER, H., Gottes-
   gericht, a.a.O., S.6-11 (gute Übersicht!); KRINETZKI,
   G., Zefanjastudien, a.a.O., S.253f.

3) Vgl. STONEHOUSE, G.G.V., The Books of the Prophets
   Zephaniah and Nahum, WC, London 1929, S.30; WOUDE,
   A.S. van der, Predikte Zephanja een wereldgericht?,
   in: NThT 20(1965), S.9-15; IRSIGLER, H., Gottesgericht, a.a.O., S.11ff.

c) Es dürfte sich auch hier um einen späteren, vielleicht von Zef 3,4 beeinflußten Zusatz handeln, wofür auch sein Fehlen in G sprechen würde (vgl. 4.4.3.).

V. 5 a) Das הַנִּשְׁבָּעִים vor לַיהוָה ist metrisch überhängend und störend; entstanden wohl durch Doppelschreibung.

b) Die BHS bietet noch als Variante zu לַיהוָה לְיָרֵחַ 'vor dem Mond', unter Hinweis auf Dtn 17,3 und Jer 8,3, wo die Tatsache, daß Gestirne angebetet werden, zum Ausdruck kommt. Einzig ELLIGER ändert unter Berufung auf NESTLE den Text dementsprechend. Dem ist jedoch nicht zu folgen, da zum einen diese Lesart nirgendwo bezeugt ist und zum anderen die Gestirne in Zef 1,5a angesprochen werden, in 1,5b jedoch der Synkretismus im Blick ist.

c) Einige Textzeugen G^L,S,V lesen anstelle von M: בְּמַלְכָּם = 'bei ihrem König', בְּמִלְכֹּם = 'bei Milkom' (Milkom ist der Hauptgott der Ammoniter, vgl. 1 Kön 11,5; Jer 49,1.3). In der Tat erwartet man als Antithese zu Jahwe in Zef 1,5bα einen speziellen Gottesnamen. Die Annahme des Ammonitergottes überrascht aber, da Milkom, welcher sicher auch in Juda verehrt wurde (vgl. 2 Kön 23,13), sonst nur im Zusammenhang mit Astarte und Kamosch genannt ist (vgl. 5.1.1.). Besser in den Zusammenhang paßt die Nennung des assyrischen Gottes Moloch (Melek), da dieser zusammen mit der Verehrung des Himmelsheeres (Zef 1,5a) an mehreren Stellen genannt ist. [1]

-----

1) Vgl. 2 Kön 17,16f; 21,3ff; 23,4ff; Jer 19,13; 2 Kön 23,12; Jer 32,29.

V. 7 a) Der von G vorgeschlagenen Variante 'sein
         Schlachtopfer' ist nicht zu folgen.

V. 8 a) τὸν οἶκον (= בַּיִת) dürfte eine Verlesung
         von בְּנֵי sein. M ist zu folgen.

V. 9 a) בַּיּוֹם הַהוּא läßt sich als späterer Einschub
         vermuten. Näheres Abschnitt 4.4.4.

V. 10 a) vgl. V.9a)

V. 12 a) Auch hier läßt sich ein späterer Einschub
         vermuten, vgl. 4.4.4.

     b) Der Singular, den G,S,T bieten, ist als
        eine Vereinfachung von M zu werten (wenn
        überhaupt, so braucht Jahwe nur eine Later-
        ne!). M ist lectio difficilior und daher zu
        belassen. Inhaltlich dürfte durch den Plural
        die Intensität und die Gründlichkeit des
        Durchsuchens Jahwes ausgedrückt sein, der
        nichts verborgen bleibt.

     c) M muß hier weder korrigiert noch ergänzt wer-
        den.

V. 13 a) Eine unmittelbare Abhängigkeit von Am 5,11
         muß nicht angenommen werden, da dieser Fluch-
         spruch als geprägt anzusehen ist; vgl. Dtn
         28,30.38 und Am 9,14.

V. 14 a) וּמַהֵר ist Verkürzung des Partizips וּמְמַהֵר ;
         vielleicht Haplographie.

     b) M befriedigt hier nicht. Die angegebene
        Konjektur paßt sich besser in den Zusam-
        menhang ein und kommt auch nur mit einer
        Buchstabenänderung aus. [1)]

-----

1) Vgl. IRSIGLER, H., Gottesgericht, a.a.O., S.52ff;
   RUDOLPH, W., KAT XIII/3, a.a.O., S.263; KRINETZKI,
   G., Zefanjastudien, a.a.O., S.255.

16

V. 17 a) Der Zwischensatz, wiederum begründet wie
         in Zef 1,3, trennt hier Zusammengehöriges
         und muß somit als Glosse betrachtet wer-
         den (4.4.5.).

      b) Die Wiedergabe mit 'Eingeweide' ist dem
         Begriff 'Fleisch' vorzuziehen, da damit
         das Verb sinnvoll verbunden werden kann.

KAPITEL_II

V. 1 a) Die Hapaxlegomena הַתְקוֹשְׁשׁוּ וָקוֹשּׁוּ sind gut
         bezeugt, eine Korrektur des Textbestandes
         ist daher nicht zulässig. Über die mannig-
         faltigen Übersetzungsvorschläge informiert
         gut IRSIGLER, H., Gottesgericht, a.a.O., S.
         59ff.

V. 2 a) Da M hier unverständlich ist und auch GERLE-
         MANNs Vermutung einer alten Redensart nicht
         sehr wahrscheinlich ist, dürfte die in der
         BHS vorgeschlagene Konjektur wohl die meisten
         Pluspunkte auf sich vereinen können.

      b) יוֹם ist hier als Glosse zu betrachten, vgl.
         G und S.

      c) In der Überlieferung ist gelegentlich Zef
         2,2aα bzw. Zef 2,2bβ als Doppelung gestrichen
         worden. Einen überzeugenden Grund für die
         Streichung einer der beiden Versteile gibt
         es jedoch nicht.

      d) Die Streichung von לֹא ist textkritisch
         nicht zu vertreten.

V. 3 a) Inhaltliche Schwierigkeiten lassen sich klären, wenn man mit RUDOLPH und KRINETZKI [1]
ein כְּ vor כָּל einfügt (Vermutung von Haplographie).

V. 5 a) Die Bezeichnung 'Kanaan' für das Philisterland ist höchst ungebräuchlich. Deshalb ist
der Vorschlag in BHK[3] אֶרְנֶעָן als beste Lösung zu akzeptieren. Abzulehnen ist die Interpretation von EHRLICH, [2]   der Kanaan
mit folgender Begründung beibehalten möchte:
"Das Wort JHVHs über euch ist dasselbe wie es
einst über Kanaan war."

V. 6ab) יְהָיָה paßt hier besser in den Zusammenhang,
besonders da man חֶבֶל הַיָּם als von Vers 5 eingeflossen betrachten muß (in G fehlt es).

c) Das Hapaxlegomenon כָּרֹת, welches in V fehlt,
dürfte als Dittographie oder als nachträg-
licher Einschub anzusehen sein.

V. 7 a) Die Ergänzung von הַיָּם ist hier höchstwahrscheinlich. Vgl. Vers 5; G und S.

b) עֲלֵיהֶם steht hier recht beziehungslos; der
Vorschlag der BHS עַל־הַיָּם ist aufzunehmen.

V. 8 a) G 'mein Gebiet' ist unwahrscheinlich.

V. 9 a) Eine Streichung von צְבָאוֹת (ggf. Einfluß
von Zef 2,10b) ist nicht notwendig.

b) Die genaue Bedeutung des Hapaxlegomenon
מִמְשַׁק ist nicht bekannt. Als gesichert ist
jedoch anzusehen, daß damit ein Stück Land,
ein Ort bezeichnet wird.

-----

1) RUDOLPH, W., KAT XIII/3, a.a.O., S.271ff; KRINETZKI,
   G., Zefanjastudien, a.a.O., S.257.
2) EHRLICH, A.B., Randglossen zur hebräischen Bibel V.,
   Hildesheim 1968, S.313.

V. 11 a) M ist hier mit G und S zu נִרְאָה zu korri-
gieren.

b) Möglicherweise ist hier יָרְאָא zu lesen. M
könnte durch Haplographie entstanden sein.

V. 12 a) Die in BHS angegebene Variante läßt sich
schlecht als ursprüngliche Lesart erklären,
da sie zu glatt ist. M ist als lectio diffi-
cilior zu belassen.

V. 14 a) RUDOLPH führt hier allerlei Erklärungsver-
suche in seinem Kommentar an. [1] Befrie-
digen kann jedoch keiner. So lassen wir den
Text von M stehen, der wohl auf die Viel-
falt der Tiere hinweisen will.

b) Die Übersetzung der Tiernamen ist leider
nicht völlig gesichert (vgl. die Varia-
tionen in den verschiedenen Kommentaren).

V. 14cd) Zef 2,14b ist sehr schlecht überliefert.
Die erste Schwierigkeit ergibt sich in
Vers 14bα : 'eine Stimme (קוֹל) ruft im
Fenster'. Da dieser Versteil das Bild von
Zef 2,14a sprengt, wurde oft vorgeschlagen,
für קוֹל כּוֹס - 'das Käuzchen' zu lesen,
womit die Besitznahme der verlassenen Häuser durch die Tiere weitergeführt würde.
Eine Stärkung dieser Konjektur gibt die
Lesart von G(V) עֹרֵב - 'Rabe' für חֹרֶב -
'Verödung' in Zef 2,14bβ . Beide Textschwierigkeiten stehen in engem Zusammenhang, da wenn wir עֹרֵב - 'Rabe' lesen wollen, was anzuraten ist, da 'Verödung auf
der Schwelle' nur schwerlich einen Sinn ergibt, wir uns auch für כּוֹס entscheiden

-----

1) RUDOLPH, W., KAT XIII/3, a.a.O., S.278 zu 14b.

müssen, um der unbestimmten Stimme, als
Äquivalent zum Raben, ein Tier zuzuordnen.
Der so gefundene Text: 'das Käuzchen ruft
im Fenster, der Rabe auf der Schwelle', wird
dem Vers Zef 2,14 am ehesten gerecht.

V. 14 e) Die letzten drei Worte des Verses sind kaum
sinnvoll zu übersetzen. Viele Kommentatoren
lassen sie daher einfach weg. Das Bild der
Verwüstung wird hier in einen anderen Zusammenhang gestellt, was auf eine spätere Einfügung hinweisen kann. Der Vorschlag von
BUHL [1] und BHS ist nicht sehr wahrscheinlich.

KAPITEL III

V. 1 a) M muß belassen werden. Der abgeänderten
Übersetzung in G liegt ein Interpretations-
fehler zugrunde. [2]

V. 3 a) Dem Vorschlag von G 'die Wölfe Arabiens'
ist nicht zu folgen (vgl. Hab 1,8). [3]
Auch für den Vorschlag 'Wölfe der Steppe'
(עֲרָב) gibt es keine durchschlagenden
Gründe (vgl. 5.1.5.).

-----

1) Vgl. BUHL, F., Einige textkritische Bemerkungen zu
den kleinen Propheten, in: ZAW 5(1885), S.182.

2) Vgl. GERLEMANN, G., Zephanja, a.a.O., S.47ff;
JONGELING, B., Jeux de mots en Sophonie III 1 et 3?,
in: VT 21(1971), S.541ff.

3) Vgl. ELLIGER, K., Das Ende der Abendwölfe, in: Ber-
tholet-Festschrift 1950, S. 158-175, Tübingen.

V. 5 a) Eine Korrektur von לָאוֹר nach כָּאוֹר nach S und T ist nicht notwendig; M kann belassen werden und gibt einen guten Sinn.

V. 6 a) BHS schlägt vor, מִבְּלִי־אִישׁ als inhaltliche Dublette zu מֵאֵין יוֹשֵׁב zu streichen. Dies ist jedoch keineswegs notwendig und auch nicht anzuraten, da der Ausdruck מִבְּלִי אִישׁ bei Zefanjas Zeitgenossen Jeremia öfter an unstrittigen Stellen vorkommt. [1]

V. 7 a) Der Zusammenhang fordert die Konjektur תִּירָה und תִּקַּח (vgl. G,S,T).

b) Nach G und S ist hier מְעֹנֶיהָ zu lesen.

V. 8 a) Der Singular in G und V ist als eine Angleichung an Zef 2,7 Masoretentext zu bewerten.

b) M ist hier unverständlich; mit G und S ist daher לְעֵד zu lesen.

c) Das Suffix der ersten Person ist in M zu streichen; vgl. T,G,S.

d) עֲלֵיהֶם muß hier in עֲלֵיכֶם umgewandelt werden, da die dritte Person Plural das Gottesgericht über die Völker und Königreiche ausdrücken würde. Dies ist inhaltlich durch den Zusammenhang mit Zef 3,6f deutlich. Die Warnungen an sein Volk waren vergeblich (Zef 3,7b), darum folgt in Zef

-----

1) Vgl. dazu besonders KRINETZKI, G., Zefanjastudien, a.a.O., S.139.210f.

3,8 eine Gerichtsandrohung über Jerusalem
(לָכֵן - Zef 3,8aα). [1]   Zur Ausführung des
Gerichts sind die Völker und Königreiche von
Jahwe versammelt worden - über sie ergeht
das Gericht nicht. Die Korrektur des ursprünglichen עֲלֵיכֶם in עֲלֵיהֶם geht mit großer
Wahrscheinlichkeit auf einen exilischen Über-
arbeiter zurück, der durch die Änderung eines Buchstabens das Gericht über die Völker
ansagen möchte, nachdem Jerusalem das Strafgericht Jahwes 587 vor Chr. empfangen hatte.
Aus der Unheilsprophetie wurde so Heilsprophetie.

   e) Ist als eine eschatologische Erweiterung anzusehen und daher zu streichen (vgl. Zef 1,18b).

V. 9 a) Gegen M spricht hier nichts; eine Änderung
zu אֶל־עַמִּי hat den Verdacht einer theologischen Interpretation.

V. 10 a) Die Worte עֲתָרַי בַּת־פּוּצַי sind von der Text-
überlieferung her sehr schlecht bezeugt.
Besonders בַּת־פּוּצַי - 'die Tochter meiner
Zerstreuten', sprengt auch den Kontext von
Zef 3,9f, da es hier um die Bekehrung der
Heiden geht und mit בַּת־פּוּצַי jedenfalls
die zerstreuten Juden gemeint sind. Inter-
essant ist der Vergleich mit Jes 66,20,
wo die bekehrten Heiden die zerstreuten
Juden als Opfergabe wieder nach Jerusalem

-----

1) Läßt man M stehen, so vermißt man eine Strafansage
über Jerusalem. Die Lösung einiger Autoren für dieses
Problem ist mehr als abenteuerlich. So meint DUHM, B.,
Anmerkungen zu den zwölf Propheten, in: ZAW 31(1911),
S.98, eine Begründung dafür, daß erst in Zef 3,11
etwas von einem Gericht über Jerusalem auftaucht, sei,
"daß der Dichter nur etwas ungeschickt in der Hand-
habung seiner Disposition war."

bringen. Dieser späte Jesajatext (Tritojesaja) könnte der Hintergrund dieser Glosse sein.

Das Hapaxlegomenon עֲתָרַי ist gut gedeutet
als Substantiv Plural mit Suffix der ersten
Person von I עָתַר - beten = meine Anbeter.

V. 11 a) בַּיּוֹם הַהוּא ist hier nicht sicher zu tilgen,
da der Prophet damit selbst einen Rückver-
weis auf seine Gerichtsandrohung (Zef 3,8)
geben könnte (vgl. 5.2.2.).

V. 13 a) Die ersten beiden Worte von Zef 3,13 werden
von G zu Vers 12 gezogen (vgl. BHS). Dies
entspricht der Intention des Glossators, der
diese Worte hier eingefügt hat. Vgl. dazu den
Exkurs: Das Problem des 'Restes' im Zefanjabuch und 4.4.10.

V. 15 a) M kann bleiben, gibt auch einen guten Sinn;
die Übersetzung mit 'Gegner' ist Interpretation.

b) Mit vielen Handschriften G,S,T ist hier der
Plural zu lesen.

c) M ist gut bezeugt und sinnvoll, keine
Änderung notwendig.

d) Die Variante: 'nicht wirst du mehr Unheil
"sehen"', ist inhaltlich schwächer, und M
ist gut bezeugt.

V. 17 a) M ist hier unverständlich. Die beste Variante ist hier sicher יֶרֱחַשׁ = 'er wallt
über'. [1]

-----

[1] Vgl. schon MÜLLER, P., Emendationen zu Hab 1,9;
Zeph 1,14b. 3,17; Ps 141,7, in: ThStKr 80(1907),
S.310.

V. 18 a) Vers 3,18a gehört sicher noch zu Vers 17;
mit G ist jedoch כְּיֹרֹם מוֹעֵד zu konjizieren,
vgl. BHS.

b) Der Text ist hier äußerst schwierig. Die
beste Konjektur ist הֹרֹה מָשְׁאָת, da sie mit
einer geringfügigen Änderung von M aus-
kommt.

V. 19 a) Der Einschub von כָּלָה ist schlecht bezeugt
und sein Ausfall nur schwer zu erklären. M
ist daher zu belassen.

b) בָּעֵת הַהִיא muß hier nicht getilgt werden, da
der Ausdruck in den eschatologischen Kontext
des Verses paßt.

V. 20 a) M muß hier in אֲקַבֵּץ geändert werden.

b) Es ist die Singularform שְׁבוּתְכֶם - 'euer
Geschick' zu lesen.

3. DER GESCHICHTLICHE HINTERGRUND DER VERKÜNDIGUNG DES PROPHETEN ZEFANJA - FRAGE DER DATIERUNG DES BUCHES

Der erste Vers unseres Buches gibt eine Zeitangabe:
"Wort Jahwes, das erging an Zefanja, ... , in den Tagen des Joschija, des Sohnes des Amon, des Königs von
Juda."
Der König Joschija regierte 31 Jahre [1] von 640 -
609 vor Chr. Die Annahme, Zefanja sei in dieser Zeit
als Prophet aufgetreten, wird heute von dem Großteil
der Kommentatoren als zutreffend angesehen, wiewohl
es auch Versuche gibt, Zefanja erst unter der Regierung des Jojakim (608-598) anzusiedeln,[2] oder das
Buch als ein Pseudepigraphon aus dem zweiten Jahrhundert vor Christus anzusehen. [3]
Zu einer Entscheidung in dieser Frage ist es notwendig,
daß wir den geschichtlichen Hintergrund dieser Zeit lebendig werden lassen. Ich halte es für sinnvoll, den
Zeitraum vom Untergang des Nordstaates Israel 722/21
bis zum Untergang des Südstaates Juda 587 vor Chr. zu
betrachten, da nur aus diesem großen Zusammenhang die
Aktionen und Reaktionen der jeweiligen Könige wie auch
der Propheten deutlich Profil gewinnen können.
Die letzten 130-140 Jahre des Staates Juda sind gekennzeichnet von der Unterdrückung des Landes durch die
Großmächte Assyrien (bis ca. 640), Ägypten (609-605)

-----

1) Vgl. 2 Kön 22,1
2) Vgl. WILLIAMS, D., The date of Zephaniah, in: JBL 82
   (1963), S.77-88; HYATT, J.P., The date and background
   of Zephaniah, in: JNES 7(1948), S.25-29.
3) SMITH, L.P.- LACHEMAN, E.R., The authorship of the
   book of Zephaniah, in: JNES 9(1950), S.137-142.

und Babylon (605-537) und von den verzweifelten Versuchen des Landes, in Zeiten, in denen die Großmächte geschwächt waren, die Vasallenschaft abzuwerfen, Freiheiten zu erkämpfen, zurückzukehren zu dem eigenen kultischen und völkischen Erbe. Diese Zwischenzeiten waren aber leider recht kurz bemessen, da die geschwächten Mächte entweder wieder erstarkten, oder andere Mächte ihr Erbe antraten.

Die beherrschende Macht in dem von uns zu behandelnden Zeitraum ist das von Tiglat-Pileser III. in der Mitte des achten Jahrhunderts vor Christus begründete Weltreich Assyrien. Juda unterwarf sich 733 unter seinem König Achas, wogegen der König Hosea von Israel sich der Vorherrschaft Assurs zu entziehen trachtete und damit den Untergang Israels provozierte, der mit der Einnahme Samarias 722/21 durch den Assyrerkönig Sargon II. perfekt war. [1]

Achas hatte mit seiner vorsichtigen Politik zwar das Südreich Juda vor demselben Schicksal bewahrt, mußte aber alle Nachteile der Vasallenschaft auf sich nehmen: er zahlte Tribut, [2] mußte seine Krieger für Assurs Eroberungszüge bereitstellen, mußte als äußeres Zeichen der Anerkennung der assyrischen Oberhoheit dem assyrischen Obergott im Jerusalemer Tempel einen Altar errichten, welcher die Stelle des zum Nebenaltar degra-

-----

1) Vgl. PRITCHARD, J.B., ANET, Princeton [2]1955, S.284; GRESSMANN, H., AOT, Tübingen [2]1926, S.116; GALLING, K., TGI[2], Tübingen [2]1968, S.60f und THOMAS, D.W., Documents from Old Testament Times, Lund [2]1958, S. 58f. Es gibt auch Texte, nach denen schon Salmanassar V. Samaria eingenommen hat.

2) Vgl. 2 Kön 16,8; ANET, a.a.O., S.282; TGI[2], a.a.O., S.59.

AGYPTEN	ISRAEL	JUDA	ASSUR	BABYLON
		Ahas 742-726	Tiglat-Pileser 745-727	
	Hosea 732-723 --------		Salmanassar V. 727-722	
	722/21			
	Fall Samarias	Hiskija 726-697	Sargon II. 722-705	
Tirhaka (25.Dyna- stie) 714-663			Sanherib 705-681	
		Manasse 697-642	Assarhaddon 681-669	
Psammetich I. 663-609 (26. Dyna- stie)			Assurbanipal 669-626	
		Amon 642-640		
		Joschija 640-609	Assur-etil- ilani 626-621	Nabopolassar 625-605
Necho II. 609-595		Joahas 609	Sin-sar- iskun 621-612	
		Jojakim 609-598	Assur- ubalit II. 612-605 ----------	Nebukadnezzar 605-562
		Jojachin 598	612 Fall Ninives	
		Zidkija 597-587 --------	605 Entschei- dungsschlacht bei Karkemisch	
		587 Fall Jerusalems		
		Babylonisches Exil		
				-------------- 539 Fall Babylons Persisches Welt- reich: Kyros d. Gr.

dierten Brandopferaltars einnahm. Jahwe war damit in
Jerusalem zum Nebengott herabgewürdigt. [1]
Hiskija, Achas' Sohn und Nachfolger auf dem judäischen
Thron (725/24 - 697/96), verfolgte zunächst die vorsichtige Politik seines Vaters weiter. Einer Aufstands-
bewegung in den Jahren 718/17, welcher Samaria, Damas-
kus, Gaza und Ägypten angehörten, schloß sich Hiskija
nicht an. [2]   Als sich aber 713 eine Reihe von Kleinstaaten unter der Führung der Philisterstadt Aschdod
gegen Assur erhob, nahm Hiskija Verbindung mit den Auf-
ständischen auf, denen Ägypten Unterstützung zugesagt
hatte. Der Prophet Jesaja warnte eindringlich vor diesem Unternehmen, [3]   doch blieben seine Worte ungehört.
Seine Warnungen waren aber, wie sich später zeigte, mehr
als berechtigt. Als Sargon 711 den Aufstand niederschlug,
lieferte Ägypten sogar den geflohenen König von Aschdod
an die Assyrer aus. Das Gebiet von Aschdod wurde assyrische Provinz. [4]   Diesem Schicksal entging Juda, da es
sich gleich Edom und Moab schnell den Assyrern unterwarf.

Doch Hiskija war nicht gewillt, unterwürfig zu bleiben.
Die nächste aussichtsreiche Gelegenheit zur Abschüttel-
lung des assyrischen Jochs wurde von ihm ergriffen. Im
Jahre 705 starb Sargon II., und dessen Nachfolger Sanherib (705-681) hatte einige Aufstände im eigenen Land
niederzuwerfen, um seine Macht zu festigen. Überall erwachte in dieser Zeit der Freiheitswille der unterdrück-
ten Staaten und Städte. Hiskija scheint bei der Auf-
standsbewegung im Westen des Reiches eine führende
Rolle gespielt zu haben. Er stellte die Tributzahlungen ein und reinigte den Kult von allen assyri-

-----

1) Vgl. 2 Kön 16,10-18
2) Siehe ANET, a.a.O., S.285
3) Vgl. Jes 18 und 20
4) Vgl. TGI^2, a.a.O., S.63-64

28

schen Kultobjekten, welche von seinem Vater aufge-
stellt worden waren, aber auch von allen anderen
antijahwistischen Einflüssen. [1] So wurden die
Höhenheiligtümer entweiht, die Masseben (numinose
Steine) und Ascheren (Kultbäume) umgestürzt. Hiskija
knüpfte Verbindungen mit Babylon, Ägypten, den süd-
palestinischen Kleinstaaten und den Philisterstädten
Aschkelon und Ekron. Er ließ Befestigungsanlagen
bauen und den noch heute zu bewundernden Siloahkanal [2]
anlegen, der die Wasserversorgung der Hauptstadt über
die Gichonquelle auch bei einer Belagerung sicherte.
Wieder war es Jesaja, [3] der sich gegen des Königs
Politik wandte und das alleinige Vertrauen auf Jahwe
forderte.
Im Jahre 701 vor Chr. zog Sanherib heran, unterwarf
die phönizischen Küstenstädte, schlug ein ägyptisches
Heer, welches den Verbündeten zu Hilfe kommen wollte,
bezwang Aschkelon und Ekron und das ganze judäische
Land und belagerte Hiskija in Jerusalem 'wie einen Vogel in seinem Käfig'. [4]

-----

1) Für diese Taten wird Hiskija vom Deuteronomisten aufs
   Höchste gelobt, vgl. 2 Kön 18,1-6.

2) Vgl. 2 Kön 20,20 // 2 Chr 32,30; Inschrift über die
   Vollendung in TGI², a.a.O., S.66f.

3) Vgl. Jes 30,1-5 und 31,1-3

4) Vgl. ANET, a.a.O., S.287f; THOMAS, D.W., Documents,
   a.a.O., S.64-68. TGI², a.a.O., S.67f (Nr.39): "Hiskija von Juda jedoch, der sich meinem Joch nicht un-
   terworfen hatte - 46 seiner fest ummauerten Städte,
   sowie die zahllosen kleinen Städte in ihrem Umkreis,
   belagerte und eroberte ich durch das Anlegen von Be-
   lagerungsdämmen, Einsatz von Sturmwiddern, Infanterie-
   kampf, Untergrabungen, Breschen und Sturmleitern.
   200150 Leute, große und kleine, männlich und weiblich,
   Pferde, Maultiere, Esel, Kamele, Rinder und Kleinvieh
   ohne Zahl führte ich aus ihnen heraus und rechnete sie
   zur Beute. Ihn selbst schloß ich gleich einem Käfig-
   vogel in seiner Residenz Jerusalem ein."

Über den Ausgang der Belagerung haben wir zwei verschiedene Nachrichten:

a) 2 Kön 19,35-37 // Jes 37,36-38: Der Engel Jahwes
schlug in der Nacht das Lager der
Assyrer (man schließt gewöhnlich auf
eine Seuche).

b) 2 Kön 18,13-16: Hiskija zahlt an die Assyrer Tribut;
ein ägyptisches Heer kommt zu Hilfe.

Sicher ist, daß Jerusalem nicht zerstört wurde, Hiskija
aber weiterhin unter assyrischer Vorherrschaft blieb.
Sanherib teilte das eroberte judäische Land unter treu
gebliebenen Philisterfürsten auf, [1] von denen es Hiskija oder sein Nachfolger aber wieder erlangen konnte
(vgl. 2 Kön 18,8). Nach dem Scheitern der Politik des
Hiskija, blieb Juda für sieben Jahrzehnte treuer Va-
sall Assyriens. Über diese Zeit ist uns leider sehr
wenig vom Schicksal Judas bekannt. Hiskijas Nachfolger
und Sohn Manasse (696-641) mußte die Kultreform seines
Vaters wieder rückgängig machen, was ihm ein äußerst
negatives Urteil vonseiten des Deuteronomisten ein-
brachte (2 Kön 21). Der assyrische Staatskult wurde
also wieder eingeführt, und im Gefolge hielten auch wieder die kanaanäischen Fruchtbarkeitskulte und die Astral-
gottheiten ihren Einzug. Auch die Land- und Höhenheiligtümer breiteten sich in großer Zahl wieder aus, die
Tempelprostitution wurde sogar in Jerusalem geduldet,
heidnische Praktiken wie Wahrsagerei und Zauberei kamen
in Mode. Sogar der barbarische Kult der Kinderopfer
im Hinnomtal wurde wieder geübt.
Diese Zustände waren eine permanente Bedrohung des

-----

1) Vgl. ANET, a.a.O., S.288 und TGI[2], a.a.O., S.69 (Aschdod, Ekron, Gaza).

Jahweglaubens, da sich die Verehrung der fremden Göt-
ter mit der Jahwes langsam vermischte (Synkretismus).
Neben diesem assyrischen Einfluß auf den Kult, brei-
tete sich auch assyrische Lebensweise in Juda aus:
man eignete sich assyrische Gewohnheiten an, übernahm
Sitte und Kultur. [1]
Diese Zeit war für Juda eine sehr unglückliche Epoche.
Juda war zu keiner selbständigen Politik mehr in der
Lage, da der assyrische Druck einfach zu groß war.
Während Manasses langer Regierungszeit hatte das assyrische Weltreich den Höhepunkt seiner Macht erreicht.
Sanheribs Sohn Assarhaddon (680-669) gelang es, in
zwei Feldzügen gegen den Pharao Tirhaka Ägypten bis
nach Theben [2] hin zu erobern (671). Von diesen Sie-
gen zeugen Siegesstelen, die der assyrische Herrscher
in allen Teilen des Landes aufstellen ließ. Auf einer
Stele in Nordsyrien ist Manasse von Juda als ein Va-
sall aufgeführt. [3]
Doch schon Assarhaddons Sohn Assurbanipal, der 669 an
die Macht kam, konnte dieses riesige Reich nur noch unter Aufbietung aller Kräfte zusammenhalten. Er scheint
auch weniger kriegerische als künstlerische und geistige Interessen verfolgt zu haben; bekannt und berühmt ist
seine Keilschriftbibliothek in Ninive.
Überall im Reich erhoben sich die Völker und strebten
nach Freiheit. Schon bald nach der Eroberung Thebens
erstarkte unter Psammetich I. Ägypten wieder (663-609;
26. saitische Dynastie). Ihm gelang es schon 645 die

-----

1) Vgl. Zef 1,8f.

2) Einigen Quellen ist zu entnehmen, daß Assarhaddon nur
   bis Memphis gelangt sei und erst Assurbanipal 633 Theben erreicht hätte.

3) Vgl. GRESSMANN, H., AOB, Tübingen [2]1927, Nr. 143/4;
   TGI[2], a.a.O., S.70:" Ich bot die Könige von Hattu und
   Transpotamien auf: Ba'lu, König von Tyrus; Manasse,
   König von Juda; Qausgabri, König von Edom; ..."

assyrische Oberhoheit vollständig abzuwerfen, ohne daß
Assurbanipal ihm Entscheidendes entgegensetzen konnte.
Eine noch stärkere Bedrohung des Reiches waren die in-
doarischen Völker, die gegen die Grenzen des assyrischen
Reiches anstürmten. Hier sind die Meder zu nennen, die
unter ihrem König Umakistar (griechisch: Kyaxares) zu
einer bedeutenden Macht erstarkten und von den irani-
schen Gebirgen her nach Westen gegen das Tigrisland vor-
drängten. Aus den russischen Steppen drängte ein sky-
thisches Eroberungsvolk nach Süden vor und blieb für
einige Zeit ein steter Unruhefaktor an der Nordgrenze
des Reiches. In Babylonien erhob sich Assurbanipals
eigener Bruder Samas-sum-ukin in den Jahren 650-648.
All dieser Aufstände und Bedrohungen konnte Assurbanipal zwar noch Herr werden, doch war es nur noch eine
Frage der Zeit, bis Assur diesen Ansturm nicht mehr auf-
halten konnte. Unter Assurbanipals Nachfolgern Assur-
etil-ilani und Sin-sar-iskun ging das assyrische Reich
dann auch schnell seinem Untergang entgegen. 625 entzog
sich Babylon unter dem Chaldäer Nabopolassar endgültig
der assyrischen Vorherrschaft, und er begründete das
neubabylonische Reich. Über die wechselnden Kämpfe der
folgenden Jahre berichtet die babylonische Chronik. [1]
612 fiel Ninive den vereinten Streitkräften der Babylonier und Meder zum Opfer; Sin-sar-iskun kam dabei
ums Leben. Die Reste der assyrischen Armeen zogen sich
unter Assurubalit II. westwärts nach Haran zurück und
versuchte, von dort mit der Hilfe Ägyptens (welches
nun auf der Seite Assurs zu finden ist, da es wohl
eine zu starke babylonisch-medische Koalition fürch-
tete) noch Widerstand zu leisten. Doch 610 vor Chr.
fiel auch Haran, und ein Wiedereroberungsversuch 609
scheiterte. Das assyrische Weltreich war untergegangen.

-----

1) Vgl. AOT, a.a.O., S.362-365; TGI[2], a.a.O., S.72ff;
   ANET, a.a.O., S.304 und THOMAS, D.W., Documents,
   a.a.O., S.75-83

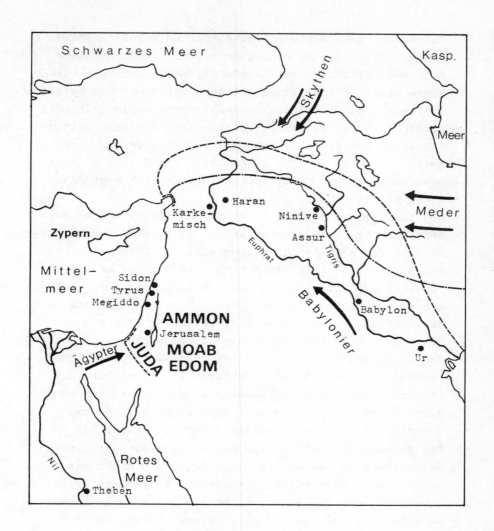

`------`	assyrisches Reichsgebiet um 640 vor Christus
EDOM	- Vasallenstaaten der Assyrer
`-·-·-`	Grenze zwischen den Babylo- niern (Süden) und Medern (Nor- den) nach 610 v. Chr.
EDOM	- nach 604 babylonische Vasal- lenstatten.

Durch Assyriens verzweifelte Kämpfe um seinen Bestand,
bekamen die Vasallen einmal mehr freie Hand. Manasses
Sohn Amon (642-640; vgl. 2 Kön 21,19-26) regierte nur
kurze Zeit; er fiel einer Palastverschwörung zum Opfer,
wohl von einer assurfeindlichen Partei angezettelt, die
befürchtete, er würde die Politik seines Vaters weiterführen. Gegen diese Verschwörer wandte sich der Land-
adel (עַם הָאָרֶץ , vgl. 2 Kön 21,24) und machte Amons
Sohn Joschija zum König, obwohl dieser erst acht Jahre
alt war (640-609).
Der 'weltgeschichtliche' Hintergrund seiner Regierungszeit war, wie oben gezeigt wurde, der unaufhaltsame Nie-
dergang der assyrischen Herrschaft, der Joschija wenigstens für kurze Zeit freie Hand ließ. So war es ihm möglich, sich vorsichtig aus dem Vasallenverhältnis zu lösen und sogar assyrisches Gebiet in seiner Nachbarschaft
zu annektieren. In dieser Zeit relativer Freiheit von
den Großmächten konnten sich politische und religiöse
Kräfte durchsetzen, welche Juda von aller Vorherrschaft
radikal befreien wollten. Zu ihren Zielen gehörte die
Säuberung des profanen Lebens wie auch des Kultes von
allem fremdländischen Wesen. Nach 2 Kön 22,3 begann
Joschija um 622 (18. Regierungsjahr) mit der Reform.
Die fremden Gottheiten, die die Anwesenheit der fremden
Macht repräsentierten, verschwanden. Doch nicht nur das
assyrische Kultwesen wurde ausgerottet, sondern Joschija
versuchte, den Jahwismus wieder von allem Synkretismus
zu reinigen. Höhepunkt dieser Reform bildete das Auf-
finden eines Gesetzbuches im Jerusalemer Tempel,
welches heute zumeist mit dem Urdeuteronomium gleichgesetzt wird (eine Gesetzessammlung prophetisch-
levitischer Kreise des früheren Nordstaates). Nach
der biblischen Überlieferung, beschränkte sich Joschija bei seiner Reform nicht nur auf sein Land Juda,
sondern griff auch auf das frühere Israel über, welches seit 722 in vier assyrische Provinzen aufgeteilt
war (vgl. 2 Kön 22,4-7.10-15.19-20; 2 Chr 34,3-7).

Joschija wollte damit wohl seinen Anspruch auf das
ehemalige davidische Großreich zum Ausdruck bringen
(vgl. die Listen in Jos 15.18.19). [1)]
Forderungen des aufgefundenen Gesetzbuches, auf das
sich Joschija in einem Bundesschlußakt verpflichtete,
waren:

- Zentralisierung des Kultes (so gab es nur eine le-
  gitime Kultstätte = Jerusalem).
- Reinigung des Kultes von allem fremden Wesen.

Joschijas Reform stellte sich ganz in den Dienst dieser
Forderungen, und sie war ein Erfolg. Leider wurde diese Episode der judäischen Geschichte allzubald beendet.
Joschija stellte sich 609 dem Pharao Necho II. bei Meg-
gido in den Weg. Dieser wollte seinem assyrischen Verbündeten in Haran zu Hilfe eilen, was natürlich nicht im
Sinne Joschijas sein konnte. Joschija kam bei diesem
Treffen ums Leben (vgl. 2 Kön 23,19). Wieder griff der
עַם־הָאָרֶץ ein und machte Joahas, den jüngsten Sohn des
Joschija zum König, in der Hoffnung, daß dieser die Politik seines Vaters weiterführen werde. Necho II., der
mit der Unterstützung seines assyrischen Verbündeten
keinen Erfolg hatte, war nun bemüht, seine Ansprüche
auf Syro-Palestina zu sichern. Joahas wurde von ihm
abgesetzt und nach Ägypten verbannt. An seine Stelle
setzte Necho II. den übergangenen älteren Sohn Joschijas, Eljakim, ein, dem er den Thronnamen Jojakim
gab, womit von vornherein deutlich war, daß er Herrscher von Ägyptens Gnaden sei und sich als solcher zu
benehmen habe. Der Deuteronomist stellte ihm kein gutes Zeugnis aus: 'Wie seine Väter tat er, was dem Herrn

-----

1) Vgl. ALT, A., Judas Gaue unter Josia, in: Kleine
   Schriften zur Geschichte des Volkes Israel, Bd. 2,
   München 1953, S.276ff.

mißfiel'. [1]   Unter seiner elfjährigen Herrschaft
kehrte Juda zu den Zuständen vor der joschijanischen
Reform zurück; fremder Kult und fremdes Wesen hielten
wieder Einzug.

Die Meder und Babylonier hatten sich nach der Zerschla-
gung des letzten assyrischen Restes das Reich aufgeteilt.
Der Meder Kyaxares erhielt das assyrische Stammland und
die nordwärts angrenzenden Bergländer, der Babylonier
Nabopolassar den übrigen mesopotamischen und syro-pa-
lestinischen Teil des assyrischen Reiches, welchen er
aber erst Necho II. abjagen mußte. [2]

605 kam es bei Karkemisch zur entscheidenden Schlacht
zwischen Necho II. und Nebukadnezzar, dem Sohn Nabopolassars (vgl. Jer 46,2). Necho II. unterlag, und so
war der Weg nach Süden für die Babylonier frei. Ihr Vor-
marsch wurde aber für einige Zeit unterbrochen, da nach
dem Tode Nabopolassars Nebukadnezzar zuerst seine Macht
im Osten sichern mußte. Doch schon 604 war er wieder zur
Stelle und unterwarf sich Syro-Palestina. Der judäische
König Jojakim wechselte somit von der einen Vasallenschaft
in die andere.

Drei Jahre später, im Jahre 601 vor Chr., kam es zu
einer großen Schlacht zwischen den ägyptischen und
babylonischen Heeren am 'Bach Ägyptens', bei der beide
Teile große Verluste hinnehmen mußten. Diese Situation
nützte Jojakim aus und stellte die Tributzahlungen an
Babylon ein. Nebukadnezzar war so empfindlich geschlagen worden, daß er nicht sofort reagieren konnte. Trotz-
dem mußte sich Jojakim gegen kleinere babylonische Einheiten, die verstärkt waren durch Vasallentruppen aus
Edom, Moab und Ammon, wehren, was ihm auch gelang. 598
holte Babylon dann aber zum entscheidenden Schlag aus.

-----

1) Siehe 2 Kön 23,37.
2) Vgl. die Karte auf Seite 33

Die babylonischen Heere erreichten ohne großen Widerstand Jerusalem. Jojakim war gerade gestorben und so
seiner Strafe entgangen. Sein Nachfolger und Sohn Jo-
jachin ergab sich nach einiger Zeit Nebukadnezzar und
wurde mit der führenden Schicht Jerusalems nach Babylon
deportiert. Nebukadnezzar setzte Zidkija, einen weiteren Sohn Joschijas, als König ein, der jedoch nicht die
Kraft und das Geschick hatte, Juda in einer so schweren
Zeit zu leiten. Das Urteil des Deuteronomisten über ihn
ist so vernichtend wie das über seine Brüder (vgl. 2 Kön
24,19). Zidkija zeigte sich während seiner ganzen Regierungszeit hin- und hergezogen zwischen der Verkündigung des Jeremia, der ihn beschwor, Babylon die Treue
zu halten, um nicht ganz Juda ins Unglück zu stürzen,
und den Heilspropheten, welche im Verein mit der ägypto-
philen Partei auf ihn einredeten, die Vasallentreue auf-
zukündigen.
Das inzwischen unter Psammetich II. (594-589) wiederer-
starkte Ägypten sparte wohl auch nicht an Hilfeverspre-
chungen gegenüber den kleinen babylonischen Vasallenstaaten, und so kamen Gesandtschaften aus Edom, Moab,
Ammon, Tyrus und Sidon in Jerusalem zusammen, um Zidkija
zum Bruch mit Babylon zu überreden. Zidkija blieb noch
standhaft. Als aber unter Pharao Hophra (589-568) Ägypten versuchte, Nebukadnezzar den Westen seines Reiches zu entreißen, und sich die phönizischen Städte
diesem Feldzug anschlossen, gab es auch für Zidkija
kein Halten mehr. 589 brach er den Treueid und schloß
sich dem Pharao an. Nebukadnezzar handelte schnell.
Von Ribla aus zog er am Mittelmeer entlang, eroberte
die dortigen Städte und schloß Jerusalem ein. Von
Januar 589 bis August 587 belagerte er es mit nur
einer Unterbrechung, die notwendig wurde, als 589
ein ägyptisches Heer anrückte, um Jerusalem beizu-
stehen. Doch wurde dieses Heer von Nebukadnezzar bald
geschlagen. Im August 587 fiel die Stadt. Zidkija
floh, doch wurde er von dem babylonischen Heer bei

Jericho eingefangen und nach Ribla gebracht. Dort wurde
er abgeurteilt: er mußte mitansehen, wie seine Söhne
getötet wurden, dann wurde er geblendet und in Ketten
nach Babylon geschleppt. Der Staat Juda hörte auf zu
existieren.

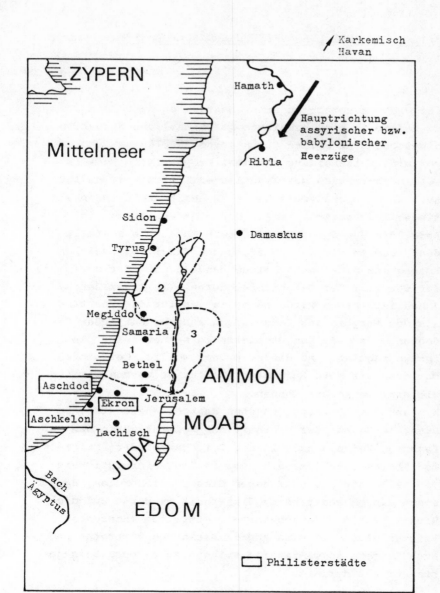

Syro-Palestina nach der Auflösung des Nordreiches unter
assyrischer Macht (ab 722/21 v.Chr.); nach 604 unter
babylonischer Herrschaft; nach 587 existiert kein Staat
Juda mehr.

——— das ehemalige Nordreich, seit 722/21 in drei assyrische Provinzen aufgeteilt: 1 =Samaria (Dor);
2 =Megiddo; 3 =Gilead.

3.1. DIE ZEIT DES AUFTRETENS DES PROPHETEN ZEFANJA

Der Prophet sprach zu einer bestimmten Zeit, d.h.,
er redete in eine bestimmte geschichtliche Situation
hinein, und er wollte durch seine Rede seine Zuhörer
vor eine Entscheidung stellen. Prophetische Rede ist
kein Nacherzählen geschichtlicher Ereignisse, es ist
auch nicht apokalyptische Schau der Endzeit; prophetische Rede spricht immer in die Gegenwart, sie ist
Rede, die den Zuhörer aufrütteln möchte, sie stellt
den Hörer in die Entscheidung und führt aus, welche
Konsequenzen das menschliche Handeln, so oder so,
für den Lauf der Geschichte, deren alleiniger Herr
Jahwe ist, haben wird. Daher ist es für das Verständnis des Kerygma des Zefanja von außerordentlicher Bedeutung, daß wir den Propheten in seiner Zeit, die
ihn geprägt hat und die er prägen wollte, betrachten.
Datieren wir sein Auftreten falsch, so werden wir ihn
nie ganz verstehen können.
Wie schon im vorausgegangenen Kapitel angedeutet, besteht heute bei der Mehrheit der Kommentatoren die Auffassung, Zefanja habe in der Zeit der Minderjährigkeit
des Königs Joschija, d.h. vor dessen Reformtätigkeit
(ab 622), gewirkt. Wir haben dies zu überprüfen, da zum
einen die Mehrheit keine Sicherheit in Bezug auf die
Richtigkeit der Entscheidung bietet, zum anderen es
Autoren gibt, die eine andere Datierung vertreten und
auch jüngste Kommentatoren authentische Reden Zefanjas
bis vor 612 datieren. [1)]

-----

1) Vgl. KRINETZKI, G., Zefanjastudien, a.a.O., S. 117-
127 zu Zef 2,12.13-15.

Die redaktionelle Überschrift [1] unseres Buches
gibt uns eine Zeitangabe: ... in der Zeit, als Joschija, der Sohn des Amon, König von Juda war."
Joschija regierte 31 Jahre [2] über Juda, von 640-
609 vor Chr. Die politischen Hintergründe dieser
Zeit sind uns schon bekannt. Das wichtigste Datum
der Regierungszeit Joschijas ist das 18. Regierungsjahr, also 622, als bei Tempelarbeiten ein Gesetz-
buch gefunden wurde, auf dessen Inhalt sich Joschija
durch einen Bundesschlußakt verpflichtete. [3] Von
diesem Datum an haben wir in Juda mit einer geänderten
Situation zu rechnen, auch wenn wir natürlich bedenken
müssen, daß die Reform nicht Schlag auf Schlag von-
statten ging, sondern sich wohl über einige Zeit hin-
zog.
Betrachten wir daraufhin das uns überlieferte Prophe-
tenbuch Zefanja, so finden wir schon beim flüchtigen
Durchlesen Anhaltspunkte, die für das Auftreten des
Propheten unter Joschija sprechen:

- die in Kapitel 1 beschriebenen Zustände des Synkretismus, der Verehrung fremder Gottheiten (1,4-5), das
  fremdländische Wesen, welches in Jerusalem Nachahmer
  gefunden hat (1,8), heidnische Bräuche (1,9) - dies
  alles gibt ein Bild Judas, wie wir es uns unter der
  Herrschaft Assurs vorzustellen haben. Zefanja kündet
  daher über Juda, besonders über Jerusalem, das Strafgericht Jahwes an.
- in Zef 1,8 wird auffälligerweise der König nicht angegriffen. Dies könnte ein Hinweis darauf sein, daß Ze-

-----

1) Siehe dazu Abschnitt 4.3.1.
2) Vgl. 2 Kön 22,1 // 2 Chr 34,1.
3) Vgl. 2 Kön 22,3-23,3 // 2 Chr 34,8-32.

fanja in der Zeit der Minderjährigkeit des Joschija aufgetreten ist (der König ist nicht für
die Zustände im Land verantwortlich).

- Zef 2,6-7 könnte auf die Eroberungspolitik Joschijas
  hinweisen.
- Zef 2,13-15 hat nur vor 614 einen Sinn (Untergang
  Assurs/ 612 Untergang Ninives).
- Zef 3,1-5 stellt das fern vom Gottesrecht stehende
  Jerusalem vor. Auch hier wird der König nicht ange-
  griffen (nur die Fürsten, Richter, Propheten und
  Priester werden genannt).

Die hier aufgeführten Hinweise sind nur Schlaglichter,
die auf eine Datierung des Propheten Zefanja in der
Zeit des Joschija hindeuten. Andere, hier nicht angeführte Textstellen, können sehr wohl auch von Zefanja
stammen, geben aber keinen deutlichen Hinweis auf ihre
Abfassungszeit; auf sie wird in den folgenden Kapiteln
näher eingegangen.
Betrachten wir nun aber solche Positionen, die das Auftreten des Propheten Zefanja (oder anstelle des Propheten eines anonymen Schreibers) zu einer anderen
Zeit postulieren. Können sie überzeugende Argumente
gegen die Überschrift (Zef 1,1) und deren Widerhall
im Text aufweisen?
L.P. SMITH und E.R. LACHEMAN [1] vertraten 1950 die
Auffassung, unser Buch sei ein Pseudepigraph, geschrie-
ben um 200 vor Chr. Ihre Argumentation basiert ausschließlich auf einem semantischen Vergleich mit den
Propheten Jeremia, Ezechiel und Deuterojesaja (Ezechiel

-----

1) SMITH, L.P./ LACHEMAN, E.R., The Authorship of the
   Book of Zephaniah, in: JNES 9 (1950), S.137-142.

und Deuterojesaja sind Exilspropheten), woraus ge-
schlossen wird, daß der anonyme (apokalyptische)
Schreiber des dritten bzw. zweiten vorchristlichen
Jahrhunderts von diesen drei großen Propheten beeinflußt war. [1]   Das Buch Zefanja wird daher auch nicht
als prophetisches Buch betrachtet, sondern in die Nähe
des Danielbuches gerückt; die Einreihung unter die
zwölf kleinen Propheten hat das Buch allein dem Namen
Zefanja zu verdanken, der mit einem alten Orakel, welches in das Buch eingearbeitet wurde (Zef 1,4ff), verbunden war. [2]

Diese These ist aus folgenden Gründen nicht haltbar:

a) Die behauptete Abhängigkeit des Autors von Jeremia,
   Ezechiel und Deuterojesaja wäre genausogut umkehr-
   bar; das würde bedeuten: Abhängigkeit dieser Propheten von dem Zefanja des siebten Jahrhunderts, wofür
   einiges spricht. [3]   Das Argument von SMITH/LACHEMAN:
   "It seems more probable that the writer of Zephaniah
   treated in similar fashion passages from two prophetic
   books than that Jeremiah and Ezekiel independently
   made similar alterations in Zephaniah", [4]   ist dagegen mehr als fragwürdig.

-----

1) SMITH/LACHEMANN, The Authorship, a.a.O., S.141:
   "On the evidence of chapters 1 and 2 as a whole, the
   apocalyptist can be called neither glossator, editor,
   nor compiler without misuse the terms. He was greately
   influenced by the three great prophetic books, Isaiah,
   Jeremiah and Ezekiel, and often reproduced their phra-
   sing; but he had his own apocalyptic vision of the future, and his style is often more original and effectiv
   than that of the books of Jeremiah and Ezekiel, on
   which he especially depended."
2) Ebd.: S.142:" Luckily the survival of a name (1:1, Zephaniah) in connection with the old oracle (1:4ff)
   gave it its place in the Book of the Twelve."
3) Vgl. die Kommentare zu den einzelnen Propheten und
   Kapitel 5 dieser Arbeit.
4) SMITH/LACHEMAN, The Authorship, a.a.O., S.139

b) Die Autoren betrachten nicht die deutliche Verwandtschaft des Propheten zu den vorexilischen
   Propheten Amos und Protojesaja, was eher auf vor-
   exilische Abfassung schließen läßt (vgl. Zef 1,14
   und Am 5,18; Jes 2,12; Zef 2,3 und Am 5,4-6 und
   andere Stellen). [1]

c) Die Annahme, das Buch sei ein Pseudepigraph um 200
   vor Chr., also als eine Einheit zu lesen, widerlegt
   schon ein flüchtiges Durchschauen des Buches, wenn
   man auf dem literarkritischen "Auge" nicht blind ist.
   Deutlich tritt die Arbeit einer Redaktion zutage,
   die ursprünglich nicht zusammengehörige Stücke verbindet, und auch das Eingreifen von Glossatoren ist
   deutlich zu spüren. [2]

Wenden wir uns nun einer weiteren Datierungsvariante zu,
die wohl ernster zu nehmen ist:
Einige wenige Exegeten meinen, Zefanja sei in der Regierungszeit des Königs Jojakim (609-598) anzusiedeln.
Dies sind KÖNIG (1893), [3]   WILKE (1913), [4]   HYATT
(1948), [5]   EDENS (1954) [6]   und WILLIAMS (1963). [7]

-----

1) KELLER, C.-A., CAT XI b, a.a.O., S.180, Anm. 2:"Cette
   thèse peut certes exciper de quelques allusions d'ordre
   politique et culturel qu'on pourrait à la rigueur inter-
   préter en fonction de cette époque tardive, et du style
   parfois assez conventionelle de l'auteur, mais elle ne
   tient pas compte des nombreux points de contact entre
   Sophonie et les prophètes préexiliques, ni de l'ambiance
   général qui est celle de l'humanisme israélite."

2) Vgl. dazu das Kapitel 4.

3) KÖNIG, E., Einleitung in das AT, Bonn 1893, S.352-54.

4) WILKE, F., Das Skythenproblem im Jeremiabuch, in: Beiträge zur Wissenschaft vom AT XIII(1913), S.222-254.

5) HYATT, J.P., The date, a.a.O., S. 25-29.

6) EDENS, A., A Study of the Book of Zephaniah as to the
   Date, Extent and Significance of the Genuin Writings
   with a Translation, Diss. Vanderbilt University 1954,
   Microfilm Ann Arbor, Michigan.

7) WILLIAMS, D.L., The date, a.a.O., S. 77-88.

Wichtigstes Argument dieser Gruppe für ihren Vorschlag
ist die historische Fixierung der Fremdvölkersprüche
in Kapitel 2, welche von Kommentatoren, die die Datierung unter der Minderjährigkeit des Joschija vertreten,
zumeist vollständig oder wenigstens teilweise Zefanja
abgesprochen werden, da sich in dieser Zeit vor 622
(Reform) bzw. 628 (angenommene Volljährigkeit) kein
historischer Anhaltspunkt biete, abgesehen von dem jedoch sehr fraglichen Skythensturm. [1]   Dazu kommt noch,
so behaupten die Vertreter dieser Datierung, daß die
Verse Zef 1,4 und 1,12 in der Zeit des Jojakim besser
interpretierbar seien.

Als Argumente werden vorgebracht:

a) Unter Jojakim sind die Zustände, wie sie vor der Reform herrschten, wieder eingetreten, d.h. die Anklage
   des Synkretismus und der Übernahme fremdländischen Wesens wären auch in dieser Zeit passend (vgl. Zef 1,4ff;
   3,1ff).

b) Zef 1,4: שְׁאָר הַבַּעַל - gewöhnlich übersetzt mit 'der
   Rest des Baals'. Dieser Ausdruck ist Anzeichen dafür,
   daß die vergangene Reform des Joschija den Baalskult
   nicht vollständig ausrotten konnte, ein Rest blieb.

c) Zef 1,12: "... der Herr tut weder Gutes noch Böses."
   Dies wird darauf zurückgeführt, daß die Jerusalemer
   durch den Tod Joschijas und den nun augenfälligen Miß-
   erfolg der Reform tief enttäuscht sind, und in diesen
   Schicksalsschlägen Jahwes ablehnende Haltung ihnen gegenüber zu erkennen glauben.

d) Zef 2,8-10: Der Moab-Ammon-Spruch hätte in der Bege-
   benheit, die in 2 Kön 24,2 berichtet wird, einen historischen Hintergrund und könnte damit als authentisch
   angesehen werden. Die Vasallen Moab und Ammon bekämpf-
   ten im Auftrag der Babylonier Juda.

-----

1) Vgl. dazu den Exkurs: Der 'Skythensturm' als Hintergrund der zefanjanischen Prophetie?

e) Zef 2,13-15: Dieser Spruch ist nicht als eine Vor-
hersage zu betrachten, sondern er deutet Geschehenes.
Er ist damit nach 612 (Fall Ninives) anzusetzen, am
besten nach Joschijas Tod und unter der Regierung des
Jojakim.

f) Zef 2,4-7: Mit diesen Versen haben auch diese Autoren Schwierigkeiten. HYATT, dem sich WILLIAMS anschließt, rechnet damit, daß die Philister, da sie
wie Juda gegen Babylon revoltierten, mit einem babylonischen Strafgericht rechnen müssen, welches Zefanja als Strafgericht Jahwes deutet.

g) Zef 2,12: HYATT rechnet damit, daß hier die Niederlage Ägyptens (hier Kusch genannt) bei Karkemisch
605 vor Chr. angesprochen ist; die anderen Autoren
legen sich nicht auf ein bestimmtes Ereignis fest,
sehen darin aber das Zurückgedrängtwerden der Ägypter
durch die Babylonier.

Sind diese Argumente nun gewichtiger als die, welche für
eine Datierung des Auftretens Zefanjas unter Joschija,
besonders während dessen Minderjährigkeit sprechen?
Dies muß man aus folgenden Gründen verneinen:
Von den angeführten Argumenten a)-g) erscheinen m.E.
nur zwei einigermaßen plausibel: a), da wir tatsächlich
damit rechnen müssen, daß nach dem Tode Joschijas und
der nun folgenden ägyptisch/babylonischen Herrschaft,
wieder der Situation vor der Reform vergleichbare Zustände in Juda/Jerusalem herrschten (vgl. Kapitel 3.).
Diese sachliche Richtigkeit des Arguments läßt aber noch
keinen Schluß daraufhin zu , ob Zefanja nun vor der joschijanischen Reform oder unter Jojakim gewirkt hat;
beide Möglichkeiten bleiben offen.
D), da für diesen Spruch tatsächlich in der Zeit Joja-
kims ein historischer Anhaltpunkt gefunden werden kann.
Hier befinden wir uns in der gewöhnlich bei Fremdvölker-

sprüchen auftretenden Schwierigkeit, daß unser Wissen über die Zeiträume vor über zweieinhalb Jahrtausenden nur sehr grobmaschig ist und eine sichere Datierung kaum ermöglicht. Die Situation, von der 2 Kön 24,2 berichtet, wäre ein möglicher Anhaltspunkt; [1] viele Kommentatoren rechnen auch mit einer nachexilischen Ansetzung von Zef 2,8-10, doch können wir auch nicht ausschließen, daß es in der Zeit der Unmündigkeit Joschijas Übergriffe von Moab und Ammon gegeben hat, von denen wir der prekären Quellenlage wegen keine Kunde haben.

Die restlichen Argumente stehen auf sehr schwachen Füßen. Der Ausdruck שְׁאָר הַבַּעַל paßt, ohne dem Text Gewalt antun zu müssen, sehr gut in die Zeit des Joschija. Wie in Jes 14,22, so ist auch hier II שאר 'Rest' bzw. 'übrig lassen' mit ' ganz und gar' oder auch 'den letzten Rest' zu übersetzen. [2] Zefanja, wohl ein Wegbereiter der Reform, spricht hier von der völligen Ausrottung des Baalsdienstes. Der Ausdruck 'Rest des Baals' erschiene auch in der Zeit des Jojakim als nicht sehr sinnvoll, da zu dieser Zeit, wie unter a) angeführt, der Baal ja zu neuer Blüte erwachte.

Zef 1,12 erscheint an Punkt c) überinterpretiert. Der Vers ist gut gedeutet, wenn man annimmt, daß damit die Anmaßung der Jerusalemer angeprangert werden soll, die Jahwe als Herrn der Geschichte vergessen haben und nichts mehr von ihm erwarten; es wäre denkbar, daß hier Kreise angesprochen sind, die sich unter der Assyrer-

-----

1) 2 Kön 24,2:"Der Herr sandte nun die Räuberscharen der Chaldäer, Aramäer, Moabiter und Ammoniter gegen ihn. Er ließ sie über Juda herfallen und es verwüsten, wie er durch seine Diener, die Propheten, angedroht hatte."

2) GESENIUS, W., Hebräisches und Aramäisches Handwörterbuch über das AT, Berlin 17 1962, S.799.

herrschaft gut etabliert haben.

Zef 2,13-14 [1] und 2,12 halte ich für Aussagen des
Propheten über die Zukunft und nicht für Deutungen
vergangener geschichtlicher Fakten, da gerade die
Ansage von Heil oder Unheil als Folge gerechten bzw.
ungerechten Handelns das genuin Prophetische ausmacht.
Der Prophet will seine Hörer aufrütteln und reibt sich
nicht nach dem Untergang der Feinde schadenfroh die
Hände.

Die Philistersprüche Zef 2,4-7 sind sehr schwer einzu-
ordnen. Sowohl eine Datierung unter Jojakim wie unter
Joschija kann sich nicht auf uns bekannte historische
Daten berufen. Denkbar wäre, daß die Sprüche aus der
Zeit der Expansionspolitik des Joschija stammen, als er
assyrisches Territorium in Judas Umkreis annektierte
und dabei wohl auch auf Philisterland ausgegriffen hat.
Die Verse Zef 2,6-7 könnten dafür sprechen.

Nach dieser Entgegnung muß noch die Sprache darauf gebracht werden, daß eine Datierung des Auftretens Zefanjas
unter Jojakim auch Probleme aufwirft, die bei einer Annahme seines Wirkens unter Joschija nicht anfallen:

- Warum wird in Zef 1,8 und 3,4 der König nicht angegriffen? Nach den vernichtenden Urteilen von 2 Kön
  23,37 und Jer 22,13-19 über Jojakim ist dies doch
  recht auffällig.
- Wie kam es zu der falschen Überschrift in Zef 1,1?

Eine Datierung Zefanjas unter Jojakim (609-598) birgt
also mehr Schwierigkeiten als sie in der Lage ist zu
lösen. Eine Datierung unter Joschija, bevorzugt unter
der Minderjährigkeit desselben, ist dagegen durch den
Text gut gestützt, was hier nur skizzenhaft angedeutet
werden konnte, bei der Auslegung der authentischen Texte

-----

1) Zu Zef 2,15 vgl. 4.3.8.

jedoch immer wieder deutlich zutage tritt.

Wir sind demnach gut beraten, wenn wir für unsere li-
terarkritische Arbeit das Wirken des Propheten in der
Zeit der Minderjährigkeit des Königs Joschija, also um
630 vor Christus, annehmen.

EXKURS: Der 'Skythensturm' als Hintergrund der zefan-
janischen Prophetie?

"It is generally accepted that the Scythian invasion
of Palestine ca. 630-625 B.C. was the precipitating
factor for Zephaniah's ministry, a conclusion formula-
ted primarily on the basis of a statement attributed
to the historian Herodotus (I,104-106). Further, it
would be widely acknowledged that when Zephaniah spoke
the threat of a Scythian attack upon Jerusalem appeared
to be imminent." [1]   Diese Aussage von EAKIN über die
allgemeine Annahme der Skythentheorie, stimmt mit der
Wirklichkeit nicht überein. Der Großteil der modernen
Exegeten begegnet der Skythentheorie mit großer Skepsis
oder lehnt sie rigoros ab. Selbst die von B. DUHM [2]
in seinem Jeremiakommentar so benannten 'Skythenlieder'
(besonders Jer 4-6.8), werden in den neueren Kommentaren
wenn überhaupt, dann nur noch sehr vorsichtig mit den
Skythen in Verbindung gebracht. [3]

-----

1) EAKIN, F.E.jr., Zephaniah, BBC 7, Nashville 1972,
   S.271

2) DUHM, B., Das Buch Jeremia, Tübingen 1901, KHC 3,
   S.48ff.

3) SCHREINER, J., Jeremia 1-25,14, NEB, Würzburg 1981,
   S.33:'der Feind aus dem Norden sind die Skythen nicht.'
   Vgl. auch WEISER, A., Das Buch des Propheten Jeremia
   1-25,13, Göttingen 1952, ATD 20, S.44; RUDOLPH, W.,
   Jeremia, Tübingen 1958, HAT 12, S.44f.

Die ganze Theorie eines Skythensturmes als auslö-
sendes Moment der Prophetie Zefanjas und Jeremias
(zumindest für die Teile, die von irgendeiner kriegerischen Niederlage Judas bzw. dessen Nachbarvölkern
sprechen) steht schon von daher auf sehr unsicheren
Beinen, daß sich nur ein einziger Beleg dafür finden läßt. Herodot (um 490 - um 425) berichtet in
dem ersten Buch seiner Historien folgendes:

"Schon hatte er (Kyaxares) im Zusammenstoß die Assyrer
besiegt und belagerte Ninos, als das große Skythenheer
gegen ihn heranzog. Der Skythenkönig Madyas führte es,
der Sohn des Protothyas. Die Skythen, die die Kimmerier
aus Europa verdrängt hatten, fielen in Asien ein, und
da sie den Flüchtigen nachsetzten, kamen sie bis ins me-
dische Land.... Dort stießen die Meder mit den Skythen
zusammen. Sie unterlagen im Kampf, verloren ihr Reich,
und die Skythen besetzten ganz Asien. Dann zogen sie
weiter nach Ägypten. Auf dem Weg dahin, in Palestina,
das zu Syrien gehörte, trat ihnen der Ägypterkönig
Psammetichos entgegen und bewog sie durch Geschenke und
Bitten, nicht weiter vorzurücken. Als sie auf dem Rück-
weg zu der Stadt Askalon in Syrien kamen, zog der größere
Teil des Heeres hindurch, ohne Schaden anzurichten. Nur
einige wenige von ihnen blieben zurück und beraubten den
Tempel der Aphrodite Urania.... Den Skythen nun, die das
Heiligtum in Askalon plünderten, schickte die Göttin wie
auch allen ihren Nachkommen ein Frauenleiden. Die Skythen
sagen daher, daß es davon herrühre.... 28 Jahre herrschten die Skythen über Asien, und das ganze Land geriet
durch ihre Überheblichkeit und ihre Nachlässigkeit in
Verfall." [1]

Schon F. WILKE [2] belegte 1919 mit bemerkenswerter Klarheit die sagen- und legendenhaften Züge dieses Berichtes.
Die Tatsache, daß weder in assyrischen noch in ägyptischen
Texten sich ein Niederschlag dieser Ereignisse findet,
ist ein deutlicher Hinweis auf die wenig zuverlässige Geschichtsschreibung von Herodot. Auch das Alte Testament

-----

1) HERODOT, Historien Bd.1, Hrsg. FEIX, J., München
   1963, die Absätze 103-106 (in Auszügen), S.100-103.
2) WILKE, F., Das Skythenproblem, a.a.O., S.222ff

nennt die Skythen nicht und einer einfachen Gleichsetzung der Skythen mit 'dem Volk aus dem Norden'
wehrt die Verwendung dieser Bezeichnung für alle Be-
drückermächte des Zweistromlandes.[1]
Die Skythentheorie darf damit als gescheitert gelten.
Sowohl die Prophetie des Zefanja wie des Jeremia fußt
nicht auf der Erfahrung eines konkret heranbrausenden
Feindvolkes, sondern in der Überzeugung, daß Jahwe bei
fortwährender Untreue seines Volkes ein Feindvolk oder
-völker aufbieten wird, um sich vor aller Augen als
Herr der Geschichte zu erweisen. [2]

-----

1) Vgl. das zu צָפוֹן Gesagte (Zef 2,13 (5.3.3.)).
2) So auch GERLEMANN, G., Zephanja, a.a.O., S.126; GESE,
   H., Art.: Zephanjabuch, in: RGG VI (1962), Sp. 1902;
   SCHUMPP, M., Das Buch der Zwölf Propheten, HBK X,2,
   Freiburg 1950, S.269; HORST, F., HAT 1,14, a.a.O.,
   S. 195; IHROMI, Amm ani wadal nach dem Propheten Ze-
   phanja, Diss. Mainz 1972, S.10f.

4. DIE INAUTHENTISCHEN TEXTE DES ZEFANJABUCHES

4.0. VORBEMERKUNGEN

Unsere erste Aufgabe besteht nun darin, die authentischen Einheiten des Propheten Zefanja von späteren
Zusätzen aller Art zu scheiden, sowie vollständige
Einheiten bzw. Fragmente fremder Autoren zu erkennen.
Zu den unterschiedlichen Ergebnissen der verschiedenen Kommentatoren in der Authentizitätsfrage, sind
die Tafeln I-III im Anhang zu vergleichen. [1]

Die inauthentischen Texte im Zefanjabuch, um die es
in diesem vierten Kapitel gehen soll, lassen sich in
vier Gruppen einteilen. In
a) einfache Einheiten (4.1.)
b) Fragmente (4.2.)
c) Erweiterungen, Ergänzungen (4.3.) und
d) Glossen (4.4.).

Die Definition dieser Fachausdrücke entnehme ich FOHRER, [2]
dem sich auch KRINETZKI [3] anschließt. Dies erleichtert
einen direkten Vergleich und fordert klare Entscheidungen.
So verstehen wir unter einer EINFACHEN EINHEIT einen Text,
" der keine störenden Wiederholungen und/oder unverein-

-----

1) Die Beschränkung auf die dort angeführten Autoren ist
   insofern gerechtfertigt, da nur sie ihre Entscheidungen auch argumentativ vertreten und somit zur wissenschaftlichen Diskussion beitragen. Die meisten anderen
   Autoren entscheiden recht willkürlich oder in deutlicher Abhängigkeit zu einem der angeführten Kommentatoren. Andere lehnen die Authentizitätsfrage als unwesentlich und dem religiösen Inhalt der Texte unangemessen
   ab (vgl. dazu auch O. EINFÜHRUNG, S. 5, Anm.3).

2) FOHRER, G., u.a., Exegese des Alten Testaments, Heidelberg 1976, UTB 267, S.53ff.

3) KRINETZKI, G., Zefanjastudien, a.a.O., S.25f.

bare Spannungen enthält und der inhaltlich abgerundet
ist. Eine einfache Einheit würde auch für sich genommen, ohne ihren jetzigen Kontext, ein sinnvolles Ganzes darstellen." [1] "Ein FRAGMENT ist ein Text, der
nicht inhaltlich abgerundet ist, bei dem man aber erkennen kann, daß sein fragmentarischer Zustand erst
durch sekundäre Eingriffe entstanden ist. Es handelt
sich also um ein Bruchstück eines größeren Textzusam-
menhanges." [2]

"Eine ERWEITERUNG ist ein Text, der für sich genommen
keinen Sinn ergibt, der also auch nicht für sich existiert haben kann, bei dem aber auch nicht zu erkennen
ist, daß er ursprünglich in einem größeren Zusammenhang stand, der nur nicht erhalten ist." [3] Besteht
eine solche Erweiterung nur aus einem oder einigen wenigen Worten, nennt man sie GLOSSE. [4]

Im Überblick informiert die Tafel IV des Anhangs über
die Stellung der inauthentischen Texte (4.1.1. - 4.4.11.)
im Zefanjabuch und über deren Verzahnung mit den authentischen Einheiten (5.1.1. - 5.3.3.).

-----

1) FOHRER, G., Exegese, a.a.O., S. 53.
2) Ebd., S. 54.
3) Ebd., S.54f.
4) Ebd., S.55.

4.1. DIE NICHT VOM PROPHETEN ZEFANJA STAMMENDEN EINHEITEN

4.1.1. Zefanja 2,8-9

8a *Ich habe die Schmähung Moabs gehört*
und die Lästerungen der Söhne Ammons,
b *womit sie schmähten mein Volk*
*und wider ihr Gebiet groß getan haben.**

9a *Darum, so wahr ich lebe, Spruch des Herrn*
der Heere, des Gottes Israels:
Moab soll werden wie Sodom und die Söhne
Ammons wie Gomorrah, eine Stätte für Nesseln
und eine Grube von Salz, eine Wüste für immer.
b *Der Rest meines Volkes wird sie ausplündern,*
die Übriggebliebenen meines Volkes sie beerben.

In Zef 2,8-9 liegt eine klassische Strafandrohung gegen Fremd - bzw. Feindvölker vor. Der Vers 8 weist die Schuld der Völker auf und ist damit Begründung der mit לָכֵן -'darum' in 9a eingeführten Strafandrohung. Diese wird mit besonderer Betonung als Gottesrede gekennzeichnet. Auf die Strafandrohung gegenüber den Feindvölkern folgt in 9b eine Verheißung für das eigene Volk. Zweimal wird Israel als 'mein Volk' in Abhebung zu Moab und Ammon bezeichnet (Zef 2,8b und 2,9b) und Jahwe nennt sich selbst 'Gott Israels' (Zef 2,9a), wodurch klar wird, daß wer Israel schmäht, auch Jahwe respektlos gegenüber tritt.

Der historische Hintergrund dieser Einheit ist in einer Zeit zu suchen, da Juda vonseiten Moabs und Ammons Gefahr zu gegenwärtigen hatte, d.h. eine Zeit, in der Juda geschwächt war und damit seine östlichen Nachbarn, [1] aus eigenem Antrieb oder im Auftrag anderer Mächte (z.B. der Babylonier), es wagen konnten, die Grenze des Jordans zu überschreiten. Vielfach wird auf 2 Kön 24,2 hingewie-

-----

1) Vgl. dazu die Karte unter 5.3.1.

sen, da dort die Moabiter und Ammoniter unter den
Mächten aufgeführt sind, die zusammen mit den Chal-
däern gegen Jerusalem ziehen, da Jojakim, der zweite
Nachfolger des Joschija auf dem judäischen Thron, um
602 v.Chr. die babylonische Oberherrschaft abschütteln
wollte. Dieses politische Abenteuer endete 597 mit der
ersten Exilierung der jerusalemer Oberschicht durch
den siegreichen Nebukadnezzar (vgl. 2 Kön 24,8-17).

Sollte diese Vermutung das Richtige treffen, so haben
wir in Zef 2,8-9 den Spruch eines Schülers des Propheten vorliegen, der zu Beginn des sechsten vorchristlichen Jahrhunderts formuliert worden sein muß, noch vor
dem endgültigen Untergang Jerusalems im Jahre 587. Mehr
als eine gewisse Wahrscheinlichkeit läßt sich für diese
These jedoch nicht beanspruchen.
Für eine spätexilische Abfassungszeit von Zef 2,8-9
spricht der Versteil 9b, da dort von einem Rest
(שְׁאֵרִית) bzw. von Übriggebliebenen (יֶתֶר) gesprochen wird, Begriffe, die erst in der Zeit des babylonischen Exils ihre theologische Bedeutung bekamen, welche hier offensichtlich vorausgesetzt ist. [1]   Unter
dem 'Rest' werden die Exilierten des Jahres 587 verstanden, welche allein Israel repräsentieren, da der
judäische Staat mit der Eroberung Jerusalems aufgehört
hatte zu existieren. Diese Voraussetzung fehlte nach
der ersten Exilierung, da Nebukadnezzar einen neuen
judäischen König einsetzte (vgl. 2 Kön 24,17), der judäische Staat, wenn auch politisch irrelevant, weiter-
existierte. Die Rede von einem 'Rest', von 'Übriggebliebenen' wäre in dieser Zeit daher unverständlich.

-----

[1] Vgl. dazu den Exkurs: Das Problem des 'Restes' im
    Zefanjabuch.

Demgegenüber könnte natürlich behauptet werden, Zef
2,9b sei ein späterer Zusatz zu Zef 2,8-9a. Als Argument wird oft angeführt, daß das in Zef 2,9a beschriebene Schicksal der Moabiter und Ammoniter, sich
nicht mit den Verben 'ausplündern' und 'beerben' von
Zef 2,9b vereinbaren ließe. Wie IRSIGLER gut zeigt, [1]
liegt jedoch in der Beschreibung des Landes der Moabiter und Ammoniter nach dem Eingreifen Jahwes (2,9aγ)
und der Verheißung von Zef 2,9b kein solcher Widerspruch, der es rechtfertigen würde, Zef 2,9b als sekundäre Erweiterung anzusehen.
Auch die Parallelstellen zu Zef 2,8-9 weisen überwie-
gend in eine exilische Zeit: Jes 16,6; Jer 48,27ff;
Ez 21,33ff; 25,3ff.
Die Strafe, die in Zef 2,9a ausgesprochen wird, erinnert an die Abstammung der beiden Völker von dem
Stammvater Lot (vgl. Gen 19,30-38). War dieser nach
Gen 19,1-29 dem Schicksal von Sodom und Gomorrah noch
entflohen, da er ein gerechter Mann war, so wird dieses Schicksal aber seine Nachkommen treffen, da diese
sich durch ihr Verhalten gegenüber Jahwe schuldig gemacht haben.

-----

1) Vgl. IRSIGLER, H., Gottesgericht, a.a.O., S.122f.

4.1.2. Zefanja 3,9-10

> 9a *Denn alsdann will ich den Völkern*
> *eine reine Lippe schaffen,*
> b *daß sie vereint anrufen den Namen Jahwes*
> *und ihm mit einer Schulter dienen.*
>
> 10a *Von jenseits der Ströme von Kusch*
> b *werden meine Anbeter mir Opfergaben bringen.*

Thema dieser kurzen Einheit ist die Bekehrung der Heiden durch Jahwe selbst und deren Erfolg. Damit sondert sich die Einheit offensichtlich aus dem Kontext aus, da sowohl Zef 3,6-8 als auch 3,11-13 nicht von den Heiden, sondern von den Jerusalemern sprechen. Völlig unabhängig von der vorausgehenden Einheit ist Zef 3,9-10 deswegen aber keineswegs, ja es scheint, daß sie als Fortsetzung derselben komponiert wurde. Gerade diese Abhängigkeit von Zef 3,6-8 macht deutlich, daß diese Einheit unmöglich von Zefanja selbst stammen kann, da Zef 3,9-10 die als sekundär erkannte Lesart עֲלֵיהֶם des Masoretentextes von Zef 3,8bγ voraussetzt, [1] welche das in Zef 3,8 angesagte Gericht nicht über Jerusalem bringen möchte, sondern über die Völker und Königreiche (Zef 3,8baß), die im ursprünglichen Text als die Strafwerkzeuge Jahwes eingeführt werden. Diese Abhängigkeit von Zef 3,9-10 wird auch durch Zef 3,9aα כִּי אָז - 'denn (als) dann' belegt, dessen Folge sodann beschrieben wird (vgl. כִּי אָז in Zef 3,11b). So setzt also Zef 3,9-10 ein Gericht über die Heiden voraus, dessen Folge deren Bekehrung (= Anerkenntnis Jahwes) ist. Die Heiden lernen aus der Erfahrung des geschichtsmächtigen Gottes, was bei den Juden nach dem authen-

-----

1) Vgl. dazu 2. TEXTKRITIK zum ZEFANJABUCH, S.21; Kapitel III, V.8d und 5.1.6.

tischen Text von Zef 3,6-8 nicht der Fall ist. Der
Gedanke RUDOLPHs, [1] Zef 2,11 wegen seiner Relation
zu Zef 3,10 als authentische Predigt des Propheten
Zefanja zu betrachten, ist aus zwei Gründen abzulehnen: 1. RUDOLPH banalisiert die Unterschiede der beiden Verse (Anbetung der Völker, jedes an seinem Orte/
Wallfahrt nach Jerusalem), und 2. erkennt er nicht
den sekundären Charakter von Zef 3,9-10 im Bezug auf
Zef 3,6-8, der es unmöglich macht, Zef 3,9-10 als authentisch zu betrachten.

Auch der Gedanke, Zef 3,9-10 wäre deshalb als authentisch anzusehen, da Zef 2,12 (authentisch) auch von
'Kuschiten' redet, [2] ist unhaltbar, da in Zef 3,10
die Kuschiten im Blickwinkel der damaligen Zeit als
entferntestes Land angeführt werden (s.u.), wogegen
in Zef 2,12 mit 'Kuschiten' eine reale Macht (die
ägyptischen Heere) bezeichnet ist, die gegen die nationalen Interessen Judas handelt. [3] Das bedeutet:
das Volk der Kuschiten wäre in Zef 3,9-10 ohne Veränderung des Aussagesinnes durch ein anderes zu er-
setzen (z.B. Volk von Tarschisch, 1 Kön 10,22; Jes
66,19; Jona 1,3), was in Zef 2,12 keineswegs möglich
ist. Somit ist der Völkername Kusch völlig ungeeignet
für die Authentizitätsfrage.

Zef 3,9-10 ist Gottesrede, die keineswegs durch die
Erwähnung von בְּשֵׁם יְהוָה in Zef 3,9b unterbrochen wird,
da es sich dort um das kultische Anrufen des Namens
Jahwes handelt, also um einen geprägten Begriff, der

-----

1) RUDOLPH, W., KAT XIII/3, a.a.O., S.282.296.
2) Vgl. KRINETZKI, G., Zefanjastudien, a.a.O., S.151.
3) Vgl. Abschnitt 5.3.2. und Kapitel 3, besonders S.34f.

in Gottesrede keineswegs verdächtig ist (vgl. Ex 33,19
und Ps 116,17).

Der Gedanke der Einheit ist ein eschatologischer, d.h.,
der vorgestellte Zustand einer universellen kultischen
Anerkenntnis Jahwes wird am Ende der Tage erwartet, wenn
Jahwe für alle Völker sichtbar als König auf dem Zion
regiert (vgl. Sach 14; Jes 2,1-5; Mich 4,1-5; Jes 18,1-7;
Joel 3,5). Von daher ist Zef 3,9-10 traditionsgeschicht-
lich eng mit Zef 3,14ff verwandt, da dort das Königsein
Jahwes auf dem Zion gepriesen wird.

Die Schaffung reiner Lippen ist als kultisches Reinigungs-
ritual zu verstehen, da Jahwe nur von solchen gerechter-
maßen angerufen werden darf, die reine Lippen haben, deren Lippen also nicht durch Lügen und die Verehrung fremder Gottheiten verunreinigt sind. Der Gedanke der Ent-
sündigung dürfte hier mitgedacht sein (vgl. Jes 6,1ff),
d.h. reine Lippen als Zeichen für die Zuwendung zu dem
wahren Gott Jahwe und Abkehr von der Götzenverehrung.

Die Zuwendung zu Jahwe erschöpft sich jedoch nicht im
kultischen Anruf, es kommt noch das In-Dienst-Stellen
der ganzen Person für diesen Gott dazu (vgl. Ex 19,8;24,3;
Ps 102,22f; 34,4).

Zef 3,10 führt diesen Gedanken der Anerkenntnis Jahwes
durch alle Völker an einem Beispiel auf. Gewählt wurden
die Kuschiten, da diese für ein Volk stehen, welches in
benahe unermeßlicher Entfernung lebt. [1]   Indem dieses
Volk als Beispiel angeführt wird, sind alle anderen Völker eingeschlossen, die als näherwohnend gedacht sind.
Zef 3,10a hat eine wörtliche Parallele in Jes 18,1b

-----

1) Vgl. zu den Kuschiten auch 5.3.2.

(ohne אֲשֶׁר); Zef 3,10b eine gedankliche Parallele
in Jes 18,7. Aufgenommen wird das geprägte Thema der
Völkerwallfahrt nach Jerusalem (Jes 2,2ff; Mich 4,1ff;
Sach 8,22f; 14,16; Jes 18,7; 66,18ff). [1]   Jerusalem
wird in Zef 3,10 zwar nicht erwähnt, doch war dies für
den Ergänzer auch gar nicht notwendig, da er seine Einheit zwischen zwei authentische Einheiten, die Jerusalem
zum Thema haben, plazierte (Zef 3,6-8;3,11-13a).
Zef 3,9-10 darf daher als Versuch eines Ergänzers angenommen werden, unter Aufnahme der Tradition von der
Völkerwallfahrt nach Jerusalem und der eschatologischen
Hoffnung auf die Bekehrung aller Heiden diese als Vor-
bilder für die vom Weg Jahwes abgekommenen (Zef 3,1-4)
und ungelehrigen (Zef 3,6f) Juden vorzustellen.

4.1.3.   Zefanja 3,14-15

    14 a   *Frohlocke, Tochter Zion,*
             jauchze, Israel,
        b   *freu dich und juble von ganzem Herzen,*
             Tochter Jerusalem.
    15 a   *Aufgehoben hat Jahwe deine Strafgerichte,*
             fortgeschafft deine Feinde.
        b   *König Israels ist Jahwe in deiner Mitte,*
             nicht mehr mußt du Unheil fürchten.

Die Abgrenzung dieser kleinen Einheit von ihrem Kontext
ist sehr deutlich. Der prophetische Aufruf zum Jubel
(Zef 3,14aα) ist ein deutlicher Neueinsatz nach der Got-

-----

1) Im Gegensatz zu Zef 2,11, wo die Völker Jahwe jeweils
   an ihrem Ort verehren; vgl. 4.2.1.

60

tesrede von Zef 3,11-13(b). Auch der Stil unterscheidet sich von dem in Zef 3,11-13. Die Verse Zef 3,14-15
beschreiben hymnisch den Zustand der Königsherrschaft
Jahwes in Jerusalem in eschatologischer Zeit. Mit Zef
3,16aα (בַּיּוֹם הַהוּא) setzt ein neuer Gedanke ein, der
sich jedoch auf Zef 3,14-15 rückbezieht, sich aber ab
Zef 3,17 von Jerusalem und Zion ab und der Freude Jahwes über die Stadt zuwendet. Die Annahme zweier Autoren
für Zef 3,14-15 und Zef 3,16-18aα belegen auch die unterschiedlichen Termini, die z.B. für Freude und Jubel
verwendet werden.

Wir haben in Zef 3,14-15 einen psalmartigen Hymnus vorliegen (vgl. die Jahwe-Königs-Psalmen, Ps 47,93,99),
dessen Stil anthologisch ist. Reiche Anklänge an Deuterojesaja und Deuterosacharja lassen sich aufweisen.
Besonders deutlich ist ein Vergleich von Zef 3,14 mit
Sach 9,9:" Juble laut, Tochter Zion! Jauchze, Tochter
Jerusalem!" [1)]

Der Tenor unserer Einheit trifft sich genau mit der
Verkündigung des Deuterojesaja: Freude und Jubel bei
den aus dem Exil Heimkehrenden; Aufrichtung der Königsherrschaft Jahwes inmitten Jerusalems auf dem Zion.
Grund der Freude und des Jubels von Zef 3,14 ist einmal
die Aufhebung der Strafgerichte (מִשְׁפָּטִים) und die Befreiung von den Feinden, womit klar auf das Exil angesprochen ist und nicht auf die von Zefanja angekündigten Strafgerichte (יְהוָה יוֹם). Zefanja kündigt das
Strafgericht an, welches in Zef 3,14-15 schon als ein
in der Vergangenheit liegendes betrachtet wird. Die Befreiung von den Feinden meint daher die Befreiung aus

-----

1) Vgl. auch Sach 2,14:'Juble und freue dich, Tochter
   Zion; denn siehe, ich komme und wohne in deiner Mitte!' Siehe auch Jes 40,9; 41,27; 44,13; 51,11.16;
   52,7f; 54.1.

der Hand derer, die Jahwe ehemals aufgeboten hat (vgl.
Zef 3,8), um seine Stadt und deren Bevölkerung zur
Rechenschaft zu ziehen. Verbunden mit der Befreiung
aus dem Exil, dem zweiten Exodus, ist die Zusage der
Königsherrschaft Jahwes auf dem Zion, die Garant für
Frieden und Sicherheit, aber auch für Recht und Gerech-
tigkeit ist.

Diese Feststellungen lassen auf die Herkunft von Zef 3,
14-15 aus der Liturgie schließen, in der Jahwe gepriesen wird für die Errettung aus Feindeshand und gebeten
wird um die Bewahrung des Heilszustandes, einer fried-
lichen Existenz. Wir werden Zef 3,14-15 wohl am ehesten
gerecht, wenn wir ihn als nachexilischen Dankhymnus der
Jerusalemer Kultgemeinde bezeichnen. [1]

Als völlig inadäquat ist die Stellungnahme Kapelruds zu
dieser und den beiden folgenden Einheiten anzusehen:
"In the preaching of Zephaniah the passage 3:14-20
(whether all verses are authentic or only a part of them)
is a counterpart to the speeches of the Day of Yahweh.
The shock preaching of what this Day was really going
to be needed counterbalancing. It is a psychological
error (among other kinds of error) by modern scholars
that they have not understood the necessity of such a
counterbalance. If the prophet had not cried out to his
audience, his words would probably have not been trans-
mitted to prosperity and he himself might have been han-
ged up upon a pole." [2]   Der Prophet spricht Gottesworte, die Jahwe ihm für seine geschichtliche Situation
gegeben hat, für die er selbst letztlich nicht verant-

-----

1) Gegen KELLER, C.-A., CAT XIb, a.a.O., S.213 und
   RUDOLPH, W., KAT XIII/3, a.a.O., S.297f.
2) KAPELRUD, A.S., The Message, a.a.O., S.90.

wortlich gemacht werden kann (vgl. O. EINFÜHRUNG ,
S. 9). Seine Aufgabe ist die treue Verkündigung dieser Worte (vgl. Zef 3,4 als Negativbeispiel), auch
der Unheilsansagen an sein eigenes Volk, ohne an seine eigene Person zu denken und sich durch irgendwelche
Heilsprophetie ein 'Hintertürchen' zu sichern. Zefanja hatte dies auch gar nicht nötig, da er deutlich
machte, daß Jahwe letztlich das Gericht gar nicht will
(dies wird allein schon durch das Auftreten der Propheten belegt, deren Aufgabe es ist, die Menschen von
ihrem falschen Weg abzubringen, damit Jahwe nicht zum
Gericht kommen muß). Die Gerichtsbotschaft ist also
dringende Aufforderung zur Umkehr. Auch läßt Jahwe
durch Zefanja den Weg zur Rettung offen: Hinwendung
zur Anerkenntnis Jahwes als einzigen Gott im Tun des
Jahwerechtes, in Demut und Wahrhaftigkeit (Zef 2,3;
3,11-13). Dies garantiert ein Bestehen am Tage Jahwes.
Dies heißt nicht, daß die Gnade Jahwes ausgeschlossen
ist, doch zielt die ganze Verkündigung Zefanjas darauf
hin, daß es am Menschen ist, den ersten Schritt zur
Umkehr zu tun. Der psychologische Fehler, den Kapelrud
seinen Kollegen unterstellt, liegt daher m.E. in einem
'theologischen' Fehler seiner selbst begründet.

4.1.4.   Zefanja 3,16-18aα

16a   *An jenem Tag wird man zu Jerusalem sagen:*
       Fürchte dich nicht,
 b   *Zion, laß deine Hand nicht sinken.*

17a   *Jahwe, dein Gott, ist in deiner Mitte*
       ein Held, der hilft.
 b   *Er freut sich über dich in Wonne,*
       er wallt über in seiner Liebe,
       jubelt über dich mit Jauchzen

18aα   *wie am Tag der Begegnung.* [1]

Zef 3,16-18aα bleibt wie Zef 3,14-15 in Prophetenrede,
während ab Zef 3,18aβ Gottesrede die letzten drei Verse des Kapitels bestimmt. Unsere Einheit weist sich
durch ihre literarischen Parallelen mit Tritojesaja
wie auch durch ihren Kontext offensichtlich als aus
der nachexilischen Zeit stammend aus. [2]   Jerusalem
braucht sich nicht zu fürchten, da Jahwe in seiner
Mitte ist und sich wie ein Liebhaber über seine erste
Liebe über Jerusalem freut und außer sich gerät (vgl.
Jes 62,5; 63,9; 65,18f). Dieser Neuanfang des Miteinander Jahwe-Jerusalem wird mit der ersten Begegnung
zwischen Jahwe und Israel in der Mosezeit verglichen
(Jes 62,4f), die nach dem Propheten Hosea die Zeit der
großen Liebe war (Hos 2,17; 12,10 'כִּימֵי מוֹעֵא'). Dieser Neuanfang ist historisch nach der Befreiung aus
dem babylonischen Exil durch den Perser Kyros im Jahre
537 gegeben.
Der unbekannte Autor schließt seine Einheit mit der ver-

-----

1) Vgl. dazu Kapitel 2 TEXTKRITIK ZUM ZEFANJABUCH, Kap.
   III, Vers 18a, S.24; auch IRSIGLER, H., Gottesgericht,
   a.a.O., S.192f, Anm.226(die Nummer fehlt im Druck;
   die achte Zeile von unten, S.192).
2) Gegen KELLER, C.-A., CAT XIb, a.a.O., S.213-215.

bindenden Formel בַּיוֹם הַהוּא [1] an Zef 3,14-15 an.
Der folgende Trostspruch (vgl. auch Jes 40,9; 54,4
und Joel 2,21) an Jerusalem und Zion findet seine
primäre Begründung in Zef 3,17a. Jahwe ist inmitten
Jerusalems ein helfender Held (vgl. Jes 10,21; 32,18;
Jer 9,23; Dtn 10,17, vgl. auch Dtn 20,2-4), ein Terminus aus der alttestamentlichen Kriegssprache, wie
auch Zef 3,16b der Kriegssprache entspringt (Hände
sinken lassen = entmutigt sein aus Angst vor dem
Feind bzw. Jahwe, vgl. Jer 6,24; 50,43; Jes 13,7;
Ez 7,17; 21,12; 2 Chr 15,17). [2]

4.1.5.　　Zefanja 3,18aβ - 19

18a　*Ich schaffe weg von dir das Unheil,*
　b　*damit du nicht mehr tragen mußt die Schmach.*
19a　*Siehe, ich schreite ein gegen all*
　　　deine Bedränger in jener Zeit,
　b　*ich rette die Hinkenden und sammle*
　　　die Versprengten.
　　　Ich bringe sie wieder zu Ehre und Namen
　　　im ganzen Land ihrer Schande.

Die schlechte Überlieferung des Textes gibt kaum mehr
die Möglichkeit zur Rekonstruktion eines verständlichen
Textes. [3]　Zef 3,18aβ-19 ist relativ eigenständig gegenüber den vorangegangenen Versen, da hier ein völlig
neues Thema angesprochen wird. Zef 3,19baβ, offensicht-

-----

1) Vgl. zu diesem Ausdruck Abschnitt 4.4.4.
2) Vgl. RAD, G. von, Der Heilige Krieg im alten Israel,
   AThANT 20(1951), S.10.
3) Siehe die unterschiedlichsten Übersetzungsvorschläge
   in den Kommentaren und Bibelausgaben.

lich eine Dublette zu Mich 4,6 ('Ich will versammeln,
was hinkt, und zusammenführen, was versprengt ist.'),
spricht von der Zusammenführung der versprengten Juden aus der Diaspora, im Bild des Sich-sorgens um verletzte und verlorengegangene Schafe (vgl. dieselben
Begriffe in Ez 34,11-22, der Prophetie vom guten Hirten).

Von daher ist zu verstehen, was wohl mit Schmach und
Schande (חֶרְפָּה und בֹּשֶׁת) gemeint ist: Das Zerstreutsein,
d.h. die Auflösung der politischen Existenz. Interpre-
tierend kann dafür Jer 30,11 angeführt werden:" Denn
ich bin mit dir - Spruch des Herrn -, um dich zu retten.
Ja, ich vernichte alle Völker, unter die ich dich zerstreut habe." Die Strafgerichte, besonders den Untergang
Jerusalems 587, voraussetzend, spricht der Autor der
Einheit von Jahwe als einem, der das Unheil und die
Schmach der Zerstreuung wegschaffen möchte, indem er
alle Bedränger (vgl. Jes 60,14), die Völker, unter die
die Juden zerstreut wurden, vernichtet. Dadurch wird
die Möglichkeit zur Sammlung geschaffen und damit zu
einer neuen nationalen und politischen Existenz, zu
Ruhm und Namen (vgl. Jer 39,9; Jes 61,7; vgl. auch Hos
14,8 (זִכְרוֹ - sein Ruf=Ehre)).
Zef 3,18aβ-19 ist prophetische Schau der Zukunft, d.h.
die Zerstreuung ist vorausgesetzt, die Hoffnung auf eine
baldige 'Wiedervereinigung' lebendig. Die Zusage dieser
Zusammenführung der Zerstreuten durch Jahwe weist daher
in die spätnachexilische Zeit.

4.2. DIE NICHT VON ZEFANJA STAMMENDEN FRAGMENTE

4.2.1. Zefanja 2,11

a   *Furchtbar erweist sich Jahwe für sie,*
    denn er vernichtet alle Götter der Erde,
b   *und es werden ihn anbeten ein jeder*
    an seinem Ort, alle Inseln der Völker.

Der Vers Zef 2,11 begegnet am Ende des Moab-Ammon-
Spruches Zef 2,8-9 und der Erweiterung Zef 2,10 völlig
unerwartet und ohne inhaltlichen Bezug. Wie Zef 2,10
so fehlt auch Zef 2,11 jeder stichometrische Aufbau.
Zef 2,11aα ist ein verbindender Versteil, der mit Gewißheit sekundär zu dem Fragment dazukam, nach der Einordnung des Verses hinter 2,8-10. Die Erweiterung Zef
2,10 ist schon vorausgesetzt, da Zef 2,11aα schlecht
mit Zef 2,9b, der Heilszusage an einen 'Rest' Israels,
harmoniert, da zum einen eine weitere Drohung an Moab-
Ammon nach Zef 2,9b nicht mehr zu erwarten ist, und zum
anderen das עֲלֵיהֶם von Zef 2,11aα sich ohne Zef 2,10
zuerst auf den Rest des Jahwevolkes bezöge, was sowohl
Zef 2,8f als auch 2,11aβ.b widersprechen würde.
Die Fortführung von Zef 2,11 nach der Überleitung 2,11aα
bricht völlig mit dem Thema von Zef 2,8-10. Es wechselt
von der politischen Ebene auf eine universalistisch kul-
tisch-religiöse. Jahwe wird von allen Völkern als Gott
anerkannt, sie huldigen nur noch ihm, die anderen Götter sind von Jahwe vernichtet, als 'Nichtse' entlarvt.
In Zef 3,9f begegnet ein ähnlicher Gedanke(vgl. S.57f)
wie auch in Mal 1,11 und Ps 22,28f. Vergleichbar sind
auch Jes 2,2ff; Mich 4,1ff und Sach 8,22f; 14,6 jedoch
mit dem Unterschied, daß die Anerkenntnis Jahwes durch
die Völker dort durch eine Wallfahrt nach Jerusalem
(Zion) zum Ausdruck kommt (vgl. auch Jes 18,7; 66,18ff),

während in Zef 2,11 jeder Jahwe an seinem Ort anbe-
tet. [1]   Der Aussagesinn der beiden Varianten ist
jedoch identisch: Jahwe ist nicht nur der Gott Israels,
sondern der Gott der ganzen Welt (vgl. die Schöpfungs-
erzählungen Gen 1ff), den am Ende der Tage (der Gedanke der universellen Anerkenntnis Jahwes ist jeweils
ein Ausdruck eschatologischer Hoffnung) alle Völker anbeten und verehren werden.

Der Ausdruck כֹּל אִיֵּי הַגּוֹיִם- 'alle Inseln der Völker',
will die universale Gültigkeit der Aussage von Zef 2,11b
zum Ausdruck bringen. Alle Inseln, damit ist gemeint,
auch die weit entfernten Landstriche wie ein Vergleich
mit Gen 10,5; Ps 72,10; Jes 24,14ff; 41,1; 42,4; 59,18;
66,19f belegt. Zef 3,10 drückt denselben Gedanken durch
die Erwähnung der Kuschiten aus, die als ein Volk angesehen werden, welches in fast unermeßlicher Entfernung
von Israel lebt (Äthiopien; vgl. Am 9,7).

Meine Option dafür, Zef 2,11 als ein Fragment zu betrachten, liegt in der völlig isolierten Stellung des Verses
im jetzigen Zusammenhang. Dies weist darauf hin, daß wir
es hier nicht mit einer Ergänzung zu tun haben, da diese
jeweils eine Verbindung zu den vorausgehenden bzw. nachfolgenden Versen aufweist. Zef 2,11 ist daher als ein
versprengtes Stück, wahrscheinlich ein Endstück einer
größeren Einheit, zu verstehen, da Zef 2,11aβ.b einen
Vorspann fordert, alleine jedoch eine zusammenhangslose
Aussage darstellt. [2]

-----

1) Zef 3,10 scheint der Tradition von einer Wallfahrt
   nach Jerusalem näherzustehen. Eine neutestamentliche
   Parallele zu der Aussage, daß Jahwe von jedem an seinem Orte angebetet werden kann, findet sich in Joh
   4,21-23.

2) Zum Vorschlag von RUDOLPH, W., KAT XIII/3, a.a.O., S.
   296, Zef 2,11 wegen Zef 3,9 als authentische Predigt
   des Propheten zu betrachten, vgl. bei Zef 3,9= 4.1.2.
   und CALES, J., L'authenticité de Sophonie II,ii et son
   context primitif, in: RSR 10(1920), S.355-357.

Eine Autorschaft Zefanjas ist undenkbar, [1] da
diese eschatologische Aussage keinerlei Fundament
in den als authentisch erkannten Einheiten findet.
Zefanjas Verkündigung ist primär Gerichtsandrohung
wegen des Bruches des Jahwerechtes, ganz konkret in
seiner Zeit und vor seinen Augen. Die euphorische Ankündigung, welche Zef 2,11 beinhaltet, sprengt die
geschichtliche Situation des Propheten völlig.

-----

1) Gegen RUDOLPH, W., KAT XIII/3, a.a.O., S.296.

4.3. DIE ERGÄNZUNGEN SPÄTERER AUTOREN ZU DEN AUTHENTISCHEN EINHEITEN

4.3.1.   Zefanja 1,1

> *Wort Jahwes, das erging an Zefanja,*
> *den Sohn des Kuschi, des Sohnes des Gedalja,*
> *des Sohnes des Amarja, des Sohnes des Hiskija,*
> *in den Tagen des Joschija, des Sohnes des Amon,*
> *des Königs von Juda.*

Der erste Vers des Zefanjabuches hat deutlich den Charakter einer Überschrift. Er ist inhaltlich abgerundet (Angabe des Namens des Propheten, seiner Vorfahren, Bestimmung der Zeit seines Auftretens durch die Nennung der regierenden Könige) und ist deutlich zu der in Zef 1,2 beginnenden Gottesrede abgesetzt. Er stammt nicht von Zefanja, was dadurch deutlich wird, daß er dem üblichen Aufbau der von den deuteronomistischen Sammlern des sechsten Jahrhunderts entworfenen Überschriften der Prophetenbücher entspricht. [1]   Alle Satzteile von Zef 1,1 finden ihre Parallele in den Überschriften anderer Prophetenbücher. Der Grundaufbau ist: Wortereignisformel (Wort Jahwes, das erging an ..), Name des Propheten - Vater (bzw. Väter) oder Herkunftsort - Zeitangabe (in den Tagen des...). Die Überschriften des Hosea- und Michabuches sind Zef 1,1 am nächsten verwandt: [2]

Zef	Hos	Mich
דְּבַר־יְהוָה אֲשֶׁר	דְּבַר־יְהוָה אֲשֶׁר	דְּבַר־יְהוָה אֲשֶׁר
הָיָה אֶל...	הָיָה אֶל...	הָיָה אֶל...
בֶּן .. בֶּן .. בֶּן	בֶּן ..	...
בִּימֵי	בִּימֵי ...	בִּימֵי ...

-----

1) Vgl. die Ausführungen darüber in den verschiedenen Kommentaren, z.B.WOLFF, H.W., Hosea, BK XIV/1, Neunkirchen ³1976, S.1ff.

2) Vgl. auch die Überschrift des Joelbuches, Joel 1,1.

Die redaktionelle Herkunft von Zef 1,1 aus deuteronomistischen Kreisen der Exilszeit dürfte damit feststehen. Mit dem Ausdruck דְּבַר־יְהֹוָה = Wort Jahwes, soll
deutlich gemacht werden, daß nicht nur die in Gottesrede gehaltenen Einheiten des Buches Wort Gottes sind,
sondern auch alle Prophetenrede über Jahwe in der dritten Person.

Die Aussage über den Stellenwert der Offenbarung des
Zefanja behält auch seine Gültigkeit für jene Texte,
die nicht von ihm stammen, mögen sie vor der Abfassungszeit der Überschrift zu den authentischen Texten gestos-
sen sein oder erst danach (was wir für einige Stellen
im dritten Kapitel annehmen müssen, da diese offensichtlich erst nachexilischen Ursprungs sind).

Gegenüber den anderen Prophetenüberschriften besitzt
Zef 1,1 jedoch eine Besonderheit, die in der Auslegungs-
geschichte für mannigfältige Vermutungen Anlaß gab:
Die Genealogie Zefanjas ist bis ins vierte Glied zurückgeführt. Vergleichbares finden wir nur noch in Jer 36,14.
Dort werden drei Generationen aufgeführt, die erstaun-
licherweise auch von einem 'Kuschi' abstammen. Anzufüh-
ren ist noch Bar 1,1, wo eine fünfgliedrige Abstammungs-
reihe aufgeführt ist.

SELLIN vermutete 1930, daß die Genealogie bis zu dem
'König' Hiskija klarstellen sollte, daß Zefanja trotz
des Vaternamens (Kuschi= Mohr; Kuschiten= das Volk südlich von Ägypten-heutiges Äthiopien, bei Homer: ἔσχατοι
ἄνθρωποι) ein "waschechter Jude" [1]   sei. Gegen die
Annahme, mit Hiskija sei hier der Reformkönig der Jahre

-----

1) SELLIN, E., Das Zwölfprophetenbuch übersetzt und erklärt, KAT XII/2, Leibzig 1930, S. 419f.

725-696 gemeint,[1]   spricht

a) das Fehlen der Bezeichnung 'König', was sehr schwer
   zu erklären wäre, sollte der König Hiskija wirklich
   gemeint sein, [2]

b) die Schwierigkeit, vier Generationen in den Zeitraum zwischen Joschija und Hiskija anzusiedeln
   (50-60 Jahre) [3]   und

c) die syrische Variante חֶלְקִיָּה , die wenigstens für
   den syrischen Bereich bezeugt, daß man hinter diesem Namen nicht den König gesehen hat, da es sonst
   schwerlich zu dieser Verschreibung gekommen wäre. [4]

Unter der Annahme, daß der Vatername Kuschi wirklich
eine Herkunftsbezeichnung des Vaters einschließen würde,
wurde auch noch auf Dtn 28,8-9 hingewiesen, wonach die
Nachkommenschaft von Ägypten, die in der dritten Generation geboren wird, in die Gemeinde Jahwes eintreten
darf. [5]

-----

1) Die Datierung Hiskijas schwankt bei den Autoren.
   Die Angeführte ist von GUNNEWEG, A.H.J., Geschichte
   Israels bis Bar Kochbar, Stuttgart ²1976, S.185.
   Gründe für die 'Königshypothese' vgl. bei CLAMER,A.,
   Art.: Sophonie, in: Dictionnaire de Théologie Catho-
   lique, 14,2, Paris 1941, Sp.2367f.

2) Das Argument, Hiskija sei so bekannt gewesen, daß die
   Bezeichnung 'König' überflüssig war, sticht nicht, da
   Joschija, der König, der zur Zeit Zefanjas lebte, als
   solcher bezeichnet wird, obwohl er sicher nicht weniger
   bekannt war. So richtig LAETSCH, T., Bible Commentary,
   The Minor Prophets, St. Louis 1956, S.354.

3) Siehe EHRLICH, A.B., Randglossen zur hebräischen Bibel
   V., Hildesheim 1968, S.309.

4) Vgl. GERLEMANN, G., Zephanja, a.a.O., S.1; DEISSLER,
   A., Sophonie, a.a.O., S.441.

5) Dtn 23,8b-9:'Der Ägypter soll dir kein Greuel sein;
   denn du hast als Fremder in seinem Land gewohnt. In der
   dritten Generation dürfen ihre leiblichen Nachkommen in
   die Versammlung des Herrn aufgenommen werden.' Es besteht
   jedoch keine Klarheit darüber, ob diese Regel jemals
   praktische Anwendung fand.

Eine weitere Variante der Erklärung bietet J.HELLER, [1]
der Zef 1,1 bis zu בֶּן כּוּשִׁי zum Uranfang rechnet,
welcher dann von einem späteren Redaktor als anstößig
empfunden wurde (der Prophet als Sohn eines Mohren!)
und deshalb bis zu dem frommen König Hiskija erweitert
wurde.

All diese Folgerungen können nicht mehr als eine gewisse Wahrscheinlichkeit für sich beanspruchen, ent-
behren jedoch eindeutiger oder zumindest überzeugender
Argumente, die eine gewisse Sicherheit bieten würden.
Gerade auch die postulierte königliche Herkunft des
Propheten findet in den authentischen Texten des Buches
keinerlei Widerhall. [2]

Für unsere Arbeit ist eine letztgültige Beantwortung
dieser Frage nur von geringer Bedeutung. Es gilt für uns
nur festzuhalten, daß wir diesen ersten Vers des Zefanjabuches mit guten Gründen einer deuteronomistischen
Schule der Exilszeit zuweisen dürfen.

-----

1) HELLER, J., Zefanjas Ahnenreihe, in: VT 21(1971),
   S.102-104.

2) Eine Aufzählung der Vertreter dieser Königshypothese
   findet sich bei IRSIGLER, H., Gottesgericht, a.a.O.,
   S.432f, Anm. 496.

2   *Ich raffe alles hinweg vom Angesicht*
         der Erde – Spruch Jahwes.

3a   *Ich raffe hinweg, Mensch und Vieh,*
         ich raffe hinweg die Vögel des Himmels und
         die Fische des Meeres,

b   *und ich tilge den Menschen vom Angesicht*
         der Erde – Spruch Jahwes.

Wie unsere Übersicht zeigt, werden nur von ELLIGER,
GERLEMANN und TAYLOR diese Verse Zefanja abgesprochen. [1]
Die Vertreter der Authentizität tun sich jedoch sehr
schwer, diese mit überzeugenden Gründen glaubhaft zu
machen. Einmal sind deutlich inhaltliche Spannungen
zwischen 1,2-3aβ.b und den Versen Zef 1,4ff festzustel-
len, zum anderen ist mit der Gottesspruchformel נְאֻם
יְהוָה in 1,3b ein deutlicher Abschluß erreicht, der gleichzeitig einen Bogen zu Vers 2 zurückschlägt. Weiter ist
zu bemerken, daß die Verse 1,2-3aβ.b metrisch nicht ein-
zuordnen sind im Gegensatz zu den folgenden Versen.
Gehen wir auf die genannten Punkte nun noch etwas genauer ein. RUDOLPH versucht die inhaltlichen Spannungen,
hier universales Weltgericht (1,2-3aβ.b), dort Gericht
über ganz bestimmte, aufgeführte Vergehen (1,4ff) dadurch auszugleichen, indem er die Verse 1,2-3aβ.b als
Mittel zur Überraschung der Zuhörer bezeichnet. [2]
Ähnliches soll in den ersten Kapiteln des Amos- und
Michabuches vorliegen. Das ist aber nicht der Fall! Das
Buch Amos beginnt mit Strafreden über Fremdvölker und

-----

1) Vgl. dazu C. Anhang, Tafel I.
2) Vgl. RUDOLPH, W., KAT XIII/3, a.a.O., S.264f aber
   auch KAPELRUD, A.S., The Message, a.a.O., S. 20.

schwenkt dann ab Am 2,4 auf Juda/ Jerusalem um. Die
Drohreden gegen die Fremdvölker wie gegen das eigene
Volk sind im konkreten Bruch des Jahwerechtes begründet, im Vergehen am Mitmenschen. In Zef 1,2-3aβ.b ist
dagegen pauschal die ganze Menschheit angesprochen,
auch Juda/Jerusalem, welches in Zef 1,4ff dann explizit genannt ist. Von einem Überraschungseffekt ist
hier also nicht zu reden.

KRINETZKI [1] versucht dieser inhaltlichen Spannung
so zu entgehen, indem er erklärt, daß bei den prophetischen Parallelen (Hos 4,3; Ez 14,13.17.19.21; 29,8;
38,20) der Universalismus, der sich aus der jahwistischen Sintfluttradition ergäbe, nur scheinbar sei; es
wäre hier also nur auf die Judäer abgehoben. Diese
Schlußfolgerung mißachtet die enge Verzahnung der angegebenen Texte mit ihrer Umgebung, die bei Zef 1,2-
3aβ.b nicht gegeben ist. Auch kann nur Hos 4,3 als vor-
zefanjanisch angesehen werden, worauf sich noch keine
Tradition aufbauen läßt, in der Zefanja stehen könnte.

Eine Mittelposition in der Frage um die Authentizität
nehmen ELLIGER und DEISSLER ein, indem sie sagen, in
Zef 1,2f sei zefanjanisches Gedankengut verarbeitet worden. [2] Diese vorsichtige Hypothese beider Exegeten

-----

1) Siehe KRINETZKI, G., Zefanjastudien, a.a.O., S.45ff.

2) Vgl. ELLIGER, K., ATD 25, a.a.O., S.60:" daß hier
   eine Redaktion eingegriffen hat, die den möglicherweise schon von Zephanja geäußerten Gedanken einer
   'universalen' Katastrophe - schon die ältere Prophetie kennt ja kosmische Zeichen und beschränkt die
   Wirkung des Tages des Herrn nicht auf das eigene
   Land - in die Breite ausgewalzt und vielleicht erst
   ins eigentlich Eschatologische wendet." DEISSLER, A.,
   Sophonie, a.a.O., S.446: "L'hypothèse la plus plau-
   sible sera donc d'attmettre que nous avons bien ici
   la pensée authentique de Sophonie, mais transmise
   sous une forme très remaniée, qui ne nous donne

läßt sich jedoch durch keine weiteren Argumente stützen. Wie ich noch zeigen werde, [1] ist der Gedanke
eines universal-eschatologischen Gerichts erst in der
exilisch-nachexilischen Zeit anzutreffen. Die totale
Vernichtung allen Lebens, wie sie in Zef 1,2-3aβ.b zum
Ausdruck kommt, fügt sich nicht in das Bild des Tages
Jahwes, welches alle authentischen Verse des ersten
Kapitels sowie Zef 2,1-3 und 3,1-4.6-8bδ thematisch
umgreift. Thema in Zef 1,2-3aβ.b ist nicht das kriegerische Eingreifen Jahwes zur Durchsetzung seines Rechtes bzw. zur Bestrafung des Unrechtes (unsere Verse
bleiben völlig unbegründet) wie es der Tag Jahwes grund-
legt, sondern eine Androhung der Umkehrung der Schöpfung. Auf die ersten Kapitel der Bibel wie auch auf die
Geschichte der Urflut weisen die verwendeten Termini
hin. Schuf in Gen 2,7 Gott den Menschen (אָדָם) aus dem
Erdboden (אֲדָמָה), so wird dieser אָדָם jetzt von Jahwe
von der אֲדָמָה getilgt; die Schöpfung wird gleichsam zurückgenommen.
Auch was nach Gen 1,26 dem Menschen zum Beherrschen gegeben war, die Fische des Meeres, die Vögel des Himmels
und alles Getier - jetzt wird es mitvernichtet und teilt
das Schicksal des Menschen. Bei der Urflut blieb noch ein
Rest von Mensch und Tier, bei Zef 1,2f bleibt kein Rest
mehr übrig, auch die Fische, denen die Urflut nichts an-
haben konnte, werden jetzt ihrem Schicksal nicht entgehen.

-----

qu'un résumé des paroles mêmes du prophète, tout en
attestant que, pour Sophonie, le jugement réservé à
Jérusalem s'inscrivait dans le cadre d'une sentence
divine atteignant le monde entier."

1) Vgl. den EXKURS: Der 'Tag Jahwes' - יוֹם יְהוָה

Natürlich haben wir es hier in Zef 1,3 mit einem
Bild zu tun, welches die Totalität beschreiben will:
die Vögel am Himmel oben und die Fische im Meer unten sind die beiden Extrempunkte, die alles tierische
Leben, welches sich dazwischen befindet umschließen.[1]
Das כֹּל von Zef 1,2a findet hier in Zef 1,3a seine
Ausfaltung: Mensch (אָדָם) und Tier (בְהֵמָה), gleich
wo es sich befindet (שָׁמַיִם oder יָם), werden von diesem totalen Gericht Jahwes getroffen. In Zef 1,3b nennt
der unbekannte Autor nochmals den Schuldigen der Katastrophe: den Menschen.
Für sich gesehen sind die Verse, ob des Fehlens einer
Begründung, die dieser Ankündigung einen Inhaltssinn
gäbe, nicht denkbar. Sie setzen letztlich die nachfolgende Einheit voraus, die allein in der Lage ist, wenn
auch in eingeschränktem Maße, dem Gerichtshandeln einen
Sinn zu geben. Wenn wir jedoch annehmen wollen, und ich
bin davon überzeugt, daß Zefanja das Kommen des Tages
Jahwes ankündigen wollte und seine ganze Gerichtsdrohung
ab Zef 1,4ff unter dieses Thema stellte, so empfinden
wir wiederum eine Spannung zwischen dem klassischen Text
über das Kommen Jahwes in Zef 1,7.14-16 und den Versen
Zef 1,2-3aβ.b. Die Perspektiven dieser beiden Einheiten
sind total verschieden; die Antwort Jahwes auf die in
Zef 1,4-13; 3,1-4.6-7 genannten Vergehen kann nicht Zef
1,2-3aβ.b sein, sondern liegt eindeutig in Zef 1,7.14-
16 (3,8).
Die Schwierigkeit der inhaltlichen Verbindung von Zef 1,2f
mit Zef 1,4f erkennt auch KAPELRUD, doch sieht er die
Lösung darin, daß die Gerichtsansage über Jerusalem und
über die in Zef 2 angeführten Feindvölker genügt , um
diese Einleitung als authentisch zu erweisen." But so

-----

1) Vgl. Hos 4,3; Ez 29,5; 38,20.

comprehensive was this list that it was quite natural
to start with a shocking utterance that the whole world
was going to be gathered in and destroyed." [1)]
Doch diese Lösung kann nicht akzeptiert werden, da Zef
1,2-3aβ.b mit der verwendeten Terminologie deutlich
eine alles umfassende Weltkatastrophe im Blick hat (so
auch Zef 1,18b und 3,8bε), deren Einschränkung auf die
im Zefanjabuch angesprochenen Völker nicht zulässig ist.

Eine andere Variante der Auslegung glaubt Zef 1,2f in
zwei Sprüche aufteilen zu können. [2)]   Demnach wäre Zef
1,3 eine spätere universale Auslegung des Verses Zef 1,2,
der zu Zef 1,4f gehörend, mit הָאֲדָמָה nur Juda/Jerusalem
im Blick hätte. Dem ist jedoch entgegenzuhalten, daß der
Anschluß von Zef 1,2 an Zef 1,4f sehr holprig wäre, da
Zef 1,4aα als eine pure und dazu noch abschwächende Wiederholung von Zef 1,2 angesehen werden müßte. Auch die
Beschränkung von עַל פְּנֵי הָאֲדָמָה auf das Gebiet von Juda
und Jerusalem erscheint nicht sehr glaubhaft. Demgegenüber nimmt Zef 1,3 die Worte אסף und אדמה von Zef 1,2
auf und führt diese gut weiter, so daß an einer Einheit
von Zef 1,2-3aβ.b festzuhalten ist.
Der Ergänzer wollte wohl mit seiner Öffnung des Blickes
auf eine Weltkatastrophe, in der die Menschheit mit allem
Getier untergehen, die Dringlichkeit und die Bedeutung
der Entscheidung herausstellen, in die die Menschen durch
die Prophetie des Zefanja gerufen werden. Durch das zweimalige נְאֻם יְהוָה wird ausgedrückt, daß dies keine leere
Drohung ist, sondern Gottes ureigenes Wort. Dadurch wird
die Bedeutung und die Brisanz dieser Androhung nochmals
verstärkt.

-----

1) KAPELRUD, A.S., The Message, a.a.O., S.16; vgl. auch
   S.19.76.

2) So DEDEN, D., De kleine Profeten, BOT XII, Roermond
   1953, S.279f; IHROMI, Amm ani wadal nach dem Propheten
   Zephanja, Diss. Mainz 1972, S. 56ff.

4.3.3.   Zefanja 1,6

6a   *Und jene, die weichen von Jahwe*
 b   *und nicht nach Jahwe suchen*
     und ihn nicht befragen.

Dieser Vers fällt durch seine wenig konkrete Ausdrucks-
weise auf. Dadurch ergeben sich Spannungen bei einer
Zuordnung zu Zef 1,4-5, da dort die Sprache sehr konkret
ist. Eine Zuordnung zu Zef 1,7 ist unmöglich, da der
kultische Ruf in Zef 1,7aα einen deutlichen Neueinsatz
kennzeichnet.
Unser Vers ist gleichsam eine verallgemein-ernde, zusam-
men-fassende Ergänzung zu Zef 1,4-5. Die dort angesprochenen Vergehen (Verehrung des Baal; Niederwerfen auf
den Dächern vor dem Himmelsheer; Schwören bei dem Moloch)
werden hier zusammengenommen und bestimmt als 'weichen
von hinter Jahwe weg'(so wörtlich), was soviel bedeutet
wie abfallen von Jahwe, ihn nicht suchen und nicht nach
ihm fragen - ihn ignorieren.
Die verwendeten Begriffe weisen vorwiegend in eine exilisch-nachexilische Zeit. So finden wir für Zef 1,6a
nur eine Parallele in dem tritojesajanischen Schuldbe-
kenntnis Jes 59,9ff, im Vers 13 : 'וְנָסֹג מֵאַחַר אֱלֹהֵינוּ';
Abfall von unseren Gott. Dieses Abfallen von Gott zeigt
sich in den in Zef 1,4-5 angeführten konkreten Handlungen, die in Zef 1,6b sodann als 'Nicht-suchen' und
'Nicht-fragen' nach Jahwe gedeutet werden. Diese beiden
Begriffe בָּקֵשׁ und דָּרַשׁ erfuhren im Laufe der Zeit einen Bedeutungswandel. [1]   Wurde דָּרַשׁ vorexilisch zu-

-----

1) Vgl. dazu WESTERMANN, C., Die Begriffe für Fragen und
   Suchen im AT, in: KuD 6(1960), S.2-30; GERLEMANN, G.,
   Art.:בָּקֵשׁ und GERLEMANN/RUPRECHT, Art.: דָּרַשׁ, in:
   THAT I, a.a.O., Sp.333-336 und 460-467.

meist im kultischen Zusammenhang gebraucht, im Sinne
der Befragung Jahwes durch den Propheten (vgl. 1 Sam
9,9; 1 Kön 22 u.a.[1]), so wurde in exilisch-nachexi-
lischer Zeit, da die Institution der kultischen Befragung nicht mehr bestand, der Begriff allgemeiner verwendet im Sinne von 'sich zu Jahwe halten', [2] 'sich
in der Not an Jahwe wenden' (besondere Verwurzelung in
der Klage). Aus der einmaligen Befragung wurde eine Haltung, ein Habitus. Genau diese Bezeichnung der richtigen Haltung gegenüber Jahwe drückt auch der Begriff בָּקַשׁ
aus. [3]   Das Suchen und Fragen nach Jahwe, als Ausdruck
der rechten Gottesverehrung, steht daher im genauen Gegensatz zum Götzendienst. [4]   Diese Spannung wollte der
Ergänzer deutlich machen: Nicht-suchen und Nicht-fragen
nach Jahwe, d.h. das Vergessen Jahwes ist Hinwendung zum
Götzendienst bzw. zu falscher Gottesverehrung, zu synkretistischen Praktiken.[5]
Aufgrund der Nähe zu Tritojesaja, der inhaltlichen Bestimmung der Begriffe דָּרַשׁ und בָּקַשׁ, sowie der allgemein
gehaltenen Sprache, ist dieser Spruch Zefanja abzusprechen und an eine exilisch-nachexilische Erweiterung der
authentischen Einheit Zef 1,4a.baγδ-5 zu denken.

-----

1) Weitere Stellen vgl. Anm. 1, S.79.

2) Als die persönliche Entscheidung für Jahwe und gegen
   die anderen Götter, vgl. RAD, G. von, Theol. AT I,
   a.a.O., S.365.

3) Vgl. außer Zef 1,6 noch Dtn 4,29; Jes 65,1; Jer 29,13;
   Ps 24,6; 105,3f; 2 Chr 20,3f; auch hier finden sich die
   Begriffe בָּקַשׁ und דָּרַשׁ nebeneinander.

4) Vgl. dazu Jes 65,1; Jer 8,2; 2 Chr 15,12.13 u.a.

5) Wie die Analyse der Begriffe zeigte, wollte der Ergänzer das Fundament aufweisen, auf welchem die götzendienerischen und synkretistischen Praktiken von Zef 1,4f
   gedeihen konnten, keineswegs wollte er "two more clas-
   ses of idolaters" anfügen, wie LAETSCH, T., Bible Commentary, a.a.O., S.358 annimmt. Vgl. auch BRANDENBURG,
   H., Die kleinen Propheten I., Das lebendige Wort, Bd.
   IX, Giessen 1963, S.168f.

4.3.4.   Zefanja 1,13b

13b   *Haben sie Häuser gebaut, so sollen sie*
       darin nicht wohnen,
       haben sie Weinberge gepflanzt, so sollen sie
       deren Wein nicht trinken.

Unsere Erweiterung ist durch Stichwortverbindung
'Häuser' und gedanklicher Assoziation 'Wein - Hefe'
mit der authentischen Einheit Zef 1,12aß-13a verbunden. Man könnte Zef 1,13b als eine nochmalige Ausformulierung von 1,13a bezeichnen, die das Vergebliche
des Tuns der Reichen ausdrückt. Die Reaktion Jahwes
auf das Denken der Satten (welches wohl auch ihre
Handlungen bestimmte), daß Jahwe weder Gutes noch Böses tut (Zef 1,12bб), ist in Zef 1,13a schon gegeben
und beendet. Habe und Häuser sind für die Reichen verloren, das, worauf sie vorher vertraut haben. [1]
Diese ihre Häuser hatten sie jedoch bewohnt und die
Früchte ihrer Weinberge schon genossen - die Voraussetzung ihrer frevlerischen Denkart -, daher ist der
Neueinsatz in Zef 1,13b inhaltlich nicht zu Zef 1,12aß-
13a passend.
Dies belegt auch die direkte Parallele in Am 5,11:"Weil
ihr von den Hilflosen Pachtgeld annehmt und ihr Getrei-
de mit Steuern belegt: darum baut ihr Häuser aus gehau-
enen Steinen - und wohnt nicht darin, legt ihr euch präch-
tige Weinberge an - und werdet den Wein nicht trinken." [2]
Der Sinn dieser Formulierung ist deutlich: Die, die Unrechtes tun, werden den Gewinn ihres gemeinschaftsstören-
den Verhaltens nicht genießen können - die Strafe Jahwes

-----

1) Vgl. Zef 1,18a, die Nutzlosigkeit von Silber und Gold.
2) Vgl. Dtn 28,39; Mi 6,14-15; Hos 4,10.

tritt vorher ein. Die Situation in Zef 1,12aβ-13a
ist, wie wir oben sahen, eine andere.

4.3.5.   Zefanja 1,18aδ-b

18aδ   *Im Feuer seines Eifers wird verzehrt*
       die ganze Erde,

  b   *denn ein Ende, ja plötzlichen Untergang,*
       bereitet er allen Bewohnern der Erde.

Die Authentizität dieses Versteiles muß aufgrund folgender Beobachtungen angezweifelt werden:

- Zef 1,18aδ findet sich wörtlich in 3,8bε wieder. Der
  einzige Unterschied liegt darin, daß in Zef 3,8bε
  ein begründender Gottesspruch vorliegt, wogegen Jahwe
  hier in der dritten Person vorkommt. Zef 3,8bε erweist sich deutlich als Glosse (vgl. 4.4.9.).

- Zef 1,18aδ verläßt die konkrete Sprache und Zielrichtung der echten Zefanjasprüche Zef 1,4-18aγ und
  spricht wieder von einer universalen Ausweitung des
  Gerichtes wie schon Zef 1,2-3. Der ganzen Erde (אֶרֶץ)
  und deren Bewohnern wird der Untergang angesagt, [1]
  wogegen 1,4-18aγ Juda/Jerusalem im Blick hat, auch
  wenn dies nicht überall ausdrücklich geschieht.

Der kleine Versteil 1,18aγ:"am Tag des Zornes Jahwes",
der von der BHS und einigen Kommentatoren zu dieser Er-

-----

1) Die Lösung von WOUDE, A.S. van der, Predikte Zefanja
   een wereldgericht?, in: NTT 20(1965),S.5, אֶרֶץ hier
   einfach mit Land zu übersetzen, ist keineswegs "de
   meest adaequate vertaling van Zef 1,18b-c."

weiterung Zef 1,18aδ-b hinzugezogen wird, erweist
sich als zefanjanischer Ausdruck, der hier, am Ende
einer Einheit, die Verbindung zu Zef 1,15aα herstellt
und dadurch die beiden Einheiten Zef 1,7.14-16 und
1,17aαβ.b-18aγ eng zusammenbindet. Nicht zu übersehen
ist auch, daß die authentische Einheit Zef 2,1-3 den
Ausdruck 'Tag des Zornes Jahwes' zweimal als Versab-
schluß verwendet (die Verse 2 und 3), und damit den
Inhalt von Zef 2,1-3 an die Botschaft des ersten Kapitels vom Tage Jahwes anschließen möchte (in Zef 2,1-3
יוֹם אַף־יְהוָה, in Zef 1,15.18 עֶבְרָה יְהוָה יוֹם).
Der Autor von Zef 1,18aδ-b ist mit hoher Wahrscheinlichkeit nicht identisch mit dem von Zef 1,2-3aβ.b.
Die Thematik einer universalen Katastrophe am Tag des
Eingreifens Jahwes ist zwar beiden eigen, doch benutzt
der Autor von Zef 1,18aδ-b andere Termini für dieselben
Dinge. Wird dort die Erde mit הָאֲדָמָה(Zef 1,2.3b) bezeichnet, so hier mit הָאָרֶץ (Zef 1,18aδ.bβ); die Menschen, denen der Untergang droht, in Zef 1,3aα.ba mit הָאָדָם, in
Zef 1,18bβ mit כָּל־יֹשְׁבֵי הָאָרֶץ. Diese Differenzen schließen eine Identität der Autoren von Zef 1,2-3aβ.b und
Zef 1,18aδ.b aus.
Der Ergänzer von Zef 1,18aδ.b dürfte jedoch von dem Text-
stück Zef 1,2-3aβ.b abhängig sein, da seine Verse gleichsam die Schließung einer Klammer sind, deren erster Teil
in Zef 1,2-3aβ.b schon vorgegeben war. Daß diese 'Schluß-
klammer', deren Inhalt die universal-eschatologische Über-
höhung des konkreten Tages Jahwes über Juda/Jerusalem darstellt, nicht ursprünglich ist, [1] geht auch daraus her-

-----

1) Vgl. WEISS, H., Zephanja c.1 und seine Bedeutung als
   religionsgeschichtliche Quelle, Diss. Königsverg 1922,
   S.3-6; SCHÜNGEL-STRAUMANN, H., Israel-und die anderen?
   Zefania-Nahum-Habakuk-Obadja-Jona, Stuttgarter kleiner

vor, daß Zef 1,18aδ.b die inhaltlich zusammengehöri-
gen Texte Zef 1,17aαβ-18aγ und Zef 2,1-3 trennt.Die
Rettung vor dem Tage Jahwes liegt nicht in Gold und
Silber (Zef 1,18aαβ), sondern in der Erfüllung von
Recht und Gerechtigkeit und in einer der Hybris ent-
gegengesetzten Haltung, der Demut (Zef 2,3).

4.3.6.   Zefanja 2,7aαβ.bβγ

7aαβ   *Und die Küste wird dem Rest des Hauses*
        Juda zufallen ...
 bβγ   *denn Jahwe, ihr Gott, nimmt sich ihrer an*
        und wendet ihr Geschick.

Wir haben es hier eindeutig mit einer nachexilischen
Aktualisierung des urspünglichen Textes zu tun. Die
Strafandrohung gegenüber den Philisterstädten (Zef 2,4f)
wird dazu genutzt, dem 'Rest des Hauses Juda' (Rest =
terminus technicus für das im babylonischen Exil lebende
und nach 538 v.Chr. zurückgekehrte Volk) [1]   das Philisterland zuzusprechen. Der Ergänzer verfährt hier
recht geschickt, indem er die dritte Person Plural für
die Hirten und Schafe aus Vers 2,6 hier für den Rest

Kommentar AT 15, Stuttgart 1975, S.12; DEDEN,D., BOT
XII, a.a.O., S.275; gegen KAPELRUD, A.S., The Message,
a.a.O., S.30f, der beide Texte als von Zefanja stammend ansieht, da sich für ihn die Universalität des
Gerichtes darin zeigt, daß Zefanja nicht nur über Jerusalem, sondern auch über die Völker (Zef 2,4-15)
das Gericht ansagt. Vgl. dazu meine Entgegnung in
4.3.2.

1) Vgl. dazu den EXKURS: Das Problem des 'Restes' im Zefanjabuch.

des Hauses Juda benutzt. [1]   Daß dieser 'Rest' dann
'weiden' wird (רָעָה, vgl. Zef 3,13), bedeutet für den
Ergänzer keine Schwierigkeit, da dieses Verb im über-
tragenen Sinne auch gerne auf Menschen angewendet
wird, [2]   um eine friedvolle Zeit unter dem Schutz
eines machtvollen Beschützers (König oder Jahwe) zu
beschreiben (vgl. Ps 23; Jer 50,19; Ez 34; Mich 7,14).

Völlig unmöglich in die Zeit Zefanjas paßt der zweite
Teil der Erweiterung Zef 2,7bβγ. פָּקַד hier im Zusammenhang mit שֶׁב שְׁבוּת (das Geschick wenden, vgl. Zef 3,20)
bezeichnet die heilvolle Zuwendung Jahwes zu seinem
Volk (sonst auch gegenüber Einzelpersonen, vgl. Gen
21,1; 1 Sam 2,21). פָּקַד begegnet noch viermal im Zefanjabuch in Zef 1,8.9.12 und 3,7; [3]   jedoch mit der ne-
gativen Bedeutung 'heimsuchen', d.h. Jahwe wird kommen
zum Gericht, um das Volk zur Rechenschaft zu ziehen. In
der Zeit des Wirkens Zefanjas ist nun keine reale Möglichkeit zu einer solchen Heilsweissagung an einen
'Rest des Hauses Juda', da der Gedanke des Restes eine
Katastrophe voraussetzt, die in dieser Zeit nicht gegeben war. Es ist daher unmöglich, diesen Versteil Zefanja zuzuschreiben.
Der Versuch KRINETZKIs, [4]   den Vers Zef 2,7 zur Gänze

-----

1) Gegen ELLIGER, K., ATD 25, a.a.O., S.71, der wegen der
   Kompliziertheit der angenommenen Redaktion, den ganzen
   Vers Zef 2,7 als nichtzefanjanisch ansieht. Mit SEKINE,
   M., Art. Zephanjabuch, BHH III, Göttingen 1966, Sp.2233;
   EISSFELDT, O., Einleitung in das Alte Testament, Tübingen ³1964, S.573.
2) Vgl. SOGGIN, J.A., Art.: רָעָה, in: THAT II, a.a.O., Sp.
   791-94.
3) Vgl. besonders 5.1.2. und 5.1.6.(Zef 3,7: פָּקַד עַל -
   'befehlen').
4) KRINETZKI, G., Zefanjastudien, a.a.O., S.195ff; vgl.
   auch HOONACKER, A.von, Les Douze Petits Prophètes,
   EtB, Paris 1908, S.521ff.

als redaktionellen Zusatz zu erweisen, ist nicht sehr
geglückt, da der Widerspruch, den er in Zef 2,6 und
2,7bα sieht (dort 'schlichte Weideplätze', hier 'Häuser vonAschkelon') nicht existiert. [1]   Auch wenn,
wie KRINETZKI mit Recht annimmt, es sich bei der Strafandrohung gegen die Philister um eine Deportation handelt (vgl. Zef 2,5b), so steht doch dem nichts im Wege,
daß mit יִרְבָּצוּן (sie werden lagern) primär die Hirten
von Zef 2,6 gemeint sind. Doch auch ohne diese Einschränkung ist in Zef 2,6 / 2,7bα kein logischer Bruch
zu erkennen.

EXKURS: Das Problem des 'Restes' im Zefanjabuch

Die Wurzel שאר begegnet fünfmal im Zefanjabuch:

1. אֶת־שְׁאָר הַבַּעַל ( ) וְהִכְרַתִּי (1,4) : ich tilge den Rest des
                                                   Baal

2.   שְׁאֵרִית בֵּית יְהוּדָה (2,7) : der Rest des Hauses
                                                   Juda

3.   שְׁאֵרִית עַמִּי (2,9) : der Rest meines Vol-
                                                   kes

4. וְהִשְׁאַרְתִּי בְקִרְבֵּךְ עַם (3,12): und ich werde übrig-
                                                   lassen in deiner Mitte
                                                   ein Volk

5.   שְׁאֵרִית יִשְׂרָאֵל (3,13): der Rest Israels

Aus unserer Besprechung kann sofort die erste Bezeugung Zef 1,4 ausgeschieden werden, da sie mit dem theologischen Restgedanken nichts zu tun hat ('Ich tilge

-----

1) Vgl. dazu DUHM B., Anmerkungen zu den zwölf Propheten,
   in: ZAW 31(1911), S. 96.

86

den Rest des Baals', d.h. der Baalskult wird völlig
ausgerottet, es wird keinen Rest mehr geben). [1]
Es kann jedoch daran deutlich gemacht werden, was
'Rest' bedeutet. Die Bedeutung ist nämlich ambivalent:

a) Wird auch der letzte Rest vertilgt, so ist ein Wie-
   deraufleben (z.B. eines Volkes) nicht mehr möglich.
   Die Vertilgung des letzten Restes, bzw. die Vertilgung, die keinen Rest mehr übrigläßt, bedeutet totale Vernichtung, endgültiges Ausgerottetsein, un-
   umkehrbares Geschehen.

b) Bleibt noch ein Rest übrig, so besteht die Hoffnung,
   daß aus diesem Rest, mag er auch noch so klein sein,
   wieder ein Volk ersteht. Die Zusage eines solchen
   Restes ist somit die Zusage des Überlebens eines
   Volkes.

Um die Tragweite dieser Gedanken richtig verstehen zu
können, müssen wir auf die Vorstellungswelt des antiken
Menschen eingehen. Die völlige, totale Vernichtung ist
ein Unglück, welches unvergleichlich der Gipfel aller
widerfahrenden Katastrophen bedeutet. Etwas Schlimmeres
kann überhaupt nicht geschehen. [2] Trost findet man
jedoch noch unter dem schwersten Geschick, wenn noch die
Aussicht besteht, daß ein kleiner Rest dem Untergang entrinnen kann, der dem Volk Zukunft garantiert. Das indi-
viduelle Schicksal tritt bei dem antiken Menschen hinter dem des Kollektivs zurück. Es geht zuallererst um

-----

1) Siehe dazu Zef 1,4a.bαγδ-5 (5.1.1.).
2) Daher ist auch der Sohn so wichtig für eine Familie,
   da er es ist, der ihr Zukunft gibt. Ohne Sohn stirbt
   die Familie gleichsam aus, was für die Eltern großes
   Unglück bedeutet (vgl. Gen 12ff, die Abrahamgeschichte).

das Überleben der Familie, Sippe oder Volksgruppe.

So wird nun deutlich, daß der Gedanke des Restes insbesondere in Notzeiten, in denen die Existenz des Volkes auf dem Spiele stand, brennend wurde. Schon in der
Urgeschichte (Gen 1-11) war diese existentielle Bedro--
hung aller Menschen durch die Urflut gegeben. Gen 7,23:
"Übrig blieb nur Noach und was mit ihm in der Arche
war." Das Überleben der Menschheit hing an diesem kleinen Rest von acht Menschen, doch durch diese acht Menschen hatte die Menschheit Zukunft.

Die Zeit der dringlichsten Frage nach einem Rest war
das sechste Jahrhundert vor Christus, die Zeit des Untergangs Jerusalems und damit des Staates Juda, welcher
nach 722 v.Chr. (dem Untergang des Nordreiches) Israel
in seiner Gesamtheit repräsentierte. Als politische Größe war daher Israel mit dem Fall Jerusalems ausgelöscht.
Die brennende Frage der Exilszeit war es daher, ob Jahwe
einen Rest zurückkehren lassen würde, der die nationale
Existenz Israels wieder aufrichten könne. So finden sich
die häufigsten Bezeugungen des Begriffs 'Rest' (שְׁאֵרִית) [2]
bei den Exilspropheten Jeremia, Deuterojesaja und Ezechiel.

Vor der Zeit des Auftretens Zefanjas werden nur wenige
Bezeugungen dieses Begriffes als authentisch anerkannt
(und diese sind nicht unumstritten): Am 5,3; Jes 17,3.6;
7,3. Der an diesen Stellen begegnende Gedanke des Übrig-
bleibens, des Restes, hat primär die Funktion, die Härte
des zu erwartenden Gerichtes zu veranschaulichen: eine
fast völlige Vernichtung. Die Betonung liegt eindeutig
auf dem zu erwartenden Unheil.

-----

1) Vgl. die Tabelle bei WILDBERGER, H., Art.: שָׁאַר - übrig
   bleiben, in: THAT II, a.a.O., Sp.845.

Was können diese Gedanken nun zu der Frage nach der
Authentizität der Zefanjastellen beitragen?
Gegen den ersten Beleg (Zef 1,4) ist schon wie oben
angeführt, nichts einzuwenden, da er die theologische
Restproblematik nicht tangiert.
Die beiden folgenden Bezeugungen (Zef 2,7.9) weisen
eine Gemeinsamkeit auf. Der hier angesprochene Rest
wird jeweils Gewinn haben an der Strafe, die Jahwe
über die Nachbarvölker bringen will, welche begründet
wird mit Feindseligkeiten dieser Völker gegenüber Juda,
dem Volk Jahwes. In den authentischen Spruch 2,4-7
(mit Abstrichen; vgl. die Glossen und Erweiterungen)
gibt es in der geschichtlichen Situation Zefanjas keinerlei Anlaß, von einem 'Rest Judas' zu reden. [1]
An dieser Stelle (Zef 2,7) wird ohne Zweifel die Annahme das Richtige treffen, die von einem Autor aus-
geht, der nach dem Fall Jerusalems (frühestens jetzt
ist es sinnvoll von einem Rest Judas zu reden), wahrscheinlicher noch gegen Ende des Exils, als die Rückkehr des 'Restes' bevorstand bzw. schon im Gange war,
lebte.
Der zweite Beleg Zef 2,9b gehört zu der als nichtau-
thentisch erkannten Einheit Zef 2,8-9 (vgl. 4.1.1.).
Auch hier ist die Katastrophe des Untergangs Jerusalems schon vorausgesetzt. Ein großtuerisches Verhalten
Moabs und Ammons gegenüber Juda ist in der Zeit Zefanjas, in welcher Juda wieder eine kurze Blütezeit unter
Joschija erlebte, wenig wahrscheinlich. Für Zef 2,9b
muß daher zumindest ein exilischer Autor angenommen
werden.
Die Bezeugung in Zef 3,12 weist demgegenüber wiederum

-----

1) Siehe zu der Geschichte Kapitel 3 und 5.3.1.

eine Besonderheit auf. Der Rest, von dem hier die
Rede ist, der von Jahwe übriggelassen wird, hat eine
ganz bestimmte Qualität: es ist ein demütiges und geringes Volk. Damit ist deutlich der Bogen zu dem authentischen Vers Zef 2,3 geschlagen: "Suchet Jahwe,
gleich allen Demütigen des Landes, die sein Recht erfüllen. Suchet Gerechtigkeit, suchet Demut, vielleicht
bleibt ihr geborgen am Tag des Zornes Jahwes." Was in
Zef 2,3 noch unter dem 'vielleicht' stand, wird hier
von Jahwe zugesagt: 'Ich werde übriglassen in deiner
Mitte ein Volk, demütig und gering.' Wir sehen den Unterschied zu den anderen Bezeugungen: der hier angeführte Rest ist nicht ein zufällig der Vernichtung eines
Krieges entgangener Teil des Volkes, sondern er ist ein
Rest der Frommen, derer, die das Jahwerecht achten und
treu geblieben sind. Will man Zefanja nicht jede Heilszusage absprechen, so muß dieser Text in Zef 3,12 als
authentisch angesehen werden. [1]   Dies um so mehr, als
der Gedanke, daß Jahwes gerechtes Gericht primär jene
treffen wird, die sich des Götzendienstes und des Rechts-
bruches schuldig gemacht haben, jene aber nicht vernichten wird, die sich auch in der Zeit der Unterdrückung
durch Assur loyal zu ihm verhielten, sich implizit in
den konkreten Anklagen des ersten (Zef 1,4-13) und dritten (Zef 3,1-4) Kapitels wiederspiegelt. [2]
Die letzte Bezeugung in Zef 3,13aα שְׁאֵרִ֣ית יִשְׂרָאֵ֔ל ist prob-
lematisch, schon durch ihre Zuordnung zu Zef 3,13 im Masoretentext. G rechnet Zef 3,13aα noch zu Zef 3,12, was
vom Großteil der Kommentatoren mit guten Gründen als ursprünglich betrachtet wird. Die Bezeichnung 'Rest Israels'

-----

1) Siehe dazu 5.2.2.
2) Vgl. besonders Zef 1,12f (5.1.4.).

erstaunt jedoch im Munde Zefanjas. In allen authentischen Texten spricht er nur von 'Juda', [1] nie
von Israel. Bei dem jüngeren Zeitgenossen Zefanjas,
Jeremia, finden sich zwei Stellen, die von einem 'Rest
Israels' sprechen, die von RUDOLPH als authentisch betrachtet werden und auf welche sich KRINETZKI stützt,
um die Authentizität von Zef 3,13aα zu belegen. [2]
Die Authentizität dieser Jeremiastellen ist jedoch keineswegs gesichert. [3] So dürften wir gut beraten sein,
wenn wir Zef 3,13aα als Glosse streichen, die das exilierte Jahwevolk im nachhinein mit dem demütigen und geringen Volk von Zef 3,12 identifizieren wollte. [4]

Obwohl der Begriff שְׁאָר im theologischen Sinne nur an
einer Stelle auf den Propheten Zefanja zurückgeht, ist
die zefanjanische Prophetie auf diesen frommen und gerechten Rest, der nach dem Willen Jahwes lebt, ausgerichtet. Die Unheilsandrohungen des ersten und dritten
Kapitels haben den Zweck, die Abgefallenen zur Umkehr
zu bewegen, sie zu einem 'Rest' der Demütigen und Geringen zu machen, der im Gericht Jahwes am יוֹם יְהוָה
bestehen kann. In Zef 2,3 und 3,12f wird dieser quali-
tative Rest inhaltlich ausgeführt. [5]

-----

1) In Zef 3,14.15 kommt die Bezeichnung Israel vor, doch
   sind diese Verse mit Sicherheit nicht von Zefanja.
2) Vgl. RUDOLPH, W., HAT 12, Tübingen [3]1968, S.43.188f;
   KRINETZKI, G., Zefanjastudien, a.a.O., S.154.
3) Vgl. SCHREINER, J., NEB 3.Lieferung, Würzburg 1981,
   S.50:"Der Ausdruck 'Rest Israels' setzt das babylonische Exil voraus (Jer 31,7; Mi 2,12; Ze 3,13; 1 Chr
   12,39; 2 Chr 34,9) und ist Ausdruck der Hoffnung auf
   die Wiederherstellung des Volkes ..."
4) Vgl. dazu auch 4.4.10.
5) Siehe ANDERSON, G.W., The Idea of the Remnant in the
   Book of Zephaniah, in: ASTI XI(1977/78), S.11-14; zum
   Rest bei Jesaja STEGEMANN, U., Der Restgedanke bei Isaias,
   in: BZNF 13(1969), S.161-189.

4.3.7.   Zefanja 2,10

10a   *Dies wird ihnen zuteil für ihren Hochmut,*
 b   *denn sie haben gehöhnt und großgetan*
      wider das Volk Jahwes der Heere.

Der Vers 2,10 ist eine Dublette zu Zef 2,8b, die die
Strafandrohung von Zef 2,9a voraussetzend (זֹאת לָהֶם
תְּחַת) Zef 2,8b mit denselben Worten (חָרַף pi. und גָּדַל
עַל hi.) aufnimmt und so Zef 2,9a nochmals begründet.
Von Zef 2,9a ist sicher auch die Bezeichnung יְהוָה צְבָאוֹת
eingeflossen.
Diese doppelte Begründung ist überflüssig und erweist
sich darüber hinaus durch das Fehlen jeglicher Stichen-
gliederung als Glosse. Die einzige eigene Leistung des
Ergänzers findet sich in Zef 2,10a, worin er zusammenfassend die Schmähungen und das Großtun von Moab und
Ammon gegenüber dem Volk Jahwes und dessen Land als Hochmut, Hoffart kennzeichnet. Der Tadel des Hochmutes und
des selbstherrlichen Stolzes findet sich besonders in
den Propheten- und Weisheitsbüchern (vgl. Jes 13,19;
16,16; Jer 13,9.17; Ez 7,20.24; 16,49.56; Spr 16,18;
Hi 22,29). Allein Jahwe ist der Hohe und Erhabene (Jes
2,10.19.21; Mi 5,3 u.a.), der Mensch kann nur in frev-
lerischer Selbstverkennung Hoheit für sich beanspruchen,
doch Jahwes Gericht ist gerade gegen alles Hohe und Erhabene bei den Menschen gerichtet (vgl. besonders Jes 2). [1]

-----

1) Vgl. dazu STÄHLI, H.P., Art.: גָּאָה - hoch sein, in:
   THAT I, Sp. 379-382.

15a   *Ist das die ausgelassene Stadt,*
       die in Sicherheit wohnte,
       die in ihrem Herzen sprach:
       Ich, und außer mir niemand!?
  b   *Wie ist sie zur Einöde geworden,*
       ein Lagerplatz für die Tiere.
       Ein jeder, der vorbeigeht,
       zischt und schwingt seine Hand.

Zef 2,15 erweist sich durch eine neue Zeitperspektive
als Zusatz zu der authentischen Einheit Zef 2,13-14,
auf welche der Vers deutlich Bezug nimmt. Der Fall
Ninives, der Hauptstadt Assyriens, von 612 v. Chr.
ist hier eindeutig vorausgesetzt, während Zef 2,13-
14 eine Voraussage dieses Untergangs ist. In höhni-
schen und sarkastischen Worten wird die einst so ausgelassene Stadt geschmäht. Die aus diesen Worten tönen-
de Schadenfreude ist nicht zu überhören und belegt damit eine Abfassungszeit nach 612 vor Chr.
Als ausgelassene, fröhliche Stadt wird in Jes 32,13f
auch Jerusalem beschrieben, dessen Schicksalsbeschrei-
bung große Ähnlichkeit mit der in Zef 2,15 aufweist:
Einöde, Tummelplatz für die Tiere. Jes 47,8aβγδ bietet
auch eine wörtliche Parallele zu der Selbstsicherheit
und der maßlosen Selbstüberschätzung in Zef 2,15aβγδ:
"הַיּוֹשֶׁבֶת לָבֶטַח הָאֹמְרָה בִּלְבָבָהּ אֲנִי וְאַפְסִי עוֹד" (vgl. auch
Jes 47,10). Mit dieser Formel: 'Ich, und außer mir
niemand', stellt sich Ninive an die Stelle Gottes, da
nur von ihm ausgesagt werden kann, daß er der Einzige
ist, ohne jeden Vergleich. Für Zef 2,15bα finden sich
ebenfalls wörtliche Parallelen in der Prophetie der
Exilszeit: Jer 50,23; 51,41 (dort ist Babel angezielt).
Zu Zef 2,15bβ ist Ez 25,5 zu vergleichen.
Diese vielfachen Übereinstimmungen mit der nachzefanjanischen Prophetie weisen darauf hin, daß uns in Zef 2,15

eine Anthologie aus der Zeit Deuterojesajas und Eze-
chiels, also gegen Ende des babylonischen Exils, vorliegt. Der Ergänzer wollte offensichtlich belegen, daß
die Prophetie des Propheten Zefanja wirklich eingetroffen ist (bes Zef 2,15bα).

Zef 2,15a (die anmaßende Selbstsicherheit und Überheblichkeit) könnte auch ein Hinweis dafür sein, daß
die begründende Glosse Zef 2,14bγ [1]   schon vor der
Abfassung dieses Verses an den Vers 2,14 angeschlossen
war.

Von einigen Kommentatoren wird angenommen, daß Zef 2,15
recht bald nach 612 vor Chr. abgefaßt wurde, also nicht
erst während des Exils. Dagegen spricht jedoch die Un-
anschaulichkeit, mit der hier die zerstörte Stadt beschrieben ist.

Das Zischen und Händeschwingen in Zef 2,15b, hier als
Ausdruck des Hohnes gebraucht, hat seinen Sitz im Leben
in der Klage. Dies belegt gut Klgl 2,15:" Über dich
klatschen in die Hände alle, die des Weges ziehen. Sie
zischeln und schütteln den Kopf über die Tochter Jerusalem: Ist das die Stadt, die man nannte: Entzücken der
ganzen Welt, Krone der Schönheit?" (vgl. auch Klgl 2,16:
"Sie zischeln und fletschen die Zähne"). Das Händeschwingen in Zef 2,15 ist einzigartig im Alten Testament, doch
wird es gleichbedeutend sein mit dem Kopfschütteln und
Zähnefletschen. [2]

-----

1) Vgl. Abschnitt 4.4.7.
2) Siehe zu Zef 2,15b auch noch Jer 19,8.

4.3.9. Zefanja 3,5a.bβ

5a   *Jahwe ist gerecht in ihrer Mitte,*
        er begeht kein Unrecht.
b   *Morgen für Morgen gibt er sein Recht,*
        beim Morgenlicht bleibt es nicht aus.

Die Authentizität dieses Verses (zu Zef 3,5bγ vgl.
4.4.8.) ist höchst umstritten. Mehr als eine Entscheidung nach der größeren Wahrscheinlichkeit kann nicht
gefällt werden. Gegen eine Abfassung dieses Verses
durch den Propheten Zefanja sprechen Metrum und Stil,
die nicht zu den authentischen Versen Zef 3,1-4 pas-
sen wollen. Zef 3,5 erinnert an einen hymnischen Lobpreis der immerwährenden Gerechtigkeit Jahwes und steht
somit isoliert hinter den konkreten Anklagen der Verse
3,1-4, die anstelle eines hymnischen Lobpreises eher
eine Strafandrohung erwarten lassen, welche in Zef 3,8
dann auch zu finden ist (vgl. 5.1.6.). Gerade der Weheruf הוֹי in Zef 3,1 fordert eine Androhung von Unheil
als Folge der gottlosen Zustände, welche in Zef 3,1-4
beschrieben sind.
Obwohl auch Zef 3,5 deutlich die Stadt Jerusalem zum
Hintergrund hat (Vers 5a: in 'ihrer' Mitte : בְּקִרְבָּהּ ,
vgl. die femininen Suffixe von 3,1-4) wird das Verhältnis Jahwe-Jerusalem hier anders dargestellt. In Zef 3,5
beschränkt sich das Verhältnis Jahwes zu der Stadt darauf, daß er jeden Morgen sein Recht gibt, [1] unberührt
davon, was in der Stadt vorfällt. Zef 3,2 und danach 3,6f
stellen Jahwe dagegen als solchen vor, der sich durch

-----

1) Vgl. DELEKAT, L., Zum hebräischen Wörterbuch, a.a.O.,
    S.7-9.

Ruf und Warnungen darum bemüht, die Abgefallenen zur
Umkehr zu bewegen (wenn dies auch beide Male ohne Erfolg geschieht). Auch die zeitliche Perspektive von
Zef 3,1-4 (auch 3,6-8) ist von der in Zef 3,5 zu unterscheiden: geht es dort um Vorgänge, die in der Vergangenheit begonnen haben und sich in der Gegenwart
fortsetzen, so hat Zef 3,5 vornehmlich die auch in der
Zukunft (Zef 3,5bβ) bestehen bleibende Gabe des Rechtes durch Jahwe im Blick.
Ein weiterer Hinweis auf eine mögliche spätere Abfassung von Zef 3,5 sind die Parallelen, die sich zu diesem Vers besonders in den exilisch-nachexilischen Psalmen und bei Deuterojesaja (vgl. Ps 92,18; Jes 50,4;
51,4 wie auch Dtn 32,4) finden.
Der deutlichste Hinweis auf die Inauthentizität dieses
Verses bleibt die deplazierte Stellung dieses hymnischen
Lobpreises zwischen zwei authentischen Einheiten, die
einen in seiner Sorge um das Wohlergehen seines Volkes
aktiven Gott vorstellen, die nicht Gottes 'Sein an sich',
sondern sein 'Sein für' ausdrücken.
Ein Fragment liegt uns in Zef 3,5 nicht vor, was die
sicher gewollten Wortverbindungen, besonders zu Zef 3,3,
belegen, womit die Diskrepanz dieser ungerechten Richter zu dem allzeit gerechten Gott Jahwe hervorgehoben
werden soll.

4.3.10. Zefanja 3,13b

13b *Denn sie werden weiden und lagern*
und niemand schreckt auf.

Schon zweimal begegnete im Zefanjabuch der Gedanke
des Weidens und Lagerns: Zef 2,7aɣ.bα und Zef 2,14aα
(hier nur רָבַץ). Beide Stellen sind authentisch, [1]
verwenden das Bild vom Weiden und Lagern jedoch in
einem ganz anderen Sinne als Zef 3,13b. Sowohl in
Zef 2,7aɣ.bα wie auch in Zef 2,14 wird damit die Zerstörung und Verlassenheit von Städten bildhaft umschrieben (Zef 2,7 - Aschkelon für die Philisterstädte
(2,4); Zef 2,14 - Ninive). Jedesmal soll das Bild der
Verwüstung umschrieben werden: die Menschen sind vertrieben worden und die Tiere haben ihren Einzug gehal-
ten. [2] Ein weiterer Unterschied zu Zef 3,13b liegt
darin, daß dort jeweils 'wirkliche' Tiere (Schafe) mit
ihren Hirten angesprochen werden, während Zef 3,13b
unter den behütet lebenden Schafen, die von Jahwe im
Gericht verschonte Schar der Jerusalemer versteht. Der
verläßliche und treue Hirt ist Jahwe (dieser Gedanke
steht auch hinter Zef 3,18a-20).
Zef 3,13b fußt auf einer ganz anderen Tradition, was
es verbietet, unter Berufung auf Zef 2,7 und 2,14 die
Authentizität von Zef 3,13b zu fordern. Gerade Zef 3,
13bβ 'und niemand schreckt auf' zeigt, daß hier der
Gedanke des Friedensreiches, welches von Jahwe oder von

-----

1) Vgl. die Abschnitte 5.3.1. und 5.3.3.
2) Siehe dazu besonders die in 5.3.3. angeführten Parallelen aus den anderen Prophetenbüchern.

seinem Gesandten aufgerichtet wird, dahintersteht
(Ps 23; Jes 11,6ff). [1]   Unter dem Schutz und der
Führung Jahwes ist Sicherheit und Wohlergehen garantiert (an die Stelle Jahwes tritt an einigen Stellen
auch ein großer König, in Anlehnung an David, vgl. Ez
34).
Zef 3,13b setzt sich durch die Aufnahme der Tradition
vom guten Hirten Jahwe auch inhaltlich von Zef 3,13a
ab. In Zef 3,13a geht es um das Leben nach dem Jahwerecht, um die Beschreibung des עַם עָנִי וְדָל von Zef 3,12.
Der Garant für Frieden und Sicherheit von Zef 3,12-13a
ist ethisch gutes Handeln, besonders die Tugend der
Wahrhaftigkeit und die eindeutige Hinwendung zu Jahwe.
Der Ergänzer möchte mit seinen Worten augenfällig darauf hinweisen, daß solches Handeln wirklich zu einem
guten Ende führt.
So ist mit einiger Gewißheit anzunehmen, daß Zef 3,13b
eine spätere Erweiterung zu Zef 3,11-13a darstellt, die
dem rechten Lebenswandel noch die Hoffnung auf eine friedvolle Existenz hinzufügen wollte.

4.3.11.   Zefanja 3,20

20a   *In jener Zeit, da ich euch heimbringe,*
        in der Zeit, da ich euch sammle.
b   *Denn ich will euch Ruhm und Namen geben*
        unter den Völkern der Erde,
        wenn ich vor euren Augen
        euer Geschick wende — spricht Jahwe

-----

1) Weitere analoge Texte sind Jer 50,19; 30,10; Jes 49,9;
   Mich 7,14.

Der Ergänzer von Zef 3,20 schließt direkt an Zef 3,19 an (Wortverbindungen: קָבַץ, שֵׁם, תְּהִלָּה), bietet jedoch keine reine Dublette, [1] da er durch die Verwendung der zweiten Person Plural seinen Hörern, die er damit direkt anspricht, noch zu Lebzeiten die in Zef 3,18aβ-19 vorhergeschaute Sammlung aller Zerstreuten ansagt und die damit verbundene Wiederherstellung der nationalen Ehre.

Dies wird allein Tat Gottes sein, der die Macht hat, die Geschicke der Menschen und Völker zu wenden (vgl. Zef 2,7). [2] Zef 3,20 ist also sekundär gegenüber Zef 3,18aβ-19 (vgl. 4.1.5.) und gehört damit in die spätnachexilische Zeit.

-----

[1] Gegen KELLER, C.-A., CAT XIb, a.a.O., S.216:" C'est une simple paraphrase du unit précédent."

[2] Vgl. die Verwendung von בוא als terminus technicus für die Herausführung Israels aus Ägypten im deuteronomistischen Geschichtswerk; vgl. KRINETZKI, G., Zefanjastudien, a.a.O., S.170f.

4.4. LEXIKALISCHE, ERGÄNZENDE UND ERLÄUTERNDE GLOSSEN IN AUTHENTISCHEN UND INAUTHENTISCHEN EINHEITEN DES ZEFANJABUCHES

4.4.1. Zefanja 1,3aγ

3aγ   *Die zu Fall gebracht haben*
        die (jetzt) Gottlosen

Dieser Versteil fehlt in G und bietet auch schon von der Textkritik her Schwierigkeiten. [1] Wie dort schon erwähnt, dürfte neben der vorgeschlagenen Änderung des Konsonantenbestandes in וְהִכְשַׁלְתִּי = 'ich bringe zu Fall', eher die Partizip-feminin-Plural-Form von כָּשַׁל zu lesen sein. Das Votum für diese Lesart ist darin gegründet, daß somit Zef 1,3aγ als eine Erklärung zu Zef 1,3aαβ angesehen werden kann.

Literarkritisch erweist sich Zef 1,3aγ als störend. Der Fluß des Textes wird abrupt gestoppt. Der Grund für die Einfügung dieser Glosse liegt wohl darin, daß die Untergangdrohung Zef 1,2-3aβ.b unbegründet bleibt. [2]

Dies möchte der Glossator nachholen, indem er bezugnehmend auf Dtn 4,16-18 [3] und Zef 1,3aαβ den Grund für

-----

1) Vgl. das Kapitel 2: TEXTKRITIK ZUM ZEFANJABUCH.

2) Dies ist wiederum ein Hinweis darauf, daß die Erweiterung Zef 1,2-3aβ.b als eigentlich abgeschlossene Einheit betrachtet wurde und nicht als zu Zef 1,4ff gehörend. Da aber auch Zef 1,2-3aβ.b als Erweiterung zu Zef 1,4ff zu betrachten ist (vgl. 4.3.2.), war demzufolge die 'räumliche' Nähe dieser beiden Einheiten schon gegeben, was vom Glossator von Zef 1,3aγ aber gedanklich nicht mitvollzogen wurde.

3) Dtn 4,16-18:"Lauft nicht in euer Verderben, und macht euch kein Gottesbildnis, das irgendetwas darstellt, keine Statue, kein Abbild eines männlichen oder weib-

das die Menschen treffende Unheil in ihrem Abfall
von Jahwe und ihrer Hinwendung zu Götzen-, Menschen-
und Tierbildern sieht. Was als Götze angebetet wurde, dem ist jetzt von Jahwe der Untergang angesagt.

Mit dieser Glosse ist gleichzeitig ein Beweis dafür
geliefert, daß Zef 1,2-3aβ.b als störend im Gesamt
der zefanjanischen Verkündigung empfunden wurde. Mit
Zef 1,3aγ schließt der Glossator dann bewußt an die
Götzenverehrung an, die in der authentischen Einheit
Zef 1,4f angesprochen wird.
Wir haben es hier also mit einer erklärenden Glosse
zu tun, die den bevorstehenden Untergang der Menschen
primär mit deren kultischem Ungehorsam begründet.

4.4.2.   Zefanja 1,4bβ

4bβ   *Von diesem Ort*

Dieser Versteil überlastet den Vers Zef 1,4 metrisch
und steht in Spannung zu Zef 1,4a. Dort werden Juda
und Jerusalem angesprochen, מִן הַמָּקוֹם הַזֶּה hat jedoch
höchstwahrscheinlich nur Jerusalem, speziell wohl den
Tempel im Blick. [1]   Auch der folgende Versteil, der

-----

lichen Wesens, kein Abbild irgend eines Tieres, das
auf der Erde lebt, kein Abbild irgendeines gefieder-
ten Vogels, der am Himmel fliegt, kein Abbild irgendeines Tieres, das am Boden kriecht, und kein Abbild
irgendeines Meerestieres im Wasser unter der Erde."
Vgl. auch Ez 8,10.

1) Vgl. Jer 7,3:"So spricht der Herr der Heere, der Gott
Israels: bessert euer Verhalten und euer Tun, dann
will ich bei euch wohnen an diesem Ort." Vgl. Dtn 12,3.

von dem Himmelsgott Baal und den Götzendienern spricht,
würde diese Sicht stützen. Wir haben es hier demnach
mit einer Glosse zu tun, die zeitlich nicht viel jünger sein kann als der authentische Text, in dem sie
steht, da es ja das erklärte Anliegen des Königs Joschija war, den Kult im Jerusalemer Tempel zu zentra-
lisieren (vgl. 2 Kön 23,8ff). Die Glosse wird demnach
aus den letzten Jahrzehnten des siebten Jahrhunderts
vor Christus stammen. [1)]

4.4.3. Zefanja 1,4bε

4bε   *Mitsamt den Priestern*

Dieser Zusatz fehlt in G und bringt kontextuelle Schwierigkeiten mit sich. Soll mit dem geläufigen Begriff כֹּהֵן
der seltene כֹּמֶר erklärt werden? Oder kommen zu den Götzenpriestern (כֹּמֶר) noch die abgefallenen Jahwepriester
(כֹּהֵן) dazu, vielleicht beeinflußt von der Schelte auf
die Priester in Zef 3,4?
Keine dieser beiden Annahmen kann mehr als eine gewisse
Wahrscheinlichkeit für sich beanspruchen. Im ersten Falle hätten wir es mit einer lexikalischen, im zweiten
Falle mit einer ergänzenden Glosse zu tun. Eine Ursprünglichkeit beider Begriffe ist nicht anzunehmen, da כֹּהֵן
so umfassend gebraucht wird, daß damit Jahwe- wie Götzen-

-----

1) Eine Ansetzung nach 609, dem Tode Joschijas, ist unwahrscheinlich, da seine Bemühungen nach seinem Tode
   schnell wieder zunichte gemacht wurden.

priester bezeichnet werden. [1]   Die Urspünglichkeit
von כֹּמֶר ist daher wahrscheinlicher.

4.4.4.   Zefanja 1,8aα, 1,9aγ, 1.10aα und 1,12aα

8aα   *Und es wird sein am Tag des*
      Schlachtopfers Jahwes
9aγ   *an jenem Tag*
10aα *Und es wird sein an jenem Tag –*
      Spruch Jahwes
12aα *Und es wird geschehen in jener Zeit*

Bei Zef 1,8aα ist es überdeutlich, daß wir es hier
mit einer Glosse zu tun haben. Der Versteil:' Und
es wird sein am Tag des Schlachtopfers Jahwes', setzt
deutlich die Verbindung zu dem hier eingeschobenen
Vers Zef 1,7 [2]   voraus und erweist sich dadurch als
sekundär.
In den anderen angeführten Textteilen begegnet uns der
geprägte Begriff יוֹם הַהוּא bzw. בְּעֵת הַהִיא. Diese Begriffe
weisen inhaltlich auf das in Zef 1,4f angesagte Kommen
Jahwes zurück, welches in den Versen Zef 1,7.14-16 als
יוֹם יְהוָה beschrieben wird.
Über die Beziehung dieser beiden Begriffe יוֹם יְהוָה und
בַּיּוֹם הַהוּא zueinander wurden schon viele Vermutungen an-
gestellt. So meinte z.B. Hugo GRESSMANN, daß er 51 Fälle
nachweisen könne, an denen בַּיּוֹם הַהוּא sicher eine Formel

-----

1) Vgl. Gen 47,22; Ex 2,16; 1 Sam 5,5; 6,2; Jer 48,7.
   Vgl. auch das Nebeneinander dieser Begriffe in 2 Kön
   23,5.8.9.
2) Vgl. dazu den Abschnitt 5.1.7.

für יוֹם יְהוָה sei. [1]   Seit der bahnbrechenden Arbeit
von P.A. MUNCH [2]   ist es jedoch weithin anerkannt,
daß die Wendung יוֹם הַהוּא ein 'temporal adverb' ist,
dessen Funktion als einer 'editorial connective for-
mula' darin besteht, ursprünglich nicht zusammengehörige Texte miteinander zu verbinden. Eine Identität von
בַּיּוֹם הַהוּא mit יוֹם יְהוָה ist damit ausgeschlossen. Erwähnt werden muß jedoch, daß der Ausdruck בַּיּוֹם הַהוּא im
Zusammenhang des 'Tages Jahwes' auf diesen hindeuten
kann, doch liegt dies nicht schon im Ausdruck selbst begründet.
Gerade unsere Texte sind gute Beispiele dafür, daß der
Begriff בַּיּוֹם הַהוּא (בָּעֵת הַהִיא) auf den יוֹם יְהוָה hinweisen und inhaltlich mit ihm kongruent sein kann.   Mit
großer Sicherheit ist anzunehmen, daß diese einleiten-
den und verbindenden Formeln fehlen würden, wenn das
inhaltlich sehr eng verwandte Stück Zef 1,8-13 als ein-
heitliches Ganzes überliefert worden wäre. Liest man
Zef 1,8-13 ohne diese Formeln, so vermißt man nichts -
ein weiterer Hinweis dafür, daß die Formeln rein verbindende und auf den יוֹם יְהוָה verweisende Funktion haben. Sehen wir von Zef 1,9aγ ab, so haben wir durch
Zef 1,8aα, 1,10aα und 1,12aα deutliche Zeichen für den
Neueinsatz der Rede Zefanjas.
Zef 1,9aγ unterscheidet sich von den anderen Stellen
dadurch, daß es keine neue Einheit einleitet, also auch
nicht die Funktion eines Bindegliedes hat. An seiner

-----

1) GRESSMANN, H., Der Messias, Göttingen 1929 (posthum),
   S.83:" Jener Tag und der Tag Jahwes sind sachlich
   zweifellos identisch."
2) MUNCH, P.A., The expression בַּיּוֹם הַהוּא. Is it an escha-
   tological terminus technicus? Oslo 1936 (ANVAO.HF 2),
   besonders S.71ff.

jetzigen Stelle ist בַּיּוֹם הַהוּא völlig sinnlos, da ja
nicht ausgesagt werden soll, daß Jahwe jene zur Rechenschaft zieht (פָּקַד), die an dem Tag seines Eingreifens 'über die Schwelle springen', sondern daß die
Ausübung dieses heidnischen Brauches, erst das Eingreifen Jahwes veranlaßte. בַּיּוֹם הַהוּא wäre in Zef 1,9
nur sinnvoll vor oder als Einschub nach וּפָקַדְתִּי. An
seiner jetzigen Stelle ist בַּיּוֹם הַהוּא auf jeden Fall
als eine spätere, recht willkürliche Ergänzung zu
streichen.

Als verfehlt muß die Erwägung KAPELRUDs angesehen werden, daß diese verbindenden Formeln in den Text eingefügt wurden, um auszusagen, daß die angesprochenen Ereignisse in der Zukunft liegen (mit der Gegenwart also
nichts zu tun haben), die angesprochenen Personen (Zef
1,8: Beamte und Königsöhne) also nicht beleidigt sein
konnten und damit auch keinen Grund hatten, gegen Zefanja vorzugehen. [1]   Dabei findet sich dann auch noch
der Hinweis darauf, daß Jeremia zweimal wegen seiner Unheilsprophetie verhaftet wurde (Jer 37,15; 20,2). [2]

Hier liegt ein grundlegendes Mißverständnis dieser verbindenden Formeln wie auch der prophetischen Verkündigung vor. Diese ist keineswegs ein 'Blick in die Zukunft',
sondern Anklage der 'gegenwärtigen' Verhältnisse, d.h.

-----

1) KAPELRUD, A.S., The Message, a.a.O., S.19:" The re-
   peated emphasis on 'that day', 'that time', makes it
   clear that he who added the formular wanted to point
   out that the tragic events which the prophet foresaw,
   and his harsh words of doom, were concerned with the
   future only, not with what was going just on. Neither
   the sarim nor the bene hammalek needed to feel them-
   selves offended; the prophet's words were directed
   towards the future." Vgl. auch ebd. S.28.

2) Ders., a.a.O., S.18.

gerade die jetzt verantwortlichen Beamten und Königsöhne sind angesprochen und ihnen wird gezeigt, welche
Folgen ihr jetziges Tun nachsichziehen kann. Und auf
diese Folgen weisen die Formeln hin, auf den Gerichtstag Jahwes, der in den jetzigen Machenschaften der
Mächtigen seine Begründung findet.

4.4.5. Zefanja 1,17aγ

17aγ   *Denn gegen Jahwe haben sie gesündigt*

Dieser Einschub will nochmals das Gericht Jahwes über
sein Volk begründen. Er faßt gleichsam die angeführten
Vergehen von Zef 1,4-13 zusammen und subsummiert sie
unter dem Begriff 'Sünde' (חָטָא). In Zef 1,6 begegnete uns schon einmal eine solche allgemeine Zusammenfassung konkreter Vergehen. Die Option, Zef 1,17aγ
als Glosse zu betrachten, wird noch dadurch gestärkt,
daß hier von Jahwe in der dritten Person gesprochen
wird, wogegen Zef 1,17a mit Gottesrede beginnt.
Dieser Einschub erweist sich dadurch als mehr als überflüssig, ja er stört den Zusammenhang des Verses 1,17
und ist daher als sekundär auszuscheiden.

4.4.6. Zefanja 2,5bα

5bα   *Das Wort Jahwes ergeht über euch*

Der BHS und anderen Kommentatoren folgend, darf dieser
Einschub als Glosse betrachtet werden. Dem Glossator

ging es offensichtlich darum, das folgende 'Ich'
deutlich auf Jahwe als den Handelnden zu beziehen.
Dieser Hinweis auf Jahwe als handelnde Person ist
jedoch überflüssig, da keine Verwechslung bzw. kein
Mißverständnis über den Sprecher des 'Ich' in Zef
2,5b möglich ist. Wir haben es hier also mit einer
erklärenden Glosse zu tun.

4.4.7.   Zefanja 2,14bγ

14bγ   *Denn das Zederngetäfel hat man abgerissen*

Die uns überlieferten drei letzten Worte des Verses
Zef 2,14 sind kaum sinnvoll zu übersetzen. Die BHS
schlägt daher vor, die Herkunft dieser Worte in einer verderbten Dittographie von Vers 2,15aα zu sehen. [1]   Die jetzige Gestalt könnte mit: " denn das
Zederngetäfel hat man abgerissen" übersetzt werden,
was als Begründung der sekundären Lesart חֹרֶב בַּסַּף [2] -
'Verödung (Verwüstung) auf der Schwelle' angesehen
werden könnte. Sprengte schon die sekundäre Lesart
von Zef 2,14bβ den Duktus des Verses (Übernahme der
verlassenen Stadt durch die Tiere), so gilt dies in
gleicher Weise auch für den Versteil Zef 2,14bγ. Die
Verwüstung der Stadt wird darin lediglich auf einer
anderen Ebene angezeigt: das, worauf die Stadt so
stolz war, ihr Reichtum und ihr Luxus, der in dem
wertvollen Zederngetäfel [3]

-----

1) Vgl. dazu IRSIGLER, H., Gottesgericht, a.a.O., S.183f,
   Anm.206; KAPELRUD, A.S., The Message, a.a.O., S.34.
2) Vgl. Kapitel 2: TEXTKRITIK ZUM ZEFANJABUCH, zu Zef
   2,14, c/d.
3) Vgl. Jer 22,14ff im gleichen Sinne.

seinen äußeren Ausdruck fand, ist dahin, liegt nutz-
los und unbeachtet am Boden.

4.4.8.   Zefanja 3,5bγ

5bγ   *Aber der Niederträchtige kennt keine Scham*

Zef 3,5bγ ist ein unerwarteter Anschluß an Zef 3,5.
Er greift pauschal auf Zef 3,3-4 zurück und bezeichnet die dort angesprochenen Fürsten (hohe königliche
Beamte), Richter, Propheten und Priester als nieder-
trächtig Handelnde. Der Begriff עַוָּל ist recht ungebräuchlich, er begegnet nur noch in Hi 18,21; 27,7;
29,17; 31,3. Das Ansinnen des Glossators ist offenkundig: er möchte den Vers Zef 3,5 mit diesem Rückverweis enger an die Einheit Zef 3,1-4 binden.
Die in Zef 3,1-4 angeführten Stände, die ihrem Auftrag
nicht gerecht werden, sind blind gegenüber dem Recht
Jahwes, welches doch in ihrer Mitte lebt.
Schon die Septuaginta hatte Schwierigkeiten mit der
Wiedergabe von Zef 3,5bγ und bot eine Doppelüberset-
zung von Zef 3,5bβ. [1]   Auch dies ist ein Hinweis
darauf, daß uns in Zef 3,5bγ das Werk eines Glossators
vorliegt.

-----

1) Vgl. BHS und RUDOLPH, W., KAT XIII/3, a.a.O., S.286
   zu 5 b-b.

4.4.9.   Zefanja 3,8bε

8bε   *Denn im Feuer meines Eifers wird*
die ganze Erde verzehrt.

Wie in Kapitel 1 (Zef 1,2f; 1,18) wird auch hier die
Androhung des Gerichtes Jahwes über Jerusalem universal
überhöht. Diese Ergänzung hat jedoch keinerlei Anhaltspunkt in ihrem Kontext, ja sie widerspricht den Versen
Zef 3,1-4; 3,6-8bδ, da diese einzig und allein Jerusalem und dessen Bewohner anzielen.
Darüberhinaus ist Zef 3,8bε eine exakte Dublette von
Zef 1,18aδ, nur hier als begründender Gottesspruch
umgeformt. [1]   Die Anfügung dieser Glosse an Zef 3,8
liegt wohl darin begründet, daß auch hier von dem Zorn
(אף) Jahwes gesprochen wird wie in Zef 1,15.18; 2,2.3.

4.4.10.   Zefanja 3,13aα

13aα   *Der Rest Israels*

Dieser Ausdruck ist für Zefanja höchst ungewöhnlich,
da die authentischen Texte grundsätzlich von Juda und
Jerusalem sprechen, nie von Israel. Drei weitere Belege

-----

1) Das Argument von MÜLLER, D.H., Der Prophet Ezechiel
   entlehnt eine Stelle des Propheten Zefanja und glos-
   siert sie, in: WZKM 19(1905), S.269, die wörtliche
   Parallele von Zef 3,8b zu Zef 1,18 würde die Echtheit des Spruches belegen, widerspricht hier wie
   dort dem Kontext (vgl. 4.3.4.). Auch der Verweis
   auf Ez 22,31 ist keineswegs stichhaltig, da die uni-
   versalistischen Ausweitungen im Zefanjabuch gut älter
   als Ezechiel sein können, ohne damit als authentisch
   gelten zu müssen.

für die Bezeichnung des Gottesvolkes als 'Israel'
finden sich in den nichtauthentischen Versen Zef 2,9;
3,14.15 (Zef 2,9: als Gottesbezeichnung: Gott Israels;
Zef 3,14: jauchze Israel; Zef 3,15: König Israels ist
Jahwe). Bei keinem der vorexilischen Propheten läßt
sich der Begriff 'Rest Israels' sicher als authentisch
nachweisen. [1] Die exilisch-nachexilischen Propheten führten diesen Begriff sodann als terminus technicus für das exilierte Volk von 587 vor Chr. ein und
verheißen diesem 'Rest' neue Zuwendung vonseiten Jahwes.

Die Absicht des Glossators bestand wohl darin, das in
Zef 3,12 erwähnte 'Restvolk', welches gering und demütig seine Zuflucht bei Jahwe sucht, mit dem exilierten
Volk gleichzusetzen. Wie ein Vergleich mit den authentischen Texten in Zef 2,3 und 3,12 jedoch zeigt, ist
das Kriterium des Schicksals bei dem angekündigten
Gericht über Juda und Jerusalem (Zef 3,6-8) eine innere Haltung, die in diesen Versen beschrieben wird.
Das Gericht, wie umfassend es auch in Zef 1,7.14-16
und Zef 3,6-8 erscheinen mag, trifft nur jene, die
sich vergangen haben am Jahwerecht. Dies entspricht
einer Vorstellung, die sich erst in den jüngeren Texten
des Alten Testaments etwas modifizierte: Jeder wird
die Folgen seiner Taten ernten. Wer Gutes tut, wird
Glück erfahren, wer Schlechtes tut, Unglück. Das 'Vielleicht' von Zef 2,3 wird in Zef 3,11-13aβ-ε sicher
zugesagt. Die Glosse vom 'Rest Israels' ist daher aus
der Sicht eines nachexilischen Heilspropheten gut zu
verstehen.

-----

1) Vgl. dazu den EXKURS: Das Problem des 'Restes' im
   Zefanjabuch.

5. DIE AUTHENTISCHE VERKÜNDIGUNG DES PROPHETEN ZEFANJA

Nach der Ausscheidung der inauthentischen Teile des
Zefanjabuches wenden wir uns nun dem Kernanliegen
dieser Arbeit zu, der authentischen Verkündigung des
Propheten Zefanja. Dabei übernehmen wir nicht die dem
vorliegenden Zefanjabuch grundgelegte Dreiteilung
(Zef 1,2-2,3: Drohworte gegen Juda und Jerusalem; Zef
2,3-15: Drohungen gegenüber den Fremdvölkern; Zef 3,
1-20: Heilsweißagungen gegenüber Jerusalem (außer
Zef 3,1-4; Zef 3,6-8bδ ist im Masoretentext gegen die
Völker gerichtet; vgl. 5,1.6.)), die mit hoher Wahrscheinlichkeit auf das Konto der Redaktion geht. [1)]

Unsere thematische Gliederung orientiert sich an den
Verkündigungsinhalten der authentischen Einheiten.
Daher sind die drei authentischen Einheiten des dritten Kapitels (Zef 3,1-4; 3,6-8bδ; 3,11-13aβ-ε) nach
ihrer Aussage Texten des ersten bzw. zweiten Kapitels
zugeordnet. Damit soll noch keine Aussage über die Abfassungszeit gemacht sein, wiewohl inhaltlich verwandte
Texte eines Propheten auch auf eine zeitliche Nähe
schließen lassen.
Der Auslegung der einzelnen Einheiten ist der übersetzte,

-----

1) Zu dieser beliebten Einteilung der Prophetenbücher
   durch die Redaktoren vgl. GESE, H., Zephanjabuch, in:
   RGG VI, Tübingen ³1962, Sp.1901f; HARRISON, R.K.,
   Introduction to the Old Testament, London 1970, S.
   939f; CLAMER, A., Sophonie, a.a.O., Sp. 2372; EISS-
   FELDT, O., Einleitung in das Alte Testament, Tübin-
   gen ³1964, S.573(410); SCHARBERT, J., Die Propheten
   Israels um 600 v.Chr., Köln 1967, S.22; SCHÜNGEL-
   STRAUMANN, H., Israel- und die anderen?, a.a.O.,
   S.7.

unergänzte und unglossierte Text vorangestellt. Ihm
folgt die Diskussion über die Abgrenzung und Echtheit der jeweiligen Einheit [1) und in einem zweiten
Schritt die Besprechung der zefanjanischen Prophetie.

Im Text wird diese Einteilung durch große römische
Ziffern angezeigt. Es ergibt sich demnach folgender
Aufbau:

       Text der Einheit
I   Fragen zur Abgrenzung und Echtheit
II   Zefanjas Verkündigung, prophetische Parallelen

-----

1) Vgl. dazu jeweils die entsprechenden Tafeln im
   Anhang (C), die Tafeln I-III

5.1. ZEFANJAS VERKÜNDIGUNG VOM EINGREIFEN JAHWES ALS GERICHT ÜBER JUDA UND JERUSALEM

5.1.1. Zefanja 1,4a.bαγδ-5: Judas und Jerusalems Bruch des ersten Gebotes

4 a *Ich strecke aus meine Hand gegen Juda und*
   gegen alle Bewohner Jerusalems,
  b *und ich tilge den Rest des Baal und*
   die Namen der Götzenpriester
5 a *und jene, die sich auf den Dächern vor dem*
   Heer des Himmels niederwerfen,
  b *und die sich niederwerfen vor Jahwe und*
   schwören bei ihrem 'König'.

I   Die Echtheit dieser Verse ist fast allgemein an-
     erkannt. Es spiegelt sich inhaltlich genau dies
wieder, was uns in 2 Kön 23,1-27 über die kultischen
Mißstände vor der Reform des Königs Joschija genannt
wird. Das Volk hat sich von Jahwe ab und den assyrischen Gottheiten zugewandt. Die politische Hoheit der
Assyrer war auch im Kult bestimmend (vgl. 2 Kön 21-23).
Es besteht daher kein berechtigter Zweifel an der Authentizität dieser Verse.
Zef 1,4a.bαγδ-5 bildet auch inhaltlich eine geschlossene Einheit. Der Androhung des Eingreifens Jahwes (נָטִיתִי
יָדִי) gegen eine genau beschriebene Volksgruppe (Juda
und Jerusalem; Zef 1,4a), folgt die Begründung dieser
Drohung durch den Götzendienst und den Synkretismus
des Volkes (Zef 1,4bαγδ-5). Der Vers Zef 1,6 ist eine
ergänzende Glosse, die Zef 1,4a.bαγδ-5 nochmals allgemein zusammenfaßt, und sich von daher als inauthentisch
erweist. Dasselbe ist von der vorausgehenden Einheit
Zef 1,2-3aβ.b zu sagen, welche ein universal-eschato-

logisches Eingreifen Jahwes thematisiert und damit
weit über den Horizont unserer Einheit hinausragt.[1]

II   Die Einheit setzt an mit einer Drohung. Der
        Drohgestus des Ausstreckens der Hand gegen ein
Volk oder ein Land ist vielfach in der prophetischen
Literatur bezeugt. [2]   Wie KRINETZKI richtig bemerkt, [3]
dürfte diese Formulierung von dem Gestus des Magiers
herrühren, der durch das Ausstrecken seiner Hand in
eine bestimmte Richtung dort etwas bewirken wollte.
Jahwes Eingreifen wird demnach nicht direkt gedacht,
sondern er ist die Ursache all dessen, was auf Juda
und Jerusalem zukommen wird. Mit Juda und Jerusalem
ist das ganze israelitische Landesgebiet umfaßt, das
ehemalige Südreich, welches nach dem Fall Samarias und
damit dem Untergang des Nordreiches (722 v.Chr.), Israel in seiner Gesamtheit repräsentierte.
Es stellt sich jetzt natürlich die Frage nach dem Grund
dieser Unheilsankündigung. Dieser wird mit einer erneu-
ten Drohung in Zef 1,4b genannt. Die Begründung umfaßt
vier Teilaspekte (die Zahl vier ist im Hebräischen die
Zahl der Totalität). Allen vier Teilen von Zef 1,4b und
1,5 gilt das הִכְרַתִּי (Zef 1,4bα):' Ich werde tilgen bzw.
ausrotten'. Diese vier Aspekte sind: הִכְרַתִּי

1.   שְׁאָר הַבַּעַל - den Rest des Baals

2.   שֵׁם הַכְּמָרִים - den Namen der Götzenpriester

-----

1) Vgl. zu den Versen Zef 1,2-3aβ.b und Zef 1,6 die Abschnitte 4.3.2. und 4.3.3.
2) Vgl. Jes 5,25; 14,26; 23,11; Ez 6,14; 14,9.13; 16,27;
   25,7.13.16; 35,3; Zef 2,13.
3) Vgl. KRINETZKI, Zefanjastudien, a.a.O., S.48; siehe
   auch ZIMMERLI, W., Ezechiel, BK XIII/1, Neunkirchen
   1969, S.292.

3.   אֶת־הַמִּשְׁתַּחֲוִים עַל־הַגַּגּוֹת לִצְבָא הַשָּׁמָיִם - jene, die
                              sich auf den Dächern vor dem
                              Heer des Himmels niederwerfen

4.   אֶת־הַמִּשְׁתַּחֲוִים לַיהוָה וְהַנִּשְׁבָּעִים בְּמַלְכָּם - jene, die sich
                              niederwerfen vor Jahwe und schwö-
                              ren bei ihrem 'König'

Diese vier Ziele des göttlichen Handelns lassen sich
in zwei Gruppen aufteilen:

A) Die Verführer: Der Himmelsgott Baal, die Götzen-
                  priester

B) Die Verführten: jene, die die Ratschäge und Forde-
                   rungen der Götzenpriester annehmen
                   und dem Baal oder anderen Götzen hul-
                   digen.

Wir wollen uns nun den einzelnen Aussagen zuwenden und
versuchen, deren Bedeutung in der Zeit des Propheten
Zefanja zu eruieren :

A₁: Ich_werde_tilgen_den_Rest_des_Baal

     Wer ist dieser Baal? Das Wort selbst bedeutet 'Be-
     sitzer, Herr'. In diesem Sinne wird es auch im pro-
fanen Bereich gebraucht, z.B. als Ehe-Herr oder als Besitzer von Tieren (vgl. Ex 22,10f). Zwanzigmal begegnet
der Begriff 'Baal' als Gottesbezeichnung in den prophetischen Schriften (13x Jer; 6x Hos; 1xZef). [1]   All diese Belege sprechen von dem kanaanäischen Gott Baal, der
seit der Zeit der Assimilierung Israels in Kanaan (un-
gefähr 1200 vor Christus) der Gegenspieler Jahwes war.

-----

1) Vgl. KÜHLEWEIN, J., Art.: בַּעַל - Besitzer, in: THAT I,
   Sp.331.

Er wird als Gott der Fruchtbarkeit verehrt. Der My-
thos besagt, daß wenn er vom Totengott Mot besiegt
wird, alles in der Natur verwelkt, sie also keine
Frucht mehr bringt. Erst nachdem Anat, die Schwester
und Gattin Baals, den Totengott Mot vernichtet hat,
ersteht Baal wieder zum Leben und die Erde wird frucht-
bar.

In einem Land wie Kanaan, welches mit seiner Landwirtschaft und Viehzucht von der notwendigen Feuchtigkeit
abhängig ist, hatte der Baalskult einen besonders fruchtbaren Boden gefunden. Der Gott wird dargestellt in Men-
schengestalt mit zwei Stierhörnern (Stier = Symbol der
Fruchtbarkeit). In dem Kultfest des 'Hieros gamos', der
Heiligen Hochzeit, bei dem sich der König mit der Ho-
henpriesterin vereinigt, wird die Fruchtbarkeit, welche in Regen und besonders Tau aufs Land herniederkommt,
imitiert und damit kultisch gegenwärtig gesetzt. Von
der Einhaltung dieser Kulte dachte man die Fruchtbarkeit
der Erde wie auch die der Frauen und die Gesundheit
überhaupt abhängig. [1]

Schon mit Elia (9. Jahrhundert) haben wir einen Zeugen
für die vehemente Auseinandersetzung der Jahweverehrer
mit den Baalsanhängern (vgl. 1 Kön 18). Gut 100 Jahre
später zeigt uns die Polemik des Propheten Hosea, daß
man unbekümmert Jahwe als Baal bezeichnet hat. [2]

Auch bei Jeremia findet sich die Anklage des Synkretismus. Die Propheten sind es, die nun immer wieder her-

-----

1) Siehe dazu ZIMMERLI, W., Grundriß der alttestamentlichen Theologie, Stuttgart ²1975, S.56f.
2) Vgl. die mit 'Baal' zusammengesetzten Namen: בַּעַלְיָה,
   יְרֻבַּעַל; vgl. dazu auch GESENIUS, W., Hebräisches ...,
   a.a.O., S. 107.

ausstellten, daß nicht dieser Baal es ist, der für
die Fruchtbarkeit des Landes verantwortlich ist,
sondern Jahwe allein. Dieser Baal und all die anderen Götter sind 'Nichtse, Hauch' (הֶבֶל), [1] Götter,
die nichts bewirken. Der Kampf der Propheten gilt
der Einhaltung des ersten Gebotes: Jahwe allein ist
Gott. Neben dem שְׁמַע יִשְׂרָאֵל aus Dtn 6,4 bietet Deuterojesaja eine klassische Formulierung dieser Alleinzigkeit:" Vor mir wurde kein Gott erschaffen, und auch
nach mir wird es keinen geben. Ich bin Jahwe, ich, und
außer mir gibt es keinen Retter." [2]
Wie uns dieser erste Spruch Zefanjas zeigt, ist er in
die Reihe der Propheten einzureihen, die die Alleinzigkeit Jahwes vertreten und deren Anerkenntnis durch ihre
Volksgenossen mit Vehemenz fordern. Die konkrete Formulierung in Zef 1,4bα: שְׁאָר הַבַּעַל - 'Rest des Baal', gab
in der Geschichte der Auslegung zu verschiedenen Vermutungen Anlaß. Soll damit ausgesagt werden, daß nur noch
ein kleiner Rest der Baalsverehrung existiert, dem durch
diese Drohung Jahwes die völlige Ausrottung angesagt
wird? Ist dahinter gegebenenfalls schon ein Erfolg der
joschijanischen Reform zu sehen, die die Baalsverehrung
bis auf einen Rest dezimierte? Der Zusammenhang, in dem
dieser Teilsatz steht, läßt jedoch von einer solchen Interpretation Abstand nehmen. Die konkreten Anklagen der
Verse Zef 1,4-5.8-13 spiegeln eindeutig die Zeit vor der
Reform wieder. Götzenpriester, die Verehrung fremder Gottheiten und die Ausübung ausländischer Riten waren noch
nicht aus dem Leben Jerusalems eliminiert. Die Aussage
von הִכְרַתִּי אֶת־שְׁאָר הַבַּעַל ist daher eindeutiger mit 'ich

-----

1) Siehe Jer 2,5; 10,15; 10,19.
2) Jes 43,10f.

117

tilge den Baal bis auf den letzten Rest' wiedergegeben (vgl. Jes 14,22). Es ist also nicht die Quan-
tität dessen angegeben, was vernichtet werden soll,
sondern die Qualität dieser Vernichtung: bis auf den
letzten Rest, total, ohne die Chance, sich wieder erheben zu können. [1]   Ist auch der letzte Rest ausgelöscht, so besteht keine Hoffnung, keine Zukunft mehr.
Man kann diesen Gedanken am Bild des Feuers anschaulich machen: glimmt noch ein kleiner Funke, so besteht
die Hoffnung, daß dieser Funke wieder zu einem Feuer
wird; ist jedoch kein Funke mehr vorhanden, so ist kein
Feuer mehr möglich, es besteht keine Hoffnung mehr.

Dieses totale Verschwinden im Nichts wird dem Baal und
damit auch den Baalsverehrern durch das Eingreifen
Jahwes angekündigt.

A$_2$: Ich_werde_tilgen_den_Namen_der_Götzenpriester

Durch das Tilgen des Namens von irgend jemanden
wird die völlige Ausrottung desjenigen ausgedrückt.
Was keinen Namen hat, ist unbedeutend, nichtig (vgl.
Jes 7,9; Jer 14,22; Ruth 4,10). [2]   Die Götzenpriester
teilen somit das Schicksal der Götzen, sie werden
'Nichtse'. Nach 2 Kön 23,5 war es Joschija, der diese
Verheißung Jahwes vorläufig erfüllte, indem er die
Götzenpriester absetzte und deren Kultorte unrein mach-
te. In wessen Dienst die hier angesprochenen Götzen-
priester (כֹּמֶר) standen, ist in 2 Kön 23,5ff aufgeführt

-----

1) Siehe CLAMER, A., Art.: Sophonie, a.a.O., Sp.2368;
   SMITH, J.M.P., Zephaniah, ICC, Edinburgh [3]1948, S.169.
2) Vgl. GESENIUS, W., Hebräisches ..., a.a.O., S.365;
   WOUDE, A.S. van der, Art.: שם , in: THAT II, a.a.O.,
   Sp.947f.

118

(vgl. auch 2 Kön 21,3ff, die Wiedereinführung der
Kulthöhen und Götzenaltäre durch Manasse nach der
Reform des Hiskija).
A_1 und A_2 haben deutlich denselben Richtungssinn: [1]
totale Ausrottung der jahwefeindlichen Götzenverehrung.

B_1: Ich_tilge_jene,_die_sich_auf_den_Dächern_vor_dem
Heer_des_Himmels_niederwerfen

Nun werden jene angesprochen, die sich dem Götzendienst verschrieben haben. Eine dieser Praktiken
war augenscheinlich das Sich-Niederwerfen (=anbeten,
huldigen) auf den Dächern vor dem 'Heer des Himmels'.
In 2 Kön 23 erscheint die Bezeichnung 'Heer des Himmels' zweimal:
Vers 4: Baal, Aschera, das ganze Heer des Himmels
Vers 5: Baal, Sonne, Mond, Bilder des Tierkreises,
        das ganze Heer des Himmels.
Der Begriff 'Heer', welcher aus dem militärischen
Sprachgebrauch stammt, bezeichnet hier eine große An-
zahl. An verschiedenen Stellen des Alten Testaments
bezeichnet צְבָא הַשָּׁמַיִם die um Jahwes Thron geschaarten
Engel (vgl. 2 Chr 18,18; Neh 9,6). Es ist jedoch offensichtlich, daß Zefanja nicht von diesem Himmelsheer
spricht, der Zusammenhang mit Baal, den Götzenpriestern
und die Androhung der Vertilgung derer, die sich vor
dem Himmelsheer niederwerfen, schließt dies aus.
צְבָא הַשָּׁמַיִם bezeichnet auch die Gestirne, insbesondere
die Sterne, [2] welche in Israel nicht angebetet wer-

-----

1) Vgl. Jes 14,22: Die völlige Ausrottung Babels wird
   durch das Tilgen von Name und Rest angezeigt.
2) Siehe dazu WOUDE, A.S. van der, Art.: צָבָא, in:
   THAT II, a.a.O., Sp. 501.

den dürfen. "Wenn du die Augen zum Himmel erhebst
und das ganze Himmelsheer siehst, die Sonne, den
Mond und die Sterne, dann laß dich nicht verführen!
Du sollst dich nicht vor ihnen niederwerfen und ihnen
nicht dienen."(Dtn 4,19; siehe auch Dtn 17,3).
Das Anbeten und Opfern für die Gestirngottheiten war
in der Umwelt Israels weit verbreitet und fand immer
wieder auch Eingang in Juda. 2 Chr 33,3.5 weiß zu be-
richten, daß der König Manasse (der Sohn Hiskijas)
sich vor dem Heer des Himmels niederwarf und ihm dien-
te und in den Höfen des Tempels für es Altäre aufbauen
ließ. Auch Jeremia spricht davon, daß man auf den fla-
chen Dächern dem ganzen Himmelsheer Rauchopfer dar-
brachte (Jer 8,2; 19,13; 32,29).
Das Anbeten des Himmelsheeres, der Gestirne, ist Götzendienst. Wer solches tut, bricht das erste Gebot:
Jahwe allein. Der priesterliche Schöpfungsbericht, der
im babylonischen Exil entstand, machte den Unterschied
zwischen Jahwe und den Gestirnen deutlich: Jahwe 'schuf'
am vierten Tag Sonne, Mond und Sterne, nicht als Götter
neben ihm, sondern nur als 'Leuchter' (מְאֹרֹת; Gen 1,14ff)
mit der Dienstfunktion, die Erde zu erhellen, Wärme zu
geben und den Tag von der Nacht zu scheiden.

B₂: <u>Ich tilge jene, die sich niederwerfen vor Jahwe und</u>
<u>schwören bei ihrem 'König'</u>

Auf den ersten Blick bleibt unklar, welches Tun der
Menschen vor Jahwe hier so verwerflich erscheint,
daß er ihnen die Vernichtung androht. Das Niederwerfen
vor Jahwe allein wohl nicht - jedoch in Verbindung mit
dem Schwören bei 'ihrem König'. Der Zusammenhang macht
deutlich, daß es sich hier nicht um einen König wie Da-

vid oder Joschija handelt, [1] sondern um eine andere Gottheit, die als König verehrt wird, die in Konkurrenz zu Jahwe steht. Dieser Gedanke veranlaßte einige Forscher hier בְּמִלְכֹּם [2] - 'bei Milkom' zu konjizieren. Der Vergleich mit 2 Kön 23, dem Kapitel, das der Kultreform des Königs Joschija gewidmet ist und für unsere Einheit schon manch hilfreichen Hinweis gab (vgl. B₁), läßt jedoch wahrscheinlich werden, daß der angesprochene Gott nicht Milkom, sondern מלך, vokalisiert מֹלֶךְ, [3] LXX: μολοχ : Moloch ist. 2 Kön 23,10: "Ebenso machte er das Tofet [4] im Tal der Söhne Hinnoms unrein, damit niemand mehr seinen Sohn oder seine Tochter für den Moloch durch das Feuer gehen ließ." Weitere Argumente für die Interpretation mit Moloch sind, daß Moloch und Baal oft zusammen genannt werden bzw. sogar miteinander identifiziert werden (vgl. Jer 19,5; 32,35; Ez 20,26), was auch für das 'Himmelsheer' gilt, welches sich an vielen Stellen neben dem Moloch findet (2 Kön 17,16.17; 21,3.6; 23,4.5.10; Dtn 17,3; 18,10; Jer 19,13). Dagegen erscheint der Ammonitergott Milkom in der Bibel nie ohne Verbindung zu Astarte und Kamosch oder zumindest zu den Ammonitern, was in Zef 1,5 offensichtlich nicht gegeben ist.
Den Gott Moloch verehrte man durch Brandopfer im Hinnom-

-----

1) Der Schwur bei dem König stand nicht im Gegensatz zu dem Schwur zu Jahwe; vgl. 2 Sam 15,21:'So wahr der Herr lebt und sowahr mein Herr, der König lebt.'

2) Vgl. BHS und Kapitel 2 :TEXTKRITIK ZUM ZEFANJABUCH, Kapitel I, Vers 5c; siehe auch EHRLICHER, A.B., Randglossen, a.a.O., S.309f.

3) Man nimmt allgemein an, daß diese Vokalisierung mit dem Wort בֹּשֶׁת - Schande zusammenhängt. Moloch, der Schandgott. Vgl. dazu auch SOGGIN, J.A., Art.: מֶלֶךְ - König, in: THAT I, Sp.918f.

4) Tofet ist die Kultstätte für die Molochopfer; vgl. die angegebenen Stellen im Text.

tal südlich von Jerusalem (vgl. Jes 30,33; Jer 7,32;
19,6.11-14). Offenbar bedingt durch das assyrische
Vordringen bekam dieser Kult im achten/siebten vorchristlichen Jahrhundert neuen Aufschwung. [1]   Ein
Verbot, diesem Gott zu huldigen, begegnet schon Lev
18,21. In bestimmten Fällen brachte man diesem Gott
'Kinderopfer' dar, d.h. man ließ Kinder, wie die Bibel sich ausdrückt, durchs Feuer gehen, also verbren-
nen. [2]   "Das wichtigste Zeugnis für diesen Brauch
hat das Heiligtum in Tamit in Salambo bei Karthago er-
bracht... Die Ausgräber fanden in Salambo tausend Urnen, die die verbrannten Überreste von Kleinkindern
enthielten... Die untersten Schichten (8.Jh.v.Chr.)
bestanden überhaupt nur aus diesen Urnen mit den Ge-
beinen verbrannter Kinder.." [3]
Die Existenz dieser Kinderopfer zu Ehren des Gottes
Moloch ist also nicht zu bezweifeln. [4]   Niederwerfen vor Jahwe und schwören bei Moloch, d.h. formell
verehrt man Jahwe, jedoch mit den Opfern, die der Moloch fordert und die Jahwe ein Greuel sind. Man macht
keinen Unterschied mehr zwischen Jahwe und Moloch.
Das Schwören bei einem Gott besagt, daß man sich ganz
zu ihm bekennt (vgl. Jes 19,18; 45,23; 2 Chr 15,14f),
somit ist das Schwören bei einer anderen Gottheit Ab-

-----

1) Vgl. KORNFELD, W., Art.: Moloch, in: Bibellexikon,
   Hrsg. H.HAAG, Einsiedeln ²1972, Sp.1163ff.

2) Die Ablehnung Jahwes solchen Kinderopfern gegenüber
   spiegelt sich in Gen 22.

3) BOTTERWECK, G.J.(Hrsg.), Die Bibel und ihre Welt,
   Bergisch-Gladbach 1969, Art.: Kanaanäische Religi-
   onen, Sp. 896.

4) Gegen EISSFELDT, O., u.a., die den Begriff מלך als
   'Opferbegriff', jedoch nicht als eigene Gottheit verstehen wollen; vgl. ders., Art.: Moloch, in: RGG³ IV,
   Tübingen 1960, sowie BEA, A., Kinderopfer für Moloch
   oder für Jahwe?, in: Biblica 18(1937), S.95-107 und

fall von Jahwe und wird als solcher von den Propheten angeprangert. [1)]

Unsere erste authentische Einheit Zef 1,4a.baγδ-5
hat demnach den Abfall von Jahwe, den Synkretismus,
das Vergessen der wahren Gottesverehrung und die Androhung Jahwes, er werde die Verführer wie die Verführten vernichten, zum Inhalt. Der Vers Zef 1,6 faßt dies
gut zusammen: Der Zorn Jahwes wird die treffen, die
von Jahwe weichen, nicht nach ihm fragen und ihn nicht
suchen. [2)]

Wir sind bei der Auslegung dieser Verse in der glücklichen Lage gewesen, daß 2 Kön 23 gleichsam den geschichtlichen Kontext wiederspiegelt, in den hinein
Zefanja diese Jahweworte sprach. Das politisch von
Assur abhängige Juda machte sich auch kultisch, ge-
zwungen oder freiwillig, von den fremden Gottheiten
abhängig. Das jesajanische "glaubt (nehmt Stand in
Jahwe!) ihr nicht, so habt ihr keinen Bestand" (Jes
7,9) wird hier von Zefanja expliziert, genau wie dort
mit dem impliziten Imperativ: Laßt ab von solchem Tun,
kehrt um zu Jahwe, dann werdet ihr Bestand haben!

SCHNEIDER, N., Melchom, das Scheusal der Ammoniter,
in: Biblica 18(1937), S.337-343; VAUX, R. de, Rezension zu O. EISSFELDT, Molk als Opferbegriff im Puni-
schen und im Hebräischen und das Ende des Gottes Moloch, in: RB 45(1936), S.278-282.

1) Vgl. außer Zef 1,5 noch Jer 5,7; 12,16; Am 8,14.

2) Siehe zu Zef 1,6 den Abschnitt 4.3.3.

5.1.2. Zefanja 1,8aβ-9aβ.b: Anklage der Verantwortlichen des Volkes wegen Opportunismus und mitmenschlicher Vergehen

8 a *Ich suche heim die Fürsten*
und die Söhne des Königs
b *und alle, die fremdländische Kleidung tragen.*

9 a *Und ich suche heim alle, die*
über die Schwelle springen,
b *die anfüllen das Haus ihres Herrn*
mit Gewalttat und Trug.

I   Der unserer Einheit vorangehende Vers Zef 1,7 erweist sich deutlich als Einschub von Zef 1,14-16 her. [1]   Der Neueinsatz wird darüberhinaus durch Zef 1,8aα dokumentiert. Diese verbindende Formel wurde nach dem Einschub von Zef 1,7 notwendig, um einen Zusammenhang zwischen diesen beiden Versen herzustellen. Zef 1,10aα macht gleichermaßen deutlich, daß mit Zef 1,9 unsere Einheit beendet ist. [2]
Die Echtheit der Einheit ist nicht anzuzweifeln. Die Situation entspricht der in Zef 1,4-5. Hier ist nun eine besondere Gruppe des Volkes angesprochen, die Großen des Landes, die Fürsten (königliche Beamten) und Königssöhne, die sich unter dem Einfluß der assyrischen Oberhoheit von den profanen und religiösen Traditionen Israels entfernt haben. Zeitlich befinden wir uns in der Zeit vor der Reform des Königs Joschija (622 v.Chr.),

-----

1) Vgl. dazu ausführlich zu Zef 1,7.14-16 den Abschnitt 5.1.7.
2) Siehe zu diesen Einleitungsformeln Abschnitt 4.4.4.

124

mit großer Wahrscheinlichkeit in der Zeit seiner Minderjährigkeit. Dies ist aus Zef 1,8aγ zu schließen,
da wohl von 'Königssöhnen' gesprochen wird, jedoch
nicht vom König selbst, d.h. der König wird nicht für
die Zustände des Landes und die an seinem Hofe verantwortlich gemacht (vgl. Zef 3,3-4).

II   Wie in Zef 1,4-5 treffen wir hier auf einen Got-
     tesspruch, der ein Eingreifen Jahwes ankündigt.
Das Verb פקד, welches beide Verse unserer Einheit einleitet, hat als theologische Grundbedeutung die Hinwendung Jahwes zu den Menschen, welche sich jedoch unter verschiedenen Vorzeichen vollziehen kann. Einmal
kann damit die <u>heilvolle Zuwendung</u> Jahwes zu einem einzelnen oder einem Volke angesagt werden, im Sinne von
'aufmerksam sehen nach, achten bzw. schauen auf, sich
jemandes annehmen'. [1]
Zum anderen, und diese Bedeutung ist weitaus häufiger,
drückt פקד das <u>gerichtliche Einschreiten</u> Jahwes aus,
"das für Vergehen und Unterlassungen zu Rechenschaft
und Verantwortung zieht." [2]   Die Übersetzung 'heimsuchen' ist für diese Intention wohl die passendste, da
dieses Wort die negative und drohende Nuance im Deutschen gut wiedergibt.
פקד begegnet fünfmal bei Zefanja: 1,8; 1,9; 1,12; 2,7
und 3,7. Die drei Belege im ersten Kapitel sind eindeutig der zweiten Bedeutung 'heimsuchen' zuzuordnen,
da sie das Eingreifen Jahwes durch Vergehen präzise

-----

1) SCHOTTROFF, W., Art.: פקד-heimsuchen, in: THAT II,
   a.a.O., Sp.476. Vgl. dazu auch Gen 21,1; 1 Sam 2,21;
   Jer 29,10; Zef 2,7; Sach 10,3.
2) Ebd., Sp.477; vgl. Jes 24,21; Jer 9,24; 23,34; Hos
   12,3.

benannter Gruppen (Zef 1,8) oder solcher, die sich
durch bestimmte Handlungen von anderen unterscheiden
(Zef 1,9.12), begründen. In Zef 2,7 begegnet uns die
erste Bedeutung 'sich kümmern'. Jahwe ist es dort,
der sich heilvoll seinem Volke zuwendet. [1]   Der
fünfte Beleg für פָּקַד in Zef 3,7 nimmt eine Sonderstellung ein, da er sich nicht einer der beiden genannten Bedeutungen zuordnen läßt. פָּקַד עַל bedeutet
'jemandem befehlen, einen Auftrag geben'. [2]
Die Verse Zef 1,8.9 werden demnach mit Ankündigungen
Jahwes zum gerichtlichen Einschreiten eingeleitet. Genannt sind in Zef 1,8a zwei Bezeichnungen: שָׂרִים und
בְּנֵי הַמֶּלֶךְ. Als שַׂר wird ein Befehlshaber, ein Oberster
bezeichnet, der Befehlsgewalt über andere hat. Auch
die Edlen, die Vornehmen eines Volkes, die königlichen
Beamten werden als שָׂרִים bezeichnet, jene, die am Königshof tätig sind. [3]   Hier wird sich der Begriff wohl
auf diese Edlen am Hofe, auf die höfische Beamtenschaft
beziehen.
Mit בְּנֵי הַמֶּלֶךְ - 'Söhne des Königs', muß nicht unbedingt
eine königliche Abstammung ausgesagt sein. [4]   Es wird
sich wohl um solche Leute handeln, die durch ihr Amt Ver-
traute und Berater des Königs sind, d.h. sehr engen Kon-
takt mit ihm haben und deswegen auch einen großen Ein-

-----

1) Vgl. dazu näherhin den Abschnitt 4.3.4.

2) Siehe GESENIUS, W., Hebräisches ..., a.a.O., S.654,
   פקד Kal 6; auch 5.1.6.

3) Vgl. ebd., S.792 wie auch Zef 3,3 (5.1.5.).

4) Siehe KÜHLEWEIN, J., Art.: בֵּן - Sohn, in: THAT I,
   a.a.O., Sp.318f, besonders Absatz 2. Es darf jedoch
   auch nicht ausgeschlossen werden, daß es sich hier
   tatsächlich um Verwandte des Königs handelt. Der Be-
   deutungsunterschied wäre jedoch kaum von Belang.

fluß auf ihn.

Die Abwendung von Jahwe bei den Verantwortlichen am
Königshof wiegt besonders schwer, da diese Menschen
die politische Verantwortung für das Jahwevolk tragen.
Der König selbst wird nicht genannt, was indirekt eine positive Wertung desselben darstellt. Es gibt wohl
keine bessere Erklärung dafür, als daß der König hier
tatsächlich der minderjährige Joschija ist, der noch
nicht das Ruder der Staatsführung selbst in die Hand
genommen hat und daher auch nicht zur Verantwortung
gezogen werden kann. Die Edlen und die Königssöhne
werden es sein, die zu der Zeit, als Zefanja ihnen diesen Spruch entgegenschleuderte, noch stellvertretend
regierten. Das Resultat dieser Regierung wird in Zef
1,9b als 'Anfüllen des Königshauses mit Gewalttat und
Trug' vernichtend beurteilt.

Betraf Zef 1,4-5 kultische Vergehen, die das erste Gebot negierten bzw. die Jahweverehrung mit der anderer
Götter vermischte, so sind in Zef 1,8-9 die Vergehen
der Mächtigen am Königshof angesprochen. Auch sie sind
sowohl in ihrer Lebensgestaltung als auch in ihrer Göt-
terverehrung von den beherrschenden Assyrern beeinflußt,
doch was am schwersten wiegt, ist ihre Abwendung vom
Jahwerecht, ihre Vergehen gegenüber den Mitmenschen.

Wie in der Genesis der Bruch mit Gott zum Bruch mit den
Mitmenschen führte (Gen 3-4), so auch hier: Das Vergessen
des wahren Gottesdienstes und damit des wahren Wesens
Gottes führt schließlich zu Gewalttat und Trug, zum Vergehen am Nächsten.

Drei Vorwürfe sind es, die den Fürsten und Königssöhnen
gemacht werden:

1. Das Tragen fremdländischer Kleidung
2. Das 'Über-die-Schwelle-Springen'
3. Das Anfüllen des Hauses ihres Herrn mit Gewalttat
   und Trug.

Schon diese Aufzählung läßt erkennen, daß wir es mit
einer Steigerung des Abfalls von Jahwe zu tun haben.
Die beiden ersten Vorwürfe sind gleichsam Schritte des
Vergessens Jahwes, welches im dritten Vorwurf vorausgesetzt ist. Das zweimalige עַל־כָּל (Zef 1,8b; 1,9a)
macht deutlich, daß das Tragen fremdländischer Kleidung und der abergläubische Brauch, über die Schwelle
zu springen, nicht nur am Hofe verbreitet war, das
schlechte Beispiel also schon Schule gemacht hat. Bei
dem dritten Vorwurf fehlt bezeichnenderweise das עַל־
כָּל, womit deutlich wird, daß mit בֵּית אֲדֹנֵיהֶם keineswegs
an den Tempel gedacht ist, wie einige Kommentatoren behaupten, sondern das Königshaus angesprochen ist, welches von den dort tätigen Edlen, Beamten und Königssöhnen mit Gewalttat und Trug angefüllt wird. [1]
Schauen wir uns nun die einzelnen Vorwürfe etwas genauer an:

1. Das_Tragen_fremdländischer_Kleidung

Wir werden uns heute fragen, was denn so verwerflich
daran sei, wenn fremdländische Kleidung getragen wird.
Dieser Vorwurf findet sich auch nur hier im Alten Testament. Mit dieser fremdländischen Kleidung ist sicherlich
an assyrische Gewänder gedacht, die aus Kostengründen wohl
auch nur den Reichen vorbehalten blieben. Was für einen
Grund kann es aber geben, solche fremdländische Kleidung
anzulegen? Einmal drückt man damit aus, daß man bereit
ist, mit den Beherrschern zusammenzuarbeiten, ja, man
möchte so sein wie diese mächtigen Sieger. Man will sich

-----

1) Einige Autoren vertreten dennoch die Auffassung, daß
   mit dem 'Haus ihres Herrn' der Tempel gemeint sei. So
   z.B. BIČ, M., Trois Prophètes dans un temps de ténèbres, in: LD 48, Paris 1968, S.56f.

128

ihnen anpassen: äußerlich in der Kleidung, vielleicht auch im Lebensstil, innerlich durch die Emi-
gration aus der bisherigen Denkweise, schließlich
aus der bisherigen Religion. Die Götter der Assyrer
haben sich als die Mächtigeren erwiesen, daher verläßt man gerne den fordernden Jahwe und wendet sich
den assyrischen Gottheiten zu.
Wir müssen das Tragen der fremdländischen Kleidung
wohl als äußeren Ausdruck dieser inneren Wandlung betrachten. Nach Hos 2,11 ist es Jahwe, der seinem Volk
das für die Kleidung Notwendige schenkt. Doch dies ist
den hohen Herren in der jetzigen geschichtlichen Situation der Abhängigkeit von Assur nicht mehr genug. Der
Opportunismus, das Hängen seines Fähnchens nach dem
Wind, wird sich wohl auch bezahlt gemacht haben.
Sicherlich ist das Tragen der fremdländischen Kleidung
nicht überzubewerten, doch wird deutlich, was Zefanja
den Fürsten und Königssöhnen sagen will: so fängt der
Abfall von Jahwe an.

2. Das_'Über-die-Schwelle-Springen'

Diese Übersetzung von הַדּוֹלֵג עַל־הַמִּפְתָּן ist nicht allgemein anerkannt. Einige Exegeten wollen דלג mit 'hin-
aufsteigen, steigen' übersetzen und מפתן mit 'Podest,
Tribüne'. [1] Gegen diese Übersetzungen sind jedoch
gute Gründe geltend zu machen, die besonders H. DON-
NER ausführlich und gründlich behandelt. [2]

-----

1) Vgl. GERLEMANN, G., Zephanja, a.a.O., S.8ff; HORST, F.,
   HAT 1,14, a.a.O., S.193; DEISSLER, A., Sophonie, a.a.O.,
   S.444; WOUDE, A.S. van der, Predikte Zefanja..., a.a.O.,
   S.3.
2) DONNER, H., Die Schwellenhüpfer: Beobachtungen zu Ze-
   phanja 1,8f, in: JSS 15(1970), S.42-55; vgl. auch

Jes 35,6; Hld 2,8-9; 2 Sam 22,30; Ps 18,30; Sir 36,31
sind Belege für die Bedeutung 'springen, hüpfen' von
דָּלַג. [1] Für die Bedeutung 'Schwelle' für מִפְתָן erweist sich 1 Sam 5,4f als guter Beweis:" Doch als sie
am nächsten Morgen in der Frühe wieder aufstanden, da
war Dagon [2] wieder vornüber gefallen und lag vor
der Lade des Herrn mit dem Gesicht auf dem Boden. Dagons Kopf und seine beiden Hände lagen abgeschlagen
auf der 'Schwelle'. Nur der Rumpf war Dagon geblieben.
Deshalb treten die Priester Dagons und alle, die in
den Tempel Dagons kommen, bis auf den heutigen Tag
nicht auf die Schwelle des Dagon von Aschdod." Weitere
Stellen, die die Bedeutung 'Schwelle' für מפתן wahrscheinlich machen, sind Ez 10,4.18; 46,2 und 47,1.

Wir dürfen also annehmen, daß es einen Brauch gab, über
die Schwelle zu springen und nicht auf sie zu treten. [3]
Welchen Sinn soll das aber haben? Es sind apotropäische
Riten bekannt, "bei denen man Amulette, Götterstatuetten,
Dämonen- und Tierbilder unter der Türschwelle des Hauses
vergrub, um allem Bösen den Eintritt zu verwehren." [4]

BENNETT, W.H., Sir J.G.Frazer on 'Those that leap over
(or on) the threshold(Zeph.1,9), in: Exp.T 30(1918-19),
S.379f.

1) Vgl. auch GESENIUS, W., Hebräisches..,a.a.O., S.162

2) Gott der Semiten und Philister; vielleicht Getreidegott
   (דָּגָן=Getreide); vgl. DELCOR, M., Jahwe et Dagon, in:
   VT 14(1964), S.136-154.

3) Eine das Thema von Zef 1,8 aufnehmende Interpretation
   des 'Schwellenhüpfers' bietet EHRLICH, A.B., Randglossen,
   a.a.O., S.310. Er meint, mit den Schwellenhüpfern wären
   die in Zef 1,8 Genannten gemeint, die an den Schwellen
   der assyrischen Herren "scharwenzeln". אֲדֹנָיהֶם müßte dann
   mit 'Gönner,Patron' übersetzt werden. Ähnlich LAETSCH,
   H., Bible Commentary, a.a.O., S.360.

4) DONNER, H., Die Schwellenhüpfer, a.a.O., S.53; vgl. Jes
   57,7.

Würde man nun auf die Schwelle treten, gleichsam
den vergrabenen Göttern auf den Kopf, so dachte
man, könnte dies schlimme Folgen haben. Dieser
Aberglaube des Springens über die Türschwelle war
wohl durch die Assyrer wieder nach Jerusalem gekommen; daß der Brauch bekannt war, belegt ja 1 Sam
5,4f. Es braucht nun kaum mehr erwähnt zu werden,
daß auch diese 'Mode' eine Abwertung, ein Gering-
denken von Jahwe impliziert. Die Alleinzigkeit Jahwes vergessend versklaven sich diese Menschen selbst,
da sie sich abhängig machen von magischen Riten und
abergläubischen Handlungen, die eine nichtexistieren-
de Götterwelt freundlich stimmen soll.

3. Das_Anfüllen_des_Hauses_ihres_Herrn_mit_Gewalttat
   und_Trug

Wie schon oben erwähnt, ist mit dem 'Haus ihres
Herrn' das Königshaus und mit den   Angesprochenen
von Zef 1,8a die königlichen Berater, Minister, Fürsten
und Königssöhne zuallererst gemeint. Die Entfremdung
von Jahwe, die sich im Tragen fremdländischer Kleidung
und dem Ausüben abergläubischer Bräuche steigernd zeigte, findet hier ihren Gipfelpunkt: das Jahwerecht ist
vergessen, gewalttätig und hinterlistig arbeiten die
königlichen Beamten in ihre eigene Tasche. Mit dem Begriff חמס [1]   wird der gewalttätige Bruch einer Rechts-
ordnung bezeichnet (vgl. Zef 3,4). Ganz deutlich kommt
dies in der Urgeschichte zum Vorschein, wo die ganze
Welt vor der Sintflut als 'voll von Gewalttat' bezeich-

-----

1) Siehe STOEBE, H.J., Art.: חמס - Gewalttat, in: THAT I,
   Sp.583-587.

net wird (vgl. Gen 6,11.13; Zef 1,9: das Königshaus
ist voll (מָלֵא) von חָמָס), was Strafe und Zerstörung
zur Folge hat. Im unsozialen Verhalten, welches das
Lebensrecht und den Lebensraum der Mitmenschen ein-
schränkt, ist immer ein Bruch mit Gott mitgedacht,
da durch solches Verhalten die von Jahwe eingesetzte
Ordnung, die zweite Tafel des Dekalogs, nicht einge-
halten wird; eine strenge Scheidung von profanem und
religiösem Bereich ist daher nicht möglich.
Zefanja sagt uns, daß Jahwe solchem Verhalten nicht
tatenlos zusieht, sondern jene, die solches tun, zur
Rechenschaft ziehen wird. Der Bruch des Jahwerechtes
hat seinen tieferen Grund im Vergessen Jahwes selbst.
Daher könnte auch Zef 1,6 für Zef 1,8aβ-1,9aβ.b als
Zusammenfassung gelten, denn auch hier geht es um das
Weichen von Jahwe. Die Mächtigen im Lande (mit Ausnahme des Königs) suchen Jahwe nicht und befragen ihn
nicht. Sie wollen mit der assyrischen Oberherrschaft
in Frieden leben und dabei soll auch der eigene Nutzen
nicht zu kurz kommen.

5.1.3. Zefanja 1,10aβ-11: Gericht Jahwes über jene, die ihre Mitmenschen betrügen

10 a *Horch! Geschrei vom Fischtor und*
     Wehklage von der Neustadt her
  b *und großes Krachen von den Hügeln.*
11 a *Heult, ihr Bewohner des 'Mörsers',*
  b *denn vernichtet ist das ganze Krämervolk,*
     vertilgt alle, die Silber wägten.

I   Unsere Einheit ist gerahmt durch zwei verbinden-
    de Formeln Zef 1,10aα und 1,12aα. Wir haben es
trotz der redaktionellen Einleitung (נְאֻם־יְהֹוָה) mit
Prophetenrede zu tun, was unsere Einheit wiederum von
der vorangehenden und nachfolgenden abgrenzt. Der Prophet spricht wie ein Berichterstatter, der inmitten der
Stadt steht, während von der einen Seite Feinde in die
Stadt eindringen. Er berichtet, was alles zu hören ist
und von welchen Orten das Geschrei und der Lärm wohl
kommen mag. Der Vers Zef 1,11 beginnt mit einer Aufforderung zur Klage und stellt sodann die Vernichtung als
Folge des kriegerischen Geschehens fest.
Stand bis Zef 1,9 ausschließlich die Strafbegründung
im Vordergrund, so ist es hier die Beschreibung der
Durchführung der Strafe. Über die Ausführenden wird jedoch nichts ausgesagt. Betroffen von der Vernichtung
ist nur ein Teil der Stadt, das Quartier der Handels-
leute. Diese Tatsache läßt den Zielsinn der Verse Zef
1,10aβ-11 erkennen: Zefanja weist auf die Mißstände
und mitmenschlichen Vergehen von seiten der Handels-
leute hin, die durch das Übervorteilen ihrer Kunden das
Gericht Jahwes provozieren.
Gegen die Echtheit der Einheit ist nichts einzuwenden.

Sie fügt sich gut in die als authentisch erkannten Einheiten ein. [1)]

II   Der Prophet stellt mit dieser Einheit seinen
       Zuhörern das Bild eines strafenden Gerichts vor
Augen. Er zeichnet dieses Bild mit den Farben eines
kriegerischen Einfalls in den Norden der Stadt Jerusalem, [2)]   denn gerade dort im Norden sitzen jene, denen die Vernichtung angesagt ist: die Kaufleute und
Händler, die mit ihren manipulierten Silberwaagen manches Grämmlein Silber mehr einstreichen, als ihnen von
Rechts wegen zustünde.
Zef 1,10 beginnt mit einem Aufmerksamkeitsruf, der hier
eine doppelte Funktion hat: einmal werden die Zuhörer
angesprochen, auf die folgenden Worte des Propheten zu
achten, zum anderen wird das Medium genannt, mit dem
das auditive Bild des Propheten [3)]   mitvollzogen werden kann: Geschrei - Wehklage - Krachen ist zu hören.
Erst mit dem Aufruf zur Klage [4)]   in Zef 1,11a werden
die Zuhörer direkt angesprochen. Der Grund der Klage
ist das gemeinschaftszerstörende Verhalten der Bewohner

-----

1) Der Vorschlag von WEISS, H., Zephanja c.1 und seine
   Bedeutung als religionsgeschichtliche Quelle, Diss.
   Königsberg 1922, S.4, Zef 1,10-12a als ein 'Gedicht-
   fragment, das eine Eroberung Jerusalems schildert'
   (587) zu erweisen, ist völlig fehlgeschlagen. Er
   übersieht, daß es hier nicht um die Beschreibung
   eines vergangenen Ereignisses geht (schon gar nicht
   in Zef 1,12a), sondern um die Androhung des Gerichtes, welches durch den Lebenswandel der Menschen bedingt ist.

2) Vgl. die Zeichnung auf Seite 136.

3) Vgl. Anm.1: kein Bericht über einen vergangenen oder
   sogar gegenwärtigen feindlichen Überfall, sondern Gerichtsandrohung über eine bestimmte Bevölkerungsgrup-
   pe: betrügende Händler und Silberwäger.

4) Vgl. Jer 4,8; 25,34; 49,3; Ez 21,17; Mich 1,8.

der angesprochenen Gegenden, mit welchem sie das
Gericht Jahwes heraufbeschworen haben, das sie nun
vernichten wird. Sie sollen daher letztlich über
sich selbst klagen, über ihren Unverstand und ihre
Gottlosigkeit. Zef 1,11b beschreibt daher nicht Vergangenes, sondern die Sicherheit, mit der solchem Tun
die Vernichtung folgen wird.
Es ist wohl anzunehmen, daß sich der Prophet bei der
Verkündigung dieser Worte in dem Stadtbezirk 'Mörser'
(Zef 1,11a) aufhält, welcher in räumlicher Nähe zu
dem Fischtor und der Neustadt liegen muß, also dort,
wo die Kaufleute und Silberwäger wohnen. Dieser Spruch
hat schließlich nur dann einen Sinn, wenn die Zuhörer
Zefanjas auch die von dem Spruch Angesprochenen sind.

Die Ortsangaben von Zef 1,10 und 11a: Fischtor - Neustadt - Hügel - Mörser zeichnen mit großer Wahrscheinlichkeit den Einfall irgendwelcher 'Feinde' in Nord-
Süd-Richtung nach. Der Norden von Jerusalem ist die
am leichtesten zugängliche Seite der Stadt. Gerade im
Norden der Stadt werden daher auch die Geschäfte mit
den in die Stadt kommenden Handelsleuten, Bauern, Vieh-
händlern und Fischern abgewickelt. So hat wohl das Fischtor seinen Namen davon, daß dort die von der Küste bzw.
vom See Genesareth kommenden Fischer ihre Ware verkauf-
ten. [1]   Die Neustadt, die nur noch in 2 Kön 22,14 und
2 Chr 34,22 erwähnt ist, wird nordwestlich des Tempels
vermutet, also ganz in der Nähe des Fischtores. [2]
Singulär ist der Hinweis Zefanjas auf die Hügel, von
denen großes Krachen zu hören ist, und die Bezeichnung

-----

1) Vgl. Neh 13,16. In der Nordmauer Jerusalems befand
   sich auch neben dem Fischtor noch ein Schaftor.

2) Vgl. zu der Lage der genannten Stadtbezirke die Zeichnung auf Seite 136.

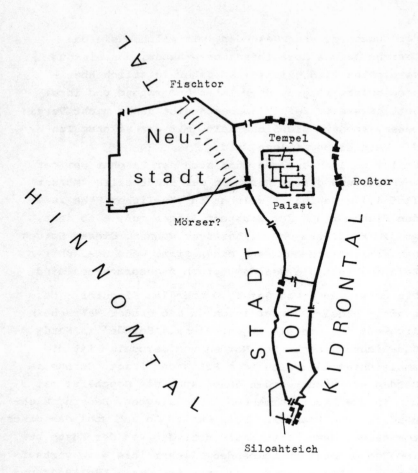

nach: KOSMALA, H., Art.: Jerusalem, in: BHH II,
       Göttingen 1964, S.831

Zu der angenommenen Lage des Fischtores, der Neustadt,
des Mörsers und der Hügel vgl.:

KOSMALA, H., Art.: Jerusalem, a.a.O., S.830
RUDOLPH, W., KAT XIII/3, a.a.O., S.268f
ELLIGER, K., ATD 25, a.a.O., S.64f

'Mörser'. Beides müssen bekannte Größen innerhalb
der Stadt sein, bewohnt von den in Zef 1,11b genannten Bevölkerungsgruppen.

Eine davon differierende Auffassung über die Bedeutung
der Ortsangaben vertritt M. BIČ. [1]   Er vermutet, daß
alle vier Orte götzendienerische Kultstätte seien. Das
Geschrei am Fischtor erklärt er damit, "car c'est là
que le peuple se rassemblait pour des cérémonies cultu-
elles." [2]   Er bezieht sich dabei auf 2 Kön 23,8, auf
die sogenannten 'Torhöhen' (בָּמֹת הַשְּׁעָרִים), Kultstätten,
die analog zu den 'Kulthöhen' an den Stadttoren errich-
tet waren. 2 Kön 23,8 ist dafür jedoch der einzige Beleg. [3]   Die Wehklage aus der Neustadt (BIČ :l'autre
extrémité) kann BIČ nicht einordnen, dafür wieder das
Krachen von den Hügeln, worunter er das Zerschlagen der
Kultbilder verstanden haben möchte. Auch diese Zuordnung
ist schwierig, da das hier verwendete Wort für Hügel
גִּבְעָה nur in 2 Kön 16,4 neben dem terminus technicus für
die Kulthöhen בָּמָה erscheint, sonst aber rein geogra-
phisch-topographische Verwendung findet (oft neben הַר).
Auch der Mörser ist für BIČ ein Ort, "où l'on accom-
plissait peut-être des sacrifices ou autres cérémonies." [4]

Diese Auslegung birgt eine Menge Schwierigkeiten. Die
Aufforderung zur Klage in Zef 1,11a bleibt wie die Wehklage in Zef 1,10aα völlig gegenstandslos (BIČ unter-
schlägt sie daher wohl auch), die Vernichtungsansage an
die Händler bleibt ungeklärt, da der Hinweis BIČs auf

-----

1) BIČ, M., Trois Prophètes, a.a.O., S.57.
2) Ebd., S.57.
3) Vgl. LISOWSKI, G., Konkordanz zum hebräischen Alten
   Testament, Stuttgart ²1958, בָּמָה, S.233f.
4) BIČ, M., Trois Prophètes, a.a.O., S.57.

Sach 14,21 (Mt 21,12) keine Parallele trifft, da dort
keineswegs von der Vernichtung der Händler die Rede
ist, sondern von der Überflüssigkeit des Handels im
Tempel, da in eschatologischer Zeit (Sach 14 ist ein
eschatologisch-apokalyptischer Text) alles קֹדֶשׁ לַיהוָה
(vgl. Ex 28,36: Text auf dem Diadem des Hohenpriesters)
sein wird. Die Auslegung BICs wird dem Text offensichtlich nicht gerecht.

Die Bezeichnung עַם כְּנַעַן - 'Krämervolk' kommt so nicht
noch einmal vor. Man könnte auch mit 'Volk Kanaans'
übersetzen, doch weisen Hos 12,8; Jes 23,8; Ez 16,29;
17,4; Sach 14,21; Ib 40,30; Spr 31,24 darauf hin, daß
der Begriff (¹) כְּנַעַן - Kanaan (Kanaanäer) im Sinne von
Händler, Krämer verstanden wurde. Diese Bezeichnung ist
jeweils abwertend gebraucht, wohl deshalb, weil in diesem Berufsstand die Übervorteilung des Kunden an der Ta-
gesordnung war. Dies bedeutet Bruch des Jahwerechtes
durch gemeinschaftswidriges Verhalten. Die Bezeichnung
der Händler als 'Kanaanäer' ist einfach damit zu erklären, daß der Handel ursprünglich fast völlig in den Hän-
den der kanaanäischen Bevölkerung lag.

In Zef 1,11bβ wird sodann dieser Vorwurf an die Händler
genauer formuliert: 'alle die Silber wägen'. [1]   Da
es zur Zeit Zefanjas noch keine Münzen gab, war es notwendig, Silber, das als Zahlungsmittel Verwendung fand,
abzuwiegen. Auf die Zuverlässigkeit und Genauigkeit der
Waagen war kein Verlaß, sie waren meist so eingestellt,
daß der Geldwäger schon im voraus einigen Nutzen hatte.

-----

[1] Die Interpretation von EHRLICH, A.B., Randglossen,
a.a.O., S.310, in dem kanaanäischen Volk (עַם כְּנַעַן)
ein Volk ohne Schamgefühl zu sehen (כָּסַף =Scham, nicht
Silber; vgl. Zef 2,1), ist abzulehnen.

Dasselbe gilt für die Stimmigkeit der Gewichte und
Hohlmaße. So wurden Händler, Geldwäger und Betrüger
gleichgesetzt. [1]   Hos 12,8; Am 8,5; Mich 6,11 bele-
gen dies. Daß solches Handeln in den Augen Jahwes ein
Greuel ist, beschreibt die Weisheitsliteratur:' Ein
Greuel ist dem Herrn zweierlei Gewichte, eine falsche
Waage ist nicht recht'(Spr 20,23; vgl. auch Spr. 11,1).

Die Botschaft von Zef 1,10aβ-11 kann zusammenfassend
so ausgedrückt werden: Die Strafe Gottes wird über jene
kommen, die unrechtmäßig Reichtum anhäufen, in dem sie
ihre Mitmenschen betrügen, nicht unbedingt auf spekta-
kuläre Weise, sondern um kleine Mengen, dafür aber ste-
tig.

-----

1) Vgl. die Gleichsetzung der Zöllner im Neuen Testament mit Kollaborateuren und Betrügern.

Zefanja 1,12aβ-13a: Jahwes Wort über jene, die leben, als gäbe es keinen Gott

> 12 a *Ich durchlaufe Jerusalem mit Laternen,*
>   b *und ich suche heim die Männer,*
>   *die auf ihren Hefen dick geworden sind,*
>   *die in ihren Herzen sprechen:*
>   *Jahwe tut weder Gutes noch Böses.*
> 13 a *Ihre Habe verfällt der Plünderung*
>   *und ihre Häuser der Verwüstung.*

I   Zef 1,12aβ-13a ist wiederum ein Gottesspruch.

Diese Tatsache sowie die sekundäre Einleitung Zef 1,12aα weisen darauf hin, daß mit Zef 1,12aβ ein Neueinsatz gegeben ist. Dies bestätigt auch die klare Gliederung und die inhaltliche Abrundung des Spruches. Jahwe wird als Suchender und zur Rechenschaft Ziehender vorgestellt (Zef 1,12aβ.bα), der jene heimsuchen wird, die selbstsicher geworden sind und von Jahwe nichts mehr erwarten (Begründung: Zef 1,12bβγδ). Ihnen wird als Strafe der Verlust ihres Reichtums angekündigt (Zef 1,13a), was darauf hinweist, daß die verwerfliche Selbstsicherheit als Folge des materiellen Wohlstandes angesehen wird. Die Strafe ist demnach die Ausrottung des Grundübels. Auf welche Weise und von wem die Strafe durchgeführt wird, bleibt offen; doch läßt sich die recht nahe Verwandtschaft von Zef 1,12a -13a zu Zef 1,10f und Zef 1,14ff so verstehen, daß es auch hier sich um ein kriegerisches Geschehen handelt. Dies wird darüberhinaus noch durch die Termini מְשִׁסָּה- Plünderung und שְׁמָמָה - Verwüstung wahrscheinlich gemacht.

Die Erweiterung Zef 1,13b versucht Zef 1,13a noch präziser auszumalen, stößt sich jedoch inhaltlich mit Zef 1,12 und ist daher als sekundärer Anschluß, vielleicht bedingt durch Am 5,11, zu betrachten. [1]

An der Echtheit von Zef 1,12aβ-13a besteht keinerlei
Zweifel. Wie in Zef 1,8aβ-9aβ.b und Zef 1,10aβ ist
eine bestimmte Gruppe des Volkes angesprochen, die
hier jedoch nicht durch ihren Beruf gekennzeichnet
ist, sondern durch ihre Einstellung gegenüber Jahwe,
die bestimmend wurde für ihren Lebenswandel.

II   Der erste Versteil (Zef 1,12aβ) ist die Grund-
stelle dafür, daß der Prophet Zefanja in der
Kunst oft mit einer Laterne in der Hand dargestellt
wird. [2]   Doch nicht der Prophet ist es, der hier mit
Hilfe einer Laterne Jerusalem bis in den letzten Win-
kel durchsucht, sondern es ist Jahwe selbst (vgl. Am
9,3). Dies wird deutlich an dem Verb פָּקַד - 'heimsuchen',
welches bei den Propheten in dem Sinne, daß von jemandem Rechenschaft gefordert wird, nur mit Jahwe als
Subjekt begegnet. Jahwe erweist sich hier als der Aktive und widerlegt damit zugleich die in Zef 1,12aβ-
13a Angesprochenen, die nach dem Motto leben: Jahwe tut
weder Gutes noch Böses (Zef 1,12bδ). Jahwe erweist
sich gerade für die so Denkenden als der Aktive in seinem kommenden Gericht, welches für sie Verlust von Hab
und Gut bedeuten wird.
Wir haben es hier selbstverständlich mit einem Bild zu
tun, welches Zefanja zeichnet, um das Gericht, das um
so sicherer kommen wird, als niemand an sein Kommen glaubt,
anschaulich seinen Hörern vor Augen zu führen. Die Bot-

-----

1) Vgl. dazu den Abschnitt 4.3.4.
2) So z.B. in der Kathedrale von Reims.

schaft Zefanjas lautet nicht, Jahwe wird mit Laternen Jerusalem nach Schuldiggewordenen absuchen. Dieses Bild, welches von Jahwe recht anthropomorph [1]
spricht, ist sicher als Antwort auf Zef 1,12bδ hin
konzipiert - Jahwe ist nicht der 'liebe Gott im Himmel', sondern er ist ein Gott der eifernden Liebe,
d.h. er kümmert sich um das Gute und Böse und wird in
die Geschichte eingreifen, um die Frevler ausfindig
zu machen und sie dem gerechten Gericht zuzuführen.
Gerade dieses Bild vom suchenden, auswählenden Jahwe
in der vom Götzendienst und Rechtsbruch verdunkelten
Stadt Jerusalem beschreibt gut einen Grundgedanken
der zefanjanischen Verkündigung. Gerechte Strafe ist
Strafe für die, die Unrechtes getan haben und damit
das Gericht Jahwes provozierten. Das Gericht Jahwes
richtet die verletzte Ordnung als 'Raum zum Leben' wieder her. Es trifft in erster Linie jene, die Jahwe beim
Bruch der göttlichen Ordnung (beide Tafeln des Dekalogs)
gleichsam 'ertappt'. Sein Gericht ist also kein blin-
der 'Rundumschlag', der Weizen wie Spreu vernichtet
(Zef 2,2 verwendet dieses Bild), sondern zielgerichtet.
Zefanja weiß, daß es auch solche in Jerusalem gibt,
die das Gericht Jahwes bestehen können (Zef 2,3 die
עַנְוֵי הָאָרֶץ), da sie sich nicht der genannten Vergehen
schuldig gemacht haben, sondern im Gegenteil auch in
der Zeit der Unterdrückung treu blieben.
Jahwe wird hier vorgestellt wie die Frau in dem neutesta-
mentlichen Gleichnis von der verlorenen Drachme (Lk 15,8f),

-----

1) Daran nehmen einige spätere Übersetzer Anstoß und ändern den Text dahingehend, daß Menschen auf Befehl
   Jahwes die Stadt durchsuchen. Damit geht jedoch die
   gewollte Spannung von Zef 1,12aβ zu 1,12bδ verloren.

die eine Lampe anzündet und das ganze Haus nach diesem einen Geldstück absucht. Der Plural 'Lampen', den
der Masoretentext bietet, soll die Intensität und Gründ-
lichkeit der Suche Jahwes deutlich machen, dem gewiß
nichts und niemand entgeht.

Ist jedoch die Frau im Gleichnis voll Freude, wenn sie
die verlorene Drachme wiedergefunden hat (Lk 15,9), so
ist hier die Sache umgekehrt: Jahwes Eingreifen ist von
dem Gedanken geleitet, die Frevler zur Rechenschaft zu
ziehen (Zef 1,12b). Das Ziel der Suche Jahwes sind Männer, die folgendermaßen charakterisiert werden:

1) sie sind auf ihren Hefen dick geworden,

2) sie sprechen in ihren Herzen: Jahwe tut weder Gutes
   noch Böses.

Zu beiden Aussagen finden sich Parallelen in anderen
Prophetenbüchern, die uns den Sinn erschließen helfen.
In Jer 48,11 ist zu lesen: "Ungestört war Moab von Ju-
gend an, ruhig lag es auf seiner Hefe. Es wurde nicht
umgeschüttet von Gefäß zu Gefäß: Nie mußte es in die
Verbannung ziehen. Darum blieb ihm sein Wohlgeschmack
erhalten, sein Duft veränderte sich nicht." Obwohl der
Zielsinn dieses Verses ein anderer ist als der in Zef
1,12, hilft er doch das Bild zu enträtseln. Jeremia
vergleicht hier das in Frieden lebende Moab (keine
Verbannung; Bild des Umschüttens) mit dem ausgereiften
Wein, der auf seiner zweiten Hefe liegt. Zefanja vergleicht dagegen die Männer Jerusalems mit dem Wein, der
nicht abgezogen, sondern auf seiner ersten (Gärungs-)
Hefe belassen wurde. Solcher Wein wird dick und verdirbt.
Auch die in Zef 1,12 angesprochenen Männer leben in
'Frieden', doch ist dies offensichtlich ein fauler Frie-
de, der auf den wackeligen Beinen menschlicher Selbstüberschätzung ruht. Sie sind dick geworden auf den Hefen,
unbeweglich, nicht mehr bereit, sich zu ändern, satt
und selbstzufrieden mit dem Erreichten, was sich nach
Zef 1,13a besonders auf den Reichtum und den Grund-

besitz bezieht. Der Wein, der nicht abgezogen wurde,
ist hier ein passendes Bild für diese bürgerliche, spie-
ßige Selbstzufriedenheit. Wir haben hier an Menschen
zu denken, die sich mit der assyrischen Oberherrschaft
ausgesöhnt haben, die wohl auch noch aus dieser Situation Profit schlagen und deshalb nichts weniger wünschen
als eine Veränderung des Status quo, und dies trotz Unterdrückung des Jahweglaubens und der Auspressung der
Volksgenossen durch die auferlegten Tributzahlungen.

Und diese Lebenseinstellung und opportunistische Haltung,
so sagt uns der zweite Vorwurf Jahwes, hat sich auch auf
die religiösen Ansichten dieser Herren ausgebreitet. Sie
sprechen in ihren Herzen, d.h. sie denken bei sich - und
dieses Denken bestimmt auch ihr Handeln -: Jahwe tut weder
Gutes noch Böses. RUDOLPH zitiert zu dieser Stelle PROKSCH
mit einer m.E. treffenden Auslegung: Diese Männer lassen
" Gott im Himmel einen guten Mann sein, " [1] sie erwarten von ihm nichts mehr, er ist ihnen gleichgültig geworden. Die irdischen Güter, also ihren Wohlstand haben
sie ohne Gott geschaffen, so werden sie diesen auch ohne
Gott genießen. Dies ist keineswegs eine Leugnung Gottes
im modernen Sinne des 'theoretischen Atheismus', da die
Frage nach der Existenz oder Nichtexistenz Jahwes in
Israel keine Frage war. Ontologische Fragestellungen
waren Israel fremd, die Wirkmächtigkeit des Gottes war
allein von Belang. Gerade auf diese Fragestellung zielt
auch Zef 1,12bδ. Die hier angesprochenen Menschen vertreten eine Art 'praktischen Atheismus', [2] der davon ausging, daß Jahwe sich nicht um das kümmert, was die

-----

1) RUDOLPH, W., KAT XIII/3, a.a.O., S.269.
2) Vgl. DEISSLER, A., Sophonie, a.a.O., S.445; KRINETZKI,
   G., Zefanjastudien, a.a.O., S.70.

Menschen tun, also weder positiv noch negativ eingreift. Wenn dies aber so ist, dann, so sagen sich
diese Leute, können wir auch leben, als gäbe es keinen Gott. Sie denken:'Unser Tun brauchen wir vor nie-
mandem verantworten, leben wir also so, daß es uns persönlich möglichst gut geht'. Religion ist hier, soweit
sie überhaupt noch eine Rolle spielt, Spielerei, Ver-
zierung, Gewohnheitssache, aber keineswegs mehr funda-
mentale Lebensorientierung.
In diesem Satz 'Jahwe tut weder Gutes noch Böses'
drückt sich auch die Negierung der Geschichtsmächtigkeit Jahwes aus. Vergessen sind die Taten Jahwes: die
Herausführung aus der Sklaverei in Ägypten, die Gabe des
Landes, der stete Schutz und die liebevolle Zuwendung.
Der Gott, dessen Name 'Jahwe' sein Handeln bestimmt
('Ich bin da für euch'; vgl. Ex 3,14 und Hos 1,9), wird
von diesen Menschen in den Himmel verbannt - sie wollen
einen tatenlosen Gott. Sie erkennen nicht, daß Jahwe
trotz allem wirkt und sich sorgt (vgl. Zef 3,6-8bδ),
wohl weil sie zu sehr auf sich selber sehen und darüber
Jahwe vergessen. Dieser Vorwurf der Hybris, der Selbstüberschätzung des Menschen, welcher besonders deutlich
von Jesaja formuliert wurde, findet hier seinen zefanjanischen Ausdruck. [1)]
Daß dieser Gedankengang eine Fehleinschätzung dieser Männer über sich selbst und über Jahwe ist, wird in Zef 1,
13a deutlich, in dem Jahwe diesen Selbstsicheren das nimmt,
worauf sie ihre Haltung aufbauten, ihre Habe und ihre
Häuser. Die verwendeten Begriffe weisen darauf hin, daß

-----

1) Siehe besonders Jes 2,6-22; 3,16-26; 5,15.16.21 u.a.;
   weitere Parallelen zu Zef 1,12bδ sind Am 6,1; 9,10;
   Jer 5,12.23f.

hier an einen Verlust durch kriegerische Aktivitä-
ten gedacht ist (vgl. I). Damit paßt sich dieser
Vers auch gut in die bestimmende Botschaft des Tages Jahwes ein. Die von Jahwe initiierte Katastrophe,
die den totalen Verlust des Reichtums zur Folge haben
wird, beinhaltet auch die Möglichkeit, daß die Reichen
und Satten aufgeschreckt werden und damit vielleicht
wieder zu Hungernden nach dem Worte Jahwes werden, die
von Jahwe alles erwarten dürfen.

5.1.5. Zefanja 3,1-4: Zefanjas Weheruf über das von Jahwe abgefallene Jerusalem

1 a   *Wehe der widerspenstigen, der verunreinigten,*
  b   *der gewalttätigen Stadt.*

2 a   *Nicht hört sie auf den Ruf,*
       nicht nimmt sie Zucht an,
  b   *auf Jahwe vertraut sie nicht,*
       ihrem Gott nähert sie sich nicht.

3 a   *Ihre Fürsten in ihrer Mitte*
       sind brüllende Löwen,
  b   *ihre Richter Wölfe am Abend,*
       am Morgen nagen sie keinen Knochen mehr ab.

4 a   *Ihre Propheten sind unzuverlässig,*
       Männer des Betrugs,
  b   *ihre Priester entweihen das Heilige,*
       vergewaltigen die Weisung.

I   Mit dem letzten Vers des zweiten Kapitels enden die Fremdvölkersprüche im Zefanjabuch. Nach der traditionellen Gliederung der Prophetenbücher durch die exilischen Redaktoren, [1] müßten im dritten Teil nun Heilszusagen an Israel folgen. Dem ist hier jedoch nicht so: Zef 3,1-4 ist ein Weheruf über das eigene Volk, speziell über Jerusalem. Daß mit הָעִיר in dem Weheruf Zef 3,1 Jerusalem angesprochen ist, belegt Zef 3,2b, wo der Gott der Stadt ('ihr Gott' = אֱלֹהֶיהָ) parallel zu Jahwe steht, dieser mit jenem also identisch ist. Der Neueinsatz der Rede ist in Zef 3,1 also doppelt belegt: durch den Weheruf הוֹי und durch die Rückkehr zur Gerichtsandrohung über Jerusalem, dem Thema von Zef 1,4-18aγ.

Das Ende der Einheit findet sich in Zef 3,4 nach der Ständepredigt Zefanjas (Zef 3,3-4). Zef 3,5 ist ein an-

-----

1) Siehe dazu die Einführung der authentischen Einheiten, Abschnitt 5.0.

gefügter hymnischer Lobpreis von Jahwes Gerechtigkeit, welcher wohl im Hinblick auf die Ungerechtigkeit der jerusalemer Richter als Kontrapunkt formuliert wurde. Sein hymnischer Stil wie seine inhaltliche 'Einhundertachtziggrad-Wendung' raten eine Angliederung an Zef 3,1-4 ab. Für diese Entscheidung
spricht weiterhin, daß sich Zef 3,6ff gut als Fortsetzung von Zef 3,1-4 verstehen läßt, da auch dort
der Eifer Jahwes für sein Volk bzw. seine Stadt Jerusalem zum Ausdruck gebracht wird, welcher durch die
Mißachtung des Volkes in dem schon nach Zef 3,4 zu erwartenden לָכֵן (Zef 3,8a), der Strafandrohung, gipfelt. [1]

Die Herkunft dieser Einheit vom Propheten Zefanja darf
als gesichert gelten, [2]   da sich in Zef 3,1-4 deutliche Parallelen zu der authentischen Verkündigung des
ersten Kapitels zeigen lassen. Die Situation vor der
Volljährigkeit des Reformkönigs Joschija bildet den
geschichtlichen Hintergrund dieser Verse, was besonders
dadurch auffällig zutage tritt, daß vergleichbar mit
Zef 1,8f verschiedene Stände aufgezählt werden (Zef 3,3-
4: Fürsten, Richter, Propheten und Priester), denen vorgeworfen wird, daß sie bei der Ausübung ihres verant-
wortungsvollen Amtes, das Jahwerecht außer acht ließen
und dadurch für das Volk zu blutgierigen, gefährlichen
Bestien wurden. Sie enthalten ihnen das Recht vor, sie
betrügen sie durch falsche Lehren. Doch der König wird
auch hier nicht erwähnt und nicht für diese Zustände verantwortlich gemacht. Wäre der König im Amt, so wäre eine

-----

1) Vgl. zu der Frage nach der Zugehörigkeit von Zef 3,5
   zu Zef 3,1-4 den Abschnitt 4.3.9.

2) Es besteht kein Grund, mit MARTI, K., KHC XIII, Das
   Dodekapropheton, Göttingen 1904, S.360, Zef 3,1-7
   einem Autor des fünften bzw. zweiten vorchristlichen
   Jahrhunderts zuzuschreiben.

Nichterwähnung höchst sonderbar, da gerade er den
göttlichen Auftrag hat, Recht und Gerechtigkeit zu
bewahren und die 'kleinen Leute', die Armen und Geringen, zu unterstützen (vgl. Jer 22,13-19).

II   Der Aufbau der Einheit ist sehr klar: Der Wehe-
      ruf (Zef 3,1aα) richtet sich an die Stadt Got-
tes, an Jerusalem. Die Verwandtschaft des Weherufes mit
der Totenklage weist schon darauf hin, daß dem unter
dem Wehe stehenden Verhalten (siehe Zef 3,2-4) etwas
Todbringendes anhaftet. [1]   Zef 3,1 charakterisiert
die Stadt dann auch als eine widerspenstige, verunreinigte und gewalttätige. Diese Behauptung wird in
den drei folgenden Versen belegt. So hat Zef 3,2 besonders die Widerspenstigkeit der Stadt im Blick; die
Stadt zeigt sich widerspenstig Jahwe gegenüber, ihrem
Gott, da sie nicht auf ihn hört und sich ihm nicht anvertraut.
Die Verse 3,3-4 wenden sich den vier wichtigsten Ständen
der Stadt zu und führen aus, daß diese ihrem Auftrag
nicht nachkommen, ja das Gegenteil tun. [2]   Der Vers
Zef 3,3 vergleicht die Fürsten (Beamte) und Richter
mit wilden Tieren, die die ihnen Anvertrauten bzw. die

-----

1) Vgl. die verschiedenen Auffassungen von der Herkunft
   des Weherufes: WESTERMANN, C., Grundformen prophetischer Rede, Bevth 31, München 5 1978, S.140-142 (Fluch-
   spruch); JENNI, E., Art.: הוֹי, in: THAT I, a.a.O.,Sp.
   476 (Totenklage); WOLFF, H.W., Amos' geistige Heimat,
   WMANT 18, Neunkirchen 1964, S.12-23 (weisheitliche Fa-
   milienerziehung mit Haupttopos der Totenklage), wie
   auch LEEUWEN, C.van, The Prophecy of the yom YHWH in
   Am 5,18-20, in: OTS 19(1974), S.113-117 (Lit.!).

2) Weitere sogenannte 'Ständepredigten' finden sich in
   Jes 3,16ff; Jer 5,31; 23,9ff; Ez 22,23ff; Hos 4,4ff;
   Mich 3,5ff; 7,3.

auf sie Angewiesenen nicht beschützen, sondern gleichsam anfallen, ausrauben, ihnen ihr Recht vorenthalten.
Die Propheten und Priester, von denen Zef 3,4 spricht,
sind unzuverlässig und reden nicht die Wahrheit, entweihen das ihnen anvertraute Heilige und legen die Weisung Jahwes nach ihrem Gutdünken aus.

Der Kreis schließt sich nach Zef 3,4 wieder: die in Zef
3,3-4 angesprochenen Stände sind hauptverantwortlich
für die Zustände, die in der Stadt herrschen. Der Weg
der Einheit ist also deduzierend, vom allgemeinen Zustand (Zef 3,1) zu den einzelnen Verursachern desselben
(Zef 3,3-4). Dies bedeutet: Jerusalem wäre keine widerspenstige, verunreinigte und gewalttätige Stadt, wenn
ihre Fürsten, Richter, Propheten und Priester nicht so
handeln würden wie in Zef 3,3-4 beschrieben.

Daher erscheint es als sinnvoll, wenn wir die Auslegung
von Zef 3,1-4 mit den Versen 3,3-4 beginnen. Hier sind
wir in der glücklichen Lage, daß der Prophet Ezechiel
unsere zwei Verse bei seiner Anklage gegen Jerusalem
(Kapitel 22) aufgenommen hat, sie jedoch nicht beließ,
wie er sie bei Zefanja vorfand, sondern die Bilder noch
weiter ausformulierte. Ihm, der in der Exilszeit lebte,
ging es darum, die Gründe für den katastrophalen Untergang Jerusalems darzulegen, um seine Volksgenossen vor
solchem Verhalten in Zukunft zu warnen. So spricht also
auch er die Situation vor 587 vor. Chr. an, die der Zefanjas nicht unähnlich war, da die Reform des Joschija
unter seinen Nachfolgern schnell wieder rückgängig gemacht wurde und somit wieder die Zustände herrschten,
die Zefanja vor der Reform vor sich hatte. [1]

-----

1) Siehe dazu den geschichtlichen Überblick in Kapitel 3.

Zef 3,3a : <u>Ihre Fürsten in ihrer Mitte sind brül-
          lende Löwen</u>

        Der Begriff שׂר bezeichnet die einflußrei-
che Beamtenschaft am königlichen Hofe. [1]   Das Posses-
sivpronomen 'ihre' bezieht sich auf das feminine Suffix ה , welches auf עִיר - 'Stadt' zurückverweist. Es
geht also um die Fürsten, die königlichen Beamten Jerusalems. Ez 22,27 nimmt Zef 3,3aα wörtlich auf, doch
findet sich dort der Vergleich mit den Wölfen (זְאֵבִים ;
die Fürsten sind Wölfe; vgl. bei Zefanja 3,3b), was
wohl damit zusammenhängt, daß Ezechiel die Richter
nicht erwähnt, die letztlich ja auch Beamte sind. Die
brüllenden Löwen finden sich in Ez 22,25 bei den נְשִׂיאֶיהָ ,[2]
einem Begriff, der gleichfalls 'Fürsten' bezeichnet.

Es ist unzweifelbar, daß Zefanja hier ein negatives Verhalten der Fürsten/Beamten aussagen möchte. Für seine
Formulierung findet sich jedoch keine vorzefanjanische
Parallele. Amos und Hosea sprechen zwar davon, daß Jahwe
brüllt wie ein Löwe (Am 3,8 im Vergleich; dazu Am 1,2
ohne 'Löwe', doch impliziert; Hos 11,10), doch ist damit lediglich die Gewalt, Macht und unüberhörbare Laut-
stärke der Stimme angezeigt, die den Menschen zusammen-
zucken läßt. Dieser Vergleich ist aus der Erfahrung Israels genommen - der Mensch erschrickt nicht erst beim
Anblick des Löwen, sondern schon wenn dieser seine Stimme erhebt (vgl. Am 3,4: Brüllen des Löwen, wenn er Beute

-----

1) Vgl. Zef 1,8a, Abschnitt 5.1.2.
2) Der Masoretentext ist in Ez 22,25 nach G geändert (vgl.
   BHS). In M liegt sicher eine Verschreibung vor, da die
   in M angesprochenen Propheten in Ez 22,28 wiederum genannt sind.

hat; Ps 22,14). [1]   Ezechiel legt diesen Vergleich
so aus:"Mitten in ihm (dem Land) sind seine Fürsten
wie brüllende Löwen, die auf Beute aus sind. Sie fres-
sen Menschen, nehmen Schätze und Kostbarkeiten an sich
und machen viele Frauen im Land zu Witwen "(Ez 22,25).
Damit ist inhaltlich ganz Ähnliches ausgesagt wie in
Zef 1,8 über die Fürsten (königliche Beamtenschaft):
'Sie füllen das Haus ihres Herrn mit Gewalttat und
Trug.' Die Beamtenschaft wird für das Volk so gefährlich wie der Löwe für das Vieh auf der Weide. Wie man
sich fürchtet vor dem brüllenden Löwen, so zittert man
vor der Unmenschlichkeit dieser königlichen Beamten,
da diese ihre Machtstellung rigoros zu ihrem Vorteil
ausnutzen.

Zef 3,3bα : Ihre_Richter_sind_Wölfe_am_Abend

        Vernachlässigen wir zunächst einmal den Zu-
satz 'am Abend', so dürfte die Aussage, daß die Richter Wölfe seien, inhaltlich keinen Unterschied darstellen zu der Bezeichnung der Beamten als brüllende Löwen.
Wolf und Löwe sind Raubtiere, gefährlich für den Menschen - wie die Beamten und Richter. Auch zu dieser Aussage gibt es keine Parallele außer der abhängigen Eze-
chielstelle Ez 22,27. In Jer 5,6 und Hab 1,8 begegnet
noch der Begriff 'Wolf' (der Steppe), jedoch nicht im
Sinne Zefanjas als Vergleich zu dem rechtsbrüchigen Verhalten von Menschen. [2]   Ezechiel 22,27 expliziert das

-----

1) Vgl. STOLZ, F., Art.: אֲרִי - Löwe, in: THAT I, a.a.O.,
   Sp. 225-228; dort auch weitere Stellen.
2) Der Masoretentext von Hab 1,8 dürfte von Zef 3,3 beeinflußt sein. Zu dem Bild der Schnelligkeit paßt G
   mit 'Steppenwolf' viel besser.

Wolfsein folgendermaßen: "Sie vergießen Blut und
richten Menschenleben zugrunde, um Gewinn zu machen."
Solch mitmenschenfeindliche Praktiken der Richter
hat sicher auch Zefanja bei diesem Vergleich im Blick.
Der eigene Gewinn zählt für diese Männer mehr als ihre
Aufgabe, das Recht zu sprechen.
Viel diskutiert ist die Fortsetzung von Zef 3,3b:'Ihre
Richter sind Wölfe am Abend (Abendwölfe), am Morgen nagen sie keinen Knochen mehr ab.' Trotz ELLIGERs Verneinung
der Übersetzung 'Abendwölfe' [1] ist wohl doch daran festzuhalten, da dieser Begriff sehr wohl einen guten Sinn ergibt. Ohne zoologische Forschungen anstellen zu müssen, [2]
ist doch klar, daß die Schwierigkeiten der Hirten mit
den Wölfen am Abend begannen, in der Zeit der größten
Aktivität dieser Tiere. Wir können dies sehr gut auf
die Richter von Zef 3,3 übertragen, die am Tage durch
ihre Arbeit beschäftigt sind, am Abend jedoch ihre, vielleicht schon am Tage geknüpften Machenschaften ausführen
können. Ihr Tun ist eines, das vor der Öffentlichkeit verborgen bleiben soll, worauf Zef 3,3bβ anzielt:'am Morgen
nagen sie keinen Knochen mehr ab', d.h. am Morgen ver-
wandeln sich diese Richter wieder in 'ehrenwerte' Männer und Bürger, denen keiner ansieht, was sie verbrochen
haben. Unser Sprichwort vom 'Wolf im Schafspelz' paßt
genau hierhin. [3] Der Morgen hat für den Richter auch noch

-----

1) Vgl. ELLIGER, K., Das Ende der 'Abendwölfe' Zeph 3,3;
   Hab 1,8, in: Festschrift A. Bertholet, Tübingen 1950,
   S.158-175; STENZEL, M., Zum Verständnis von Zeph III,
   3b, in: VT 1(1951), S.303-305; JONGELING, B., Jeux
   de mots en Sophonie III 1 et 3?, in: VT 21(1971), S.
   543.

2) Siehe solche bei MÜLLER, D.H., Der Prophet Ezechiel
   entlehnt eine Stelle des Propheten Zephanja und glos-
   siert sie, in: WZKM 19(1905), S.268.

3) Vgl. die Herkunft dieses Sprichwortes aus dem Neuen
   Testament Mt 7,15: "Hütet euch vor den falschen Propheten; sie kommen zu euch wie Schafe, in Wirklichkeit
   aber sind sie reißende Wölfe."

eine besondere Bedeutung, da dies die Zeit der
Recht-sprechung ist (vgl. Ps 101,8; Jer 21,12; Zef
3,5). [1] Da sitzen diese Richter also über andere
zu Gericht, obwohl eigentlich sie es wären, die auf
der Anklagebank Platz nehmen müßten.
Schon vor Zefanja hatte der Prophet Micha die Praktiken der hohen Beamten (שׂר) und Richter (שׁפֵט) angeprangert: 'Sie trachten nach bösem Gewinn und lassen
sich's gut gehen: Die hohen Beamten fordern Geschenke,
die Richter sind für Geld zu haben, und die Großen entscheiden nach ihrer Habgier - so verdrehen sie das Recht'
(Mich 7,3).

Zef 3,4a : <u>Ihre Propheten sind unzuverlässig, Männer des</u>
<u>Betrugs</u> [2]

Auch hier brauchen wir nicht lange zu suchen,
um sachlich analoge Anklagen bei anderen Propheten zu
finden. Jeremia, Zefanjas jüngerer Zeitgenosse, tadelt
die falschen Propheten ausführlich (vgl. Jer 5,31; 23,
11-32; vgl. auch Jer 2,8b; Mich 3,5ff). Die Aufgabe der
Propheten ist es, die Worte Jahwes dem Volk zu verkünden.
Die hier angesprochenen Propheten verkünden aber eigene
Worte, sie weissagen im Namen Jahwes Lügen, selbsterdach-
ten Betrug. Damit pervertieren sie jedoch nicht nur ihren
Auftrag, sondern sie geben ihren Zuhörern auch nicht die
Möglichkeit, gedrängt durch das Wort Gottes, von ihren
bösen Wegen umzukehren und ein Leben nach Jahwes Willen

-----

1) Vgl. ZIEGLER, J., Die Hilfe Gottes am Morgen, Festschrift
   F. Nötscher, Bonn 1950, S.281-286; dazu auch Gen 49,27.
2) Die Übersetzung von EHRLICH, A.B., Randglossen, a.a.O.,
   S.315, אַנְשֵׁי בֹגְדוֹת = 'Zuhälter schlechter Weiber', hat
   Seltenheitswert.

zu leben. Diese Propheten warnen nicht vor dem Bösen,
sondern bestärken die, die Böses tun auch noch darin,
um gegebenenfalls der Verfolgung zu entgehen und Ansehen zu erringen. Ez 22,28 faßt dies so zusammen:
'Seine Propheten aber übertünchen ihnen alles. Sie
haben nichtige Visionen, verkünden ihnen falsche Orakel und sagen: So spricht Gott, der Herr, obwohl der
Herr gar nicht gesprochen hat.'
Wie KLOPFENSTEIN wohl mit Recht annimmt, sind in Zef
3,4 primär die Kultpropheten angesprochen, [1] die
ihren eigentlichen Auftrag vergessend, sich Jahwe gegenüber treulos verhalten. Daher werden sie als 'Männer des Betrugs', der Treulosigkeit bezeichnet. Mit
בגד wird der objektive Bruch einer Rechtsordnung ausgedrückt. In unserem Falle ist der Begriff zweiendig:
die unzuverlässigen Propheten sind sowohl ihrem Auftrag-
geber Jahwe untreu, da sie nicht mehr seine Worte, sondern ihre eigenen verkünden, als auch betrügerisch ihren
Volksgenossen gegenüber, da sie ihr persönliches Wort
als Gotteswort ausgeben.
Eine ganz ähnliche Mittlerposition zwischen Jahwe und
Volk bekleiden auch die Priester, die jedoch wie die
genannten Propheten ihre Aufgaben nicht nur vernachläs-
sigen, sondern sie in ihr Gegenteil verkehren.

Zef 3,4b : Ihre_Priester_entweihen_das_Heilige,_verge-
           waltigen_die_Weisung

        Die Anklage der Priester ist zweifach, ent-
sprechend ihrer zweifachen Aufgabe des Opferdienstes und

-----

1) KLOPFENSTEIN, M.A., Art.: בָּגַד -'treulos handeln', in:
   THAT I, a.a.O., Sp.263.

der Unterweisung (Ex 28,38; Lev 21,6.8; Ez 44,15-21):

a) Entweihung des Heiligen: Obwohl das Verb חלל -'entweihen', nur zweimal noch
in vorexilischen Stellen belegt ist (Gen 49,4; Ex 20,
25), [1] kann gegen die Authentizität in Zef 3,4 nichts
eingewendet werden. Entweiht wird das Heilige (קדש), was
sich hier, da Priester angesprochen sind, wohl vornehmlich auf den Tempel, das Heiligtum Jahwes bezieht, [2]
welches ihnen anvertraut wurde, damit sie die von Jahwe
geheiligten Opfergaben ihm darbringen (Lev 22,15).
Die Priester werden also ihrem kultischen Auftrag nicht
mehr gerecht, ja sie verkehren ihn in sein Gegenteil, da
sie nicht mehr das Heilige bewahren, sondern es sogar
selbst entweihen. Man darf dabei sicher auch an die Zustände im Tempel unter der assyrischen Oberherrschaft
denken, als Jahwe zum Nebengott degradiert wurde. Aus
den Jahwepriestern wurden Götzenpriester (vgl. Zef 1,4),
die anderen Göttern dienten und sich nicht für die Heiligkeit und Alleinzigkeit Jahwes einsetzten.
Ezechiel führt dies so aus: 'Sie entweihen, was mir heilig ist. Zwischen heilig und nicht heilig machen sie keinen Unterschied. Sie belehren niemanden mehr über unrein
und rein, und vor meinen Sabbat-Tagen verschließen sie die
Augen. So werde ich mitten unter ihnen entweiht'(Ez 22,26;
vgl. auch Jer 23,11).

-----

1) Vgl. MAASS, F., Art.: חלל -'entweihen', in: THAT I,
a.a.O., Sp.571.

2) Die Interpretation von MAASS, F., ebd., Sp. 574:" Zephanja brandmarkt die egoistische Verwendung des Heiligen durch die Priester als Entweihung", verbleibt
zu sehr im Allgemeinen. Vgl. zum Begriff קֶדֶשׁ MÜLLER,
H.P., Art.: קָדַשׁ -'heilig', in: THAT II, a.a.O., Sp.
589-609.

156

b) Vergewaltigung der Weisung: War חָמָס in Zef 1,9b schon einmal erwähnt als Gewalttat im zwischenmenschlichen Bereich, so bezieht sich das 'Gewalt-antun' hier auf die Weisung Jahwes, die Thora. So wie es die Aufgabe der Propheten ist, aktuelle Jahweweisung zu verkünden, so ist es die Aufgabe der Priester, diese Verkündigung zu bewahren und weiterzuverkünden. Tun sie dies nicht oder ändern sie die Weisung um, so vergehen sie sich an Jahwe wie auch an ihren Mitmenschen (vgl. a) und auch Jer 5,31). Inhalt der priesterlichen Thorabelehrung war primär die Auskunft über die rechte Unterscheidung von rein und unrein, heilig und profan. [1] Darüber hinaus ist bei den Propheten mit der Thora auch die dekalogische Jahweweisung mitgemeint, die Thora Jahwes. [2] Besonders deutlich wird dies bei Hosea, der die Zustände im Land darauf zurückführt, daß die Priester die Erkenntnis verworfen haben (Hos 4,6f). [3] Darum reiht sich Blutschuld an Blutschuld und Fluch, Betrug, Mord, Diebstahl und Ehebruch machen sich breit (vgl. Hos 4,2; auch 6,9).

Mit diesem hoseanischen Gedanken kommen wieder die Verse Zef 3,1-2 in den Blick, die die jahwefeindlichen Zustände in Jerusalem beschreiben, die auf das Fehlverhalten der führenden Stände der Stadt zurückzuführen sind. Die Adjektive von Zef 3,1 (im Hebräischen sind es Partizipien) werden jetzt verständlich. Die Widerspenstig-

-----

1) Vgl. die oben zitierte Stelle Ez 22,26 sowie RAD, G. von, Theol. AT I., a.a.O., S.258.

2) Die Begriffe Thora und Priester finden sich noch in Mich 3,11; Jer 2,8; 18,18 und Ez 7,26 zusammen.

3) Siehe LIEDKE, G.; PETERSEN, C., Art.: תּוֹרָה - 'Weisung', in: THAT II, a.a.O., Sp.1038.

keit der Stadt, die noch besonders in Zef 3,2 ausgeführt wird, ist eine Folge der Heilsverheißungen
der falschen Propheten und unredlichen Priester, die
die Menschen nicht von ihrem falschen Weg abgebracht
haben. Wie kann unter diesen Lügenpropheten noch ein
Jahweprophet mit seiner fordernden Botschaft durch-
dringen? מרה bezieht sich fast ausschließlich auf die
Widerspenstigkeit, die bewußte Opposition gegenüber
Jahwe (vgl. Jes 3,8; 30,9; Hos 14,1; Jer 4,17; 5,23). [1]

Die Stadt ist verunreinigt, d.h. sie hat sich selbst
durch ihr Verhalten mit dem Schmutz der Sünde und der
Schuld besudelt (vgl Klgl 4,14 und Jes 59,3). Hier ist
also keineswegs auf eine kultische Unreinheit zu schließen, obwohl diese sicherlich mitimpliziert ist, sondern
hauptsächlich auf die Unreinheit als Folge von schuld-
hafter Abwendung vom Jahwerecht, von der Weisung des
einzigen Gottes.
Die Gewalttätigkeit der Stadt ist eine Folge der Widerspenstigkeit und Unreinheit. Die hohen Beamten und Richter sind hier die deutlichsten Beispiele. In einer Stadt,
die Jahwe vergessen hat, wo sein Recht keine Gültigkeit
mehr hat, werden die Menschen sich gegenseitig zu Raub-
tieren. [2]   Das Recht, welches Gültigkeit hat, ist das
des Stärkeren und Hinterlistigeren.
Zef 3,2 beklagt die Zustände von Zef 3,1.3-4 und sieht

-----

1) Vgl. KNIERIM, R., Art.: מרה -'widerspenstig sein',
   in: THAT I, a.a.O., Sp.929.
2) Vgl. PLAUTUS (um 251-183 vor Christus): 'Homo homini
   lupus'.

deren Grund in der Abkehr von Jahwe. [1]   Durch vier-
maliges לא wird hervorgehoben wie störrisch die Stadt
sich gegenüber Jahwe benimmt, wie hartnäckig sie daran festhält, das zu tun, was Jahwe mißfällt. Streichen
wir in Zef 3,2 das לא jeweils, dann ist der Weg gewie-
sen, der zu Jahwe führt.

A: 'auf den Ruf hören': Jahwe bemüht sich um seine Stadt
durch die Propheten, die die
Worte Jahwes ausrufen, damit sich die Menschen wieder
ihrem Gott zuwenden. Die Widerspenstigkeit ist jedoch
zur Verstocktheit geworden, gegen die der Ruf des Propheten nicht mehr ankommen kann. Die Menschen kümmern
sich weder um das Reden des Propheten noch um Jahwe.

B: 'Zucht annehmen': Dies würde bedeuten, das Leben nach
der Weisung Jahwes auszurichten (vgl.
Zef 3,7). Die führenden Männer Jerusalems sträuben sich
jedoch dagegen und die, deren Aufgabe es wäre, die Weisung Gottes zu verkünden, reden lieber ausgedachte Lügen und nehmen damit dem Volk die Möglichkeit zur Umkehr. Daher sind diese Männer die Hauptschuldigen.

C und D: 'auf Jahwe vertrauen und sich seinem Gott nähern':
Dies setzt voraus, daß ich diesen Gott
kenne, auf den ich mich vertrauend einlassen soll. Die
Jerusalemer wenden sich jedoch lieber den Götzen zu,
praktizieren assyrische Riten (Zef 1,4ff) und vertrauen
auf ihre eigene Macht (Zef 1,12-13a). Sie sehen Jahwe
nicht mehr als 'ihren' Gott an und deshalb sehen sie
keinen Grund dazu, sich ihm kultisch zu nähern.

Jahwe spielt keine oder nur noch eine untergeordnete Rolle in dem Leben der Jerusalemer, dies sagt uns Zef 3,2.

-----

1) Vgl. Jer 7,28. Es gibt jedoch keinerlei Grund anzunehmen,
daß Zef 3,2 von Jer 7,28 abhängig sei (gegen DUHM, B.,
Randglossen, a.a.O., S.97).

Auch die Folgen dieses Bruches mit Jahwe sind uns
bekannt, nämlich die Unterdrückung der schwächeren
Mitmenschen, menschlicher Hochmut und Selbstgefällig-
keit.
Diese Anklagen und Feststellungen in Zef 3,1-4 ver-
langen nach einer Gerichtsankündigung, die das 'Wehe'
von Zef 3,1 ausführen würde. Die Ankündigung des Eingreifens Jahwes folgt in Zef 3,8, nachdem die Verse
Zef 3,6-7 nochmals das Bemühen Jahwes, sein Volk auf
den rechten Weg zu leiten, ausdrücken, welches wie sein
warnender Ruf von Zef 3,2 jedoch ohne Folgen bei den
Angesprochenen bleibt.

Zefanja 3,6-8bδ: Gerichtsandrohung über
Jerusalem, das trotz aller Bemühungen Jahwes am Abfall festhält

6 a   *Vertilgt habe ich Völker, ihre Zinnen verwüstet,*
      ich habe ihre Straßen öde gemacht,
      daß niemand darauf einherzieht.
  b   *Verheert sind ihre Städte, menschenleer,*
      ohne Bewohner.

7 a   *Ich dachte: Nun wird sie mich fürchten,*
      wird Zucht annehmen und es wird nicht mehr
      aus ihren Augen schwinden,
      was ich ihr befohlen.
  b   *Fürwahr, nur um so schlimmer trieben sie*
      all ihre Untaten.

8 a   *Darum wartet auf mich – Spruch Jahwes –*
      auf den Tag, da ich aufstehe als Kläger,
  b   *denn ich habe beschlossen Völker zu versammeln,*
      Königreiche zusammenzubringen,
      um über euch meinen Grimm auszuschütten,
      die ganze Glut meines Zornes.

I   Die Gottesrede Zef 3,6-8bδ hebt sich deutlich
      von ihrem Kontext ab. Zef 3,1-4(5) ist Propheten-
rede, eine Darstellung der gottlosen Situation der
Stadt Jerusalem. Die überraschende Einführung von Völkern in Zef 3,6aα und die Rückschau auf die Zerstörung
der Städte dieser Völker durch Jahwe, belegen den Neueinsatz der Rede in Zef 3,6. Zef 3,8 beendet diese Einheit, da die dort angekündigte Strafe über die Stadt Jerusalem und deren Bewohner [1] wegen deren Widerspenstigkeit und Sturheit gegenüber den göttlichen Warnungen, den logischen Schlußpunkt zu der 'Selbstreflexion'

-----

1) Gegen SCHARBERT, J., Die Propheten Israels bis um
   600 vor Chr., Köln 1967, S.27, der den Masoretentext
   nicht ändert und in Zef 3,8 ein Gericht über die Heiden sieht; vgl. dazu auch Kapitel 2: TEXTKRITIK ZUM
   ZEFANJABUCH, S.'21 zu 8d.

Jahwes in Zef 3,6f setzt. [1)]   Der Vers Zef 3,9 hat
mit dem Gedankengang von Zef 3,6-8bδ nichts mehr zu
tun, er schneidet ein völlig neues Thema an (Heil für
die Heidenvölker). [2)]
Gegen die Authentizität dieser Einheit erheben sich
nur wenige Stimmen, zumeist von solchen Kommentatoren,
die das dritte Kapitel des Zefanjabuches in seiner
Gänze als inauthentisch betrachten. [3)]   Inhaltliche
Bezüge zu Zef 3,1-4 (Adressaten sind jeweils Jerusalem und seine Bewohner, was sich aus Zef 3,6-8bδ allein
durch die Personenmorpheme belegen läßt; Zef 3,7b und
Zef 3,3-4) sowie Wortverbindungen (מוּסָר לָקַח - Zef 3,7aβ
und Zef 3,2aβ; vgl. auch אַפִּי חֲרוֹן in Zef 3,8bδ und Zef
2,2bβ und weitere Stellen über den Zorn Jahwes in Zef
2,3 (אַף) und Zef 1,15.18 (עֶבְרָה); פנה in Zef 3,6 und
Zef 1,16; יוֹם in Zef 3,8 und die Verbindung יְהוָה יוֹם
in Zef 1,4-2,3), lassen keinen Zweifel daran, daß uns
hier ein authentischer Spruch des Propheten vorliegt.

II   Die Einheit ist klar gegliedert. Dreh- und Angel-
     punkt von Zef 3,6-8bδ ist der Vers Zef 3,7, ein
Selbstgespräch Jahwes, welches die Bedeutung des Verses
Zef 3,6 für die Einheit offenbart: Die Gerichte Jahwes
über die Völker (גוֹיִם), die Jahwe als den geschichtsmächtigen Gott erweisen, hätten für sein Volk (עַמִּי =

-----

1) Zu dem Versteil Zef 3,8bε vgl. den Abschnitt 4.4.9.
2) Zu Zef 3,9 vgl. 4.1.2.
3) Siehe MARTI, K., KHC XIII, a.a.O., S.357.372ff;
   TAYLOR, I.C.jr., The Book of Zephaniah, in: Interpreter's Bible 6, New York 1956, S.1007-1034.

Juda, Jerusalem) eine Warnung sein sollen, sich
nicht von der Weisung Jahwes zu entfernen (Zef 3,7a).
Jahwe erscheint hier gleichsam als Lehrer, doch leider als einer ohne Erfolg, da Jerusalem und seine Be-
wohner diese Schlußfolgerung nicht zogen, wie resu-
mierend Zef 3,7b feststellt (vgl. 3,2). In dieser
Rückschau auf die vergangenen Taten Jahwes an seinem
Volk durch ihn selbst erinnert Zef 3,6-8bδ an Hos 11,1ff.
Auch dort waren Jahwes Liebesbezeugungen von seinem
Volk nicht er- und anerkannt worden.
Doch die Widerspenstigkeit des Volkes (vgl. Zef 3,1)
wird nun geahndet werden. Zef 3,8 kündigt das strafen-
de Eingreifen Jahwes über Jerusalem an (לָכֵן - darum).
Es verwundert, daß der Adressat der Gottesrede mit keinem Wort erwähnt wird. Schon dies dürfte auf eine enge
Verwandtschaft von Zef 3,6-8bδ mit Zef 3,1-4 schließen
lassen. Die Personenmorpheme in Zef 3,6-8bδ lassen
zweifelsfrei erkennen, daß hier Jerusalem und seine Bewohner angesprochen sind (3.Pers. fem. sing. für Jerusalem und 2. und 3. Pers. masc. pl. für die Bewohner
der Stadt). Wie in Zef 3,2 wird auch hier Jahwe vorgestellt als der sich um das Heil seiner Stadt Mühende
(Zef 3,6 als Warnung für das Volk; vgl. Zef 3,7a). Das
Resultat der Warnungen Jahwes ist jedoch negativ (Zef
3,7b; 3,2-4): das Volk kümmert sich nicht um Jahwe und
seine Taten, es entfernt sich nur noch mehr von ihm. Die
schon nach Zef 3,1-4 erwartete Strafandrohung ist hier
in Zef 3,8 sodann gegeben: Jahwe kommt zum Gericht, er
wird Jerusalem heimsuchen (vgl. Zef 1,10aβ-13a; 1,7.14-
16; 1,17aαβ.b-18aγ).
Der Text gibt keine Auskunft darüber, welche Völker in
Zef 3,6 angesprochen sind. Darauf kommt es hier auch gar
nicht an, da im Zusammenhang von Zef 3,6-8bδ Jahwes Vertilgen der Völker reinen Verweischarakter besitzt. Ein-

mal wird damit die Geschichtsmächtigkeit Jahwes un-
terstrichen, der alle Völker unterliegen, und zum
anderen wird die Reaktion des Jahwevolkes herausge-
fordert. Wie die Fremdvölkersprüche der Propheten zeigen, ist das Gericht Jahwes über die Völker wie über
das Jahwevolk an der Einhaltung des Jahwerechtes orientiert. [1]   und keineswegs willkürlich. Jerusalem hätte nun aus diesen Geschehnissen folgende Lehre ziehen
können: 'Ich muß mich bemühen um die Einhaltung des
Rechtes Jahwes, damit es mir nicht genauso ergeht wie
den Völkern.' Wie Zef 3,7 lehrt, hat Jerusalem diesen
Schluß keineswegs daraus gezogen, sondern im Gegenteil
darin eine Bestätigung ihrer Auserwählung erkannt, ihrer
Bundesgenossenschaft mit Jahwe. Ein Eingreifen Jahwes
zuungunsten Jerusalems wurde in ihren Augen daher positiv ausgeschlossen (vgl. dazu die Vorstellung des
Volkes über den יוֹם יְהוָה in Am 5,18-20).
Die Verwüstung der Zinnen (vgl. Zef 1,16) deutet auf
das Vergehen der Völker hin: Hochmut, Überheblichkeit,
Vertrauen auf eigene Stärke gepaart mit der Mißachtung
der Stärke und Mächtigkeit Jahwes. [2]   Das Los solcher
Anmaßung ist Öde, Verwüstung, menschenleere Städte (vgl.
Zef 2,4.6.9.13f). Die hier von Zefanja verwendeten Begriffe finden sich auch bei den anderen Propheten in Un-
heilsankündigungen bzw. - beschreibungen. [3]
Die Beschreibung des Vertilgens der Völker in Zef 3,6
befaßte sich mit Vergangenem. Jerusalem und seine Be-

-----

1) Vgl. Zef 2,4-15; Am 1,3-2,3; Jes 10,5ff.

2) Vgl. Jes 2,6ff, Jahwes Gericht über alles Stolze und
   Erhabene. Jes 2,15:'über jeden hohen Turm und jede
   steile Mauer'.

3) Siehe DEISSLER, A., Sophonie, a.a.O., S.462; KRINETZKI,
   G., Zefanjastudien, a.a.O., S.138f.

wohner haben aus diesen Ereignissen der Vergangenheit
jedoch keine Lehre für die Gegenwart und Zukunft gezogen. In einer Selbstreflexion Jahwes [1] wird vorgestellt, was er von Jerusalem erwartet hat:

a) Jahwefurcht
b) Annehmen von Zucht
c) ständiges Befolgen der Jahweweisung.

Besonders die Weisheitsliteratur und die Psalmen sprechen von der 'Jahwefurcht' und der Forderung, Zucht anzunehmen (vgl. Zef 3,2). [2] Gefordert wird damit,
Jahwes auf die rechte Weise zu verehren, seiner Weisung
zu gehorchen, treu zu ihm zu stehen. Damit ist auch
der Punkt c) eingeschlossen, denn die rechte Art der
Gottesverehrung liegt bei den Propheten in erster Linie
darin, die Weisungen Jahwes zu befolgen, Recht und Gerechtigkeit zu üben (vgl. Zef 2,3; Mich 6,8; Am 5,24;
Hos 2,21f; Jes 1,17; 5,7).
Doch die Taten Jahwes an den Fremdvölkern sind von Juda/
Jerusalem nicht verstanden worden, sie haben sich nicht
abgekehrt von ihrem schlechten Lebenswandel, sie trieben
nur um so schlimmer ihre 'Untaten'. Wir gehen sicher
nicht fehl in der Annahme, wenn wir Zef 3,3-4 als die
Ausformulierung dessen ansehen, was hier zusammenfassend
mit Untaten bezeichnet wird. Die Bewohner Jerusalems
interpretieren die Geschehnisse von Zef 3,6 als Zeichen
dafür, daß ihr Bundesgott Jahwe die Feindvölker schlägt,
um seinem Volke Heil zu schaffen. Damit irrt sich Jeru-

-----

1) Vgl. Jer 3,7 und auch Hos 11.
2) Siehe STÄHLI, H.P., Art.: יָרֵא -'fürchten', in: THAT I,
   a.a.O., Sp.765-778.

salem jedoch gewaltig, da die Grenze zwischen Heil
und Unheil nicht zwischen den Völkern und Juda ver-
läuft, sondern zwischen denen, die das Jahwerecht tun
und denen, die es mit Füßen treten. Und in Jerusalem
wird, wie uns Zef 3,1-4 gelehrt hat, das Jahwerecht
völlig mißachtet.

Zef 3,7 erinnert an das Weinberglied von Jes 5,1-7.
Dort wird Jahwe als der Besitzer eines Weinberges vorgestellt, den er mit Liebe und Hingabe pflegt in der
Hoffnung, süße Trauben ernten zu können. Doch die Zuwendung Jahwes war vergebens: er erntete saure Beeren.
In Jes 5,7 wird das Bild aufgelöst: die Bewohner Judas
waren die 'Reben', die nicht Gerechtigkeit und Recht
hervorbrachten wie Jahwe es wollte und mit seiner un-
terstützenden Liebe vorbereitete, sondern Rechtsbruch
und Unterdrückung.

Hier wie dort ist die Antwort Jahwes das Gericht über
sein Volk. Zef 3,8 führt die Strafansage mit לָכֵן -
'darum' ein (vgl. Zef 2,9; Jes 5,13.14.24; Jer 6,18). [1]
'Wartet auf mich' ist hier keineswegs huldvoll gemeint,
sondern drohend. [2]   Das sehnsuchtsvolle Warten auf
Jahwe (z.B. als Retter) wird hier in sein Gegenteil ge-
kehrt. Dies wird offensichtlich durch die Fortführung:
'Wartet auf den Tag, da ich aufstehe als "Zeuge"'. Zeuge
bedeutet hier wie in Mich 1,2 und Mal 3,5 'Ankläger',
Zeuge der Untaten. Doch Jahwe ist nicht nur Ankläger,

-----

1) Vgl. zum Charakter der Strafansagen WESTERMANN, C.,
   Grundformen , a.a.O., S.92ff.

2) Gegen KRINETZKI, G., Zefanjastudien, a.a.O., S.171f
   (die von KRINETZKI angeführten Stellen sind jeweils
   nicht mit Zef 3,8 zu vergleichen). Das Deutsche trifft
   mit seinem Ausdruck 'Warte nur (bis Vater heimkommt)'
   genau den hier angezielten Sinn.

sondern auch Richter, der in Zef 3,8b seinen Richter-
spruch bekannt gibt.

Die Ausführenden des Richterspruches über das umkehr-
unwillige Jerusalem sind die Völker und Königreiche,
die Jahwe gegen die Stadt ziehen lassen will. Der Gedanke, daß sich Jahwe bei seinem Gericht über sein
Volk fremder Völker bedient, begegnet oft bei den Propheten : Hab 2,5; Jes 5,25ff; Jes 10,5; 7,18ff; 13,4;
66,18; Joel 4,2; Am 3,11; 6,14; Ez 16,35ff; Sach 14,2.
Auch die Bezeichnung des Gerichtes als Ausschütten des
Grimms Jahwes findet sich in Ez 21,34; 22,31 (wohl
abhängig von Zefanja ; Ps 69,25). Der zweite Ausdruck:
'die ganze Glut meines Zornes' erinnert an den authentischen Vers Zef 2,2b und auch an Klgl 4,11.

EXKURS :   Der 'Tag Jahwes' - יוֹם יְהוָה

Mit der Erwähnung des יוֹם יְהוָה in Zef 1,7.14 kommen
wir zu der zentralen Verkündigung des Propheten Zefanja. Die Ankündigung eines 'Tages Jahwes' begegnet
uns zeitlich vor Zefanja nur noch bei Amos und Jesaja
(Am 5,18-20; Jes 2,12-17). [1]   Wir können das 'geprägte Thema' [2]   יוֹם יְהוָה als einen Zentralbegriff
der alttestamentlichen Theologie bezeichnen, dessen
Bedeutungsgeschichte jedoch nicht mit dem Alten Testament abgeschlossen ist, sondern im Neuen Testament
ihre Fortsetzung findet, wo יוֹם יְהוָה in seiner grie-
chischen Übersetzung ἡμέρα (τοῦ) κυρίου über 100 mal
(mit Synonyma) belegt ist. [3]

Im Alten Testament selbst begegnet uns dieses Thema explizit nur cirka 20 mal (16x יוֹם יְהוָה in Jes 13,6.9;
Ez 13,5; Joel 1,15; 2,1.11; 3,4; 4,14; Am 5,18.18.20;
Ob 15; Zef 1,7.14.14; Mal 3,23 - zweimal יוֹם לַיהוָה in
Jes 2,12; Ez 30,3 - weiter יוֹם־בָּא לַיהוָה in Sach 14,1;
יוֹם אַף־יְהוָה in Klgl 2,22; יוֹם לַאֲדֹנָי יְהוָה in Jer 46,10;
הַיּוֹם =LXX ἡμέρα κυρίου in Ez 7,7), doch ist der mit
diesem Begriff angesprochene Sachverhalt ohne explizi-
ten Bezug noch öfter angesprochen. [4]

-----

1) Vgl. dazu die Tabelle in diesem Exkurs.

2) Ein 'geprägtes Thema' zeichnet sich dadurch aus, daß
   mit der Nennung eines Zentralbegriffs (hier: 'Tag
   Jahwes') ein umfassendes, den Hörern bekanntes Ereignis mit bestimmten immer wiederkehrenden Geschehnissen bei den Angesprochenen impliziert wird.

3) Vgl. DELLING, G., Art.: ἡμέρα , Der Gebrauch im Neuen
   Testament, in: THWNT II, Stuttgart 1957, S.954ff.

4) Bei der Benennung weiterer Stellen scheiden sich jedoch die Geister, da die Zuordnung von Versen bzw.
   ganzen Einheiten zu dem Thema des 'Tages Jahwes'

168

Die Bedeutung des יוֹם יְהוָה in der prophetischen Verkündigung (denn nur dort begegnet er mit Ausnahme
von Klgl 2,22) ist jedoch nicht unumstritten, was
besonders für die zeitliche Festlegung und inhaltliche Bestimmung des Bedeutungswandels gilt, den der
Begriff יוֹם יְהוָה in seiner über 500-jährigen Verwendung in alttestamentlicher Zeit (von Amos bis Trito-
sacharja) erfuhr. Grundlage all dieser Überlegungen
ist die grammatikalische Aussage, daß uns mit יוֹם יְהוָה
eine Genetivverbindung vorliegt, in der יוֹם durch einen Eigennamen näher bestimmt ist. [1]   Diese Verbindung zeigt an, daß ein wichtiges Geschehen, gekennzeichnet und verbunden mit dem Eigennamen, angesprochen wird,
dessen Ereignischarakter besonders betont ist. Eine
zeitliche Bestimmung ist damit nicht gegeben.
So ist in Ps 95,8 zu lesen: אַל־תַּקְשׁוּ לְבַבְכֶם כִּמְרִיבָה כְּיוֹם
מַסָּה בַמִּדְבָּר - 'verhärtet nicht eure Herzen wie zu Meriba,
wie am 'Tag von Massa' in der Wüste'. In der Genetivverbindung יוֹם מַסָּה liegt für den Psalmist wie für den
kundigen Bibelleser die ganze Geschichte der Ereignisse von Massa verborgen, die in Ex 17 und Nm 20 nachzu-

-----

letztlich von der inhaltlichen Charakterisierung dieses Tages bei den einzelnen Exegeten abhängt, welche
jedoch recht unterschiedlich ausfällt. Vgl. BOURKE,
J., Le jour de Yahvé dans Joel, in: RB 66(1959), S.
18, Anm. 1; RAD, G. von, Theol. AT II, a.a.O., S.133=
ders., The origin of the concept of the Day of Yahweh,
in: JSSt 4(1959), S.97, Anm. 2; JEREMIAS, J., Theophanie, Neunkirchen 1977, S.97, Anm. 1; JENNI, E.,
Art.: יוֹם -'Tag', THAT I, a.a.O., Sp.723f; CERNY, L.,
The Day of Yahweh and some relevant Problems, Prag
1948, S.17ff; EGGEBRECHT, G., Die früheste Bedeutung
und der Ursprung der Konzeption vom 'Tag Jahwes', Diss.
Halle 1966, S.11f; WOLFF, H.W., Joel-Amos, BK XIV/2,
Neunkirchen 1975, S.38f.
1) Vgl. dazu JENNI, E., Art.: יוֹם - 'Tag', THAT I, a.a.O.,
Sp. 724f.

lesen ist. [1]   Wie also mit יוֹם מַסָּה in kurzer, präg-
nanter Form die ganze Geschichte, die sich mit diesem
Ort verbindet, umrissen ist, so ist es auch mit dem
יוֹם יְהוָה. Hier sind die Ereignisse jedoch nicht an
einen Ort, sondern an eine handelnde 'Person' gebunden, d.h. am 'Tage Jahwes' ist es allein das Handeln,
die Epiphanie Jahwes, die das ganze Geschehen umgreift
und bestimmt. Eine nähere inhaltliche Bestimmung ist
damit noch nicht getroffen.

Dieser 'Tag' (es ist ja eigentlich kein Tag, sondern
ein Ereignis gemeint) Jahwes kann sowohl in der Vergangenheit (Klgl 2,22; Ez 13,5?; Jer 46,10) als auch in
der Zukunft liegen, wie man höchstwahrscheinlich vor
der Eschatologisierung des Ausdrucks auch mit mehreren
'Tagen Jahwes' rechnen muß. [2]   Formal ist anzumerken,
daß sich die Ankündigung eines יוֹם יְהוָה immer an eine
Mehrzahl von Menschen richtet (abtrünniger Teil eines
Volkes; ein Volk; mehrere Völker; die ganze Erdbevölke-
rung), nie aber an Einzelpersonen.

Hugo GRESSMANN war es, der zu Beginn dieses Jahrhunderts
die wissenschaftliche Diskussion über den 'Tag Jahwes'
anstieß. Er stellte fest, daß der Ausdruck schon vor
Amos eine bereits feststehende Formel, ein 'terminus
technicus', gewesen sein muß. Dies schließt er aus der
Beobachtung, daß Amos von 'jenem Tag' redet (Am 8,9.13)
und damit der 'Tag Jahwes' gemeint ist, ohne daß das De-
monstrativpronomen aus dem Zusammenhang erklärt werden

-----

1) Vgl. über dieses Beispiel hinaus : Tag Midians (Jes
   9,2); Tag von Jesreel (Hos 2,2); Tag Jerusalems
   (Ps 137,7); Tage von Gibeah (Hos 9,9; 10,9).

2) Vgl. dazu GELIN, A., Jours de Yahvé et jour de Yahvé,
   in: LV 11(1953), S.39-52.

könnte. [1] Aus der Beobachtung, daß überall da,
wo der 'Tag Jahwes' vorkommt, er sich auf die Zukunft bezieht, [2] schließt GRESSMANN, daß der Ausdruck schon in vorprophetischer Zeit zum eschatologischen Terminus geworden ist. Den Ursprung der Eschatologie aber findet GRESSMANN, in Anlehnung an seinen
Lehrer Hermann GUNKEL, [3] in der babylonischen Mythologie. Somit ist für GRESSMANN auch der Ursprungs-
ort des Vorstellungskreises vom 'Tag Jahwes' in der
babylonischen Mythologie zu suchen. Diese kosmisch-
mythologischen Vorstellungen kamen dann in vorprophetischer Zeit als Heils- und Unheilsprophetie nach Kanaan.
Auf diesem Hintergrund unterscheidet Hugo GRESSMANN
vier aufeinanderfolgende Stufen in der Geschichte des
'Tages Jahwes':

1. Die mythologische Stufe, die durch die Erwartung
   einer großen Weltkatastrophe gekennzeichnet ist
   (vorhistorisch). [4]
2. Die volkstümliche Stufe, die ebenfalls ihrem Wesen
   nach naturmythologischer Art ist, sich jedoch von

-----

1) Vgl. GRESSMANN, H., Der Ursprung der israelitisch-
   jüdischen Eschatologie, FRLANT 6, Göttingen 1905.
2) Diese Beobachtung stimmt nicht mit dem biblischen
   Befund überein, vgl. S.170.
3) Vgl. GUNKEL, H., Schöpfung und Chaos in Urzeit und
   Endzeit, Göttingen 1895ff; ders., Genesis, Göttingen
   1901ff.
4) Den ersten deutlichen Niederschlag dessen findet GRESS-
   MANN in Zef 1,18, doch kann für ihn Zefanja die Idee
   einer Weltkatastrophe nicht zum erstenmal ausgesprochen haben, da er keine klare, sondern eher eine fragmentarische Anschauung damit verband. Und gerade dieser fragmentarische Charakter ist für GRESSMANN der
   Beweis des außerisraelitischen Ursprungs der Eschatologie. Siehe GRESSMANN, H., Der Ursprung, a.a.O., S.145.

der ersten Stufe dadurch unterscheidet, daß die
Art der Weltkatastrophe mannigfach variiert wird
(historisch aber voramosisch).
Die Naturkatastrophen der Propheten sind für GRESS-
MANN allein dichterische Einkleidung, da in voramo-
sischer Zeit allein Jahwe der Handelnde war. [1]
In der volkstümlichen Stufe ist das Unheil auf die
Heiden beschränkt (heilseschatologisch).
3. Die prophetische Stufe, die gekennzeichnet ist durch
   eine ethische Vertiefung der Unheilsprophetie. Nach
   dem Exil herrscht jedoch die Heilsprophetie vor, mit
   der die volkstümliche Eschatologie wieder ihren Einzug hält.
4. Die apokalyptische Stufe, die aus der Vermischung von
   Unheils- und Heilsprophetie mit einem "Einschlag
   neuer Ideen aus der Fremde" [2]   erwächst.

Zusammenfassend kann man sagen:

- Die Eschatologie ist 'vorhistorisch', älter als die
  Prophetie und nichtisraelitischen, babylonischen Ur-
  sprungs.
- Zur Zeit des Amos gab es schon eine vollausgebildete
  'Volkseschatologie'.
- Der 'Tag Jahwes' ist der Tag der eschatologischen Welt-
  katastrophe, der mit dem mythischen Material des Ur-
  chaos beschrieben wird. [3]

-----

1) Vgl. GRESSMANN, H., Der Ursprung, a.a.O., S.149.
2) Ebd., S.149.
3) Vgl. HELEWA, J., L'origine du concept prophétique du
   Jour de Yahvé, in: ECarm 15(1964), S.6, Anm.9:"Cette
   catastrophe finale se réalisera suivant le modèle de
   la catastrophe initiale, étant donné que l'eschatologie n'est que la répétition définitive des réalités
   mythiques survenues au début des temps. Le chaos finale répétera le chaos primordial, le Your de Yahvé
   répétera le Déluge."

- Der Urspung der Konzeption vom 'Tag Jahwes' liegt
  in der Eschatologie, nicht in kriegerischen Ereignissen oder Naturkatastrophen.

Ein zweiter Forscher, der sich mit dem 'Tag Jahwes'
beschäftigte, war Sigmund MOWINCKEL. Wie Hugo GRESSMANN
sieht auch er den 'Tag Jahwes' in engem Zusammenhang
mit der Eschatologie, und von H. GUNKEL [1] übernimmt
er die im wesentlichen mythologische Definition der Eschatologie: Endgeschichte = Urgeschichte.
Den Ursprung der Eschatologie findet S. MOWINCKEL jedoch
im 'Thronbesteigungsfest Jahwes'. Die Eschatologie entstand dadurch, "daß alles das, was man ursprünglich als
unmittelbare, sich im Laufe des Jahres verwirklichende
Folgen der im Kult erlebten alljährlichen Thronbesteigung
Jahwä's erwartete, in eine unbestimmte Zukunft hinausge-
schoben wurde, als etwas, das 'einmal' kommen werde, wenn
Jahwä seinen Thron zum letzten Mal endgültig besteigt." [2]
Wie der Ursprung der Eschatologie, so liegt auch der Ursprung des 'Tages Jahwes' im Thronbesteigungsfest. [3]

-----

1) Vgl. GUNKEL, H., Schöpfung und Chaos, a.a.O., S.229.

2) MOWINCKEL, S., Psalmenstudien II. Das Thronbesteigungsfest Jahwäs und der Ursprung der Eschatologie, Boktryk-
   keri 1922, S.226; vgl. ders., He that cometh, Oxford
   1959, S.143.

3) MOWINCKEL, S., Psalmenstudien II, a.a.O., S.229 wie
   auch ders., He that cometh, a.a.O., S.145:"The whole
   picture of the future can...besummed up in the expression, the day of Yahweh. Its original meaning is
   really the day of His manifestation or epiphany, the
   day of His festival, and particulary the festival day
   which was also the day of His enthronement, His royal
   day, the festival of Yahweh, the day when as King He
   came and 'wrought salvation for his people'. As the
   people hoped for the realisation of the ideal king-
   ship, particulary when reality fell furthest short of
   it, so, from a quite early period, whenever they were
   in distress and oppressed by misfortune, they hoped

MOWINCKEL unterscheidet zwei 'Tage Jahwes':

a) Der kultische Tag Jahwes, d.h. der Thronbestei-
   gungstag.
b) Der eschatologische Tag Jahwes, d.h. "der künftige,
   abschließende, alles andere überstrahlende Thronbe-
   steigungstag Gottes." [1)]

Die kultische Thronbesteigung, die Inthronisation der
Gottheit ist für MOWINCKEL nichtisraelitischen, babylonischen Ursprungs, da sie mythische Elemente enthält,
die sich im babylonischen Kult wiederfinden (Drachen-
kampf und Schöpfungsmythos). " Indes ist das Herbst-
und Thronbesteigungsfest wie kein anderer Teil des Kultes ein echter Ausdruck der altisraelitischen Volksre-
ligion geworden." [2)] So ist der 'Tag Jahwes' israelitischen und nicht ausländischen Ursprungs.

Die meiste Zustimmung fanden jedoch die Forschungsergeb-

-----

for an expected a glorious 'day of Yahweh'..., when
Yahweh must remember His covenant, and appear as the
mighty king and deliverer, bringing a 'day' upon His
own and His people's ennemies ...,condamning them to
destruction, and 'acquitting' and 'executing justice'
for His own people."

1) MOWINCKEL, S., Psalmenstudien II, a.a.O., S.230.
2) Ebd., S.324. Die Annahme eines Thronbesteigungstages
Jahwes, den MOWINCKEL in Parallele zur Thronbestei-
gungsfeier Marduks postuliert, ist jedoch sehr umstritten. Entscheidend für diese Frage ist die Übersetzung von יְהֹוָה מֶלֶךְ. MOWINCKEL übersetzt mit 'Jahwe
ist König geworden'(=Inthronisationsruf), wohingegen
sich in den letzten Jahren immer mehr die Auffassung
durchgesetzt hat, diesen Ausdruck mit 'Jahwe ist König'
(=Huldigungsformel) zu übersetzen. Auch kann die Frage
nach dem theologischen Ort einer 'Thronbesteigung Jahwes' nicht befriedigend beantwortet werden. Vgl. dazu
KRAUS, H.-J., Psalmen, BK XV/1, S.99-103; ders., BK XV/2,
S.844, wie auch CERNY, L., The day ..., a.a.O., S.41ff.

nisse von Gerhard von RAD. Er vertritt die Überzeugung, daß der Ursprung des 'Tages Jahwes' in der altisraelitischen Institution des Heiligen Krieges zu finden ist. [1]   Zu diesem Ergebnis kommt von RAD nach der
Untersuchung von Jes 13; 34; Ez 7; 30 und Joel 2. Alle
diese Stellen besagen für von RAD eindeutig, "daß es
sich bei dem von den Propheten erwarteten Tag Jahwes
eindeutig um ein Kriegsgeschehen handelt," [2]   ein
Kriegsgeschehen, bei dem Jahwe gegen seine Feinde auf-
steht und sie besiegt. Das Material, mit dem dieses
Kriegsgeschehen beschrieben wird, Naturkatastrophen wie
Theophanien, findet sich bei der jahwistischen Institution des Heiligen Krieges; [3]   es ist also altisraelitischen Ursprungs.
Wie von RAD betont, ist der Vorstellungskreis vom 'Tag
Jahwes' keinesfalls eschatologisch, "sondern war den
Propheten mit allen Einzelheiten aus der alten Jahwe-
überlieferung geläufig." [4]   Dies beweist die Verwendung des Ausdrucks 'Tag Jahwes' für bereits Vergangenes,
vgl. Ez 13,5; 34,12; Klgl 1,22; 2,22. [5]   Jedoch räumt

-----

1) Zum Verständnis ist es wichtig zu wissen, daß von RAD
   davon überzeugt ist, daß die Propheten nichts absolut
   Neues hervorbringen, sondern die alten jahwistischen
   Traditionen wiederaufnehmen, um sie zu aktualisieren.
   Vgl. dazu den Aufbau der beiden Bände Theol. AT I+II.

2) RAD, G. von, Theol. AT II, München [6]1975, S.132; ders.,
   The origine..., a.a.O., S.103.

3) ders., Der Heilige Krieg im Alten Israel, ATANT 20,1951.

4) ders., Theol. AT II, a.a.O., S.135.

5) ders., Art$_2$: ἡμέρα , Der 'Tag' im AT, in: ThWNT II,
   Stuttgart [2]1957, S.947:" Es darf ... die Erwartung eines Tages Jahwes nicht ohne weiteres in das umfassende
   Problem der israelitischen Eschatologie einbezogen werden ... So oft nun tatsächlich der Tag Jahwes in dieser
   Weise verstanden wurde, so muß doch von Fall zu Fall
   die Möglichkeit in Betracht gezogen werden, daß die Erwartung eines Tages Jahwes einem höchst wichtigen Ereig-

von RAD ein, daß der 'Tag Jahwes' auch eschatologisch gebraucht wurde, da die Propheten der Meinung
waren, "daß sich Jahwes letzter Aufbruch gegen seine
Feinde unter ähnlichen Zeichen ereignen wird wie in
den alten Zeiten ... das Ereignis hat sich zu einem
Phänomen von kosmischer Bedeutung ausgeweitet;" [1]
- der 'Tag Jahwes' wurde "eschatologisiert". [2]

Zusammenfassend drei Thesen zu von RADs Position:

- Der 'Tag Jahwes' beschreibt ein Kriegsereignis, das
  Erheben Jahwes gegen seine Feinde und seinen Sieg.
- Das Material, mit dem dieses Kriegsgeschehen beschrie-
  ben wird, ist altisraelitischen Ursprungs (Tradition
  des Heiligen Krieges).
- Der Vorstellungskreis des 'Tages Jahwes' ist ursprüng-
  lich nicht eschatologisch; er wurde jedoch von den
  Propheten eschatologisch ausgeweitet.

Es würde hier zu weit führen, die einzelnen Tag-Jahwes-
Stellen ausführlich zu behandeln, und so möchte ich,eine
tabellarische Aufstellung über das Vorkommen, die zeitliche Ansetzung und die Gerichtetheit des יום יהוה vor-
anstellend, das Ergebnis meiner Beschäftigung mit diesen
Textstellen kurz zusammenfassen. [3]

-----

nis in der Geschichte Israels gilt, das aber deshalb
noch nicht den Anbruch der Endzeit bedeutet."

1) RAD, G. von, Theol. AT II, a.a.O., S.135.

2) SCHUNK, K.-D., Strukturlinien in der Entwicklung der
   Vorstellung vom 'Tag Jahwes', in: VT 14(1964), S.320.

3) Ich referiere hier das Ergebnis meiner Diplomarbeit:
   'Der 'Tag Jahwes' bei den Propheten und in Klagelieder 2'.

	ISRAEL	FEINDVOLK , VÖLKER	
	Am 5,18-20		760
	Jes 2,12-17		740
	Zef 1,7.14-16 (Juda, Jerusalem)		630
		Jer 46,10 (Ägypten)	nach 605
	Ez 7,6a-9		vor 587
E	Ez 13,5		um 587
X	Klgl 2,20-22		nach 587
I		Ez 30,2-3 (Ägypten)	nach 587
L		Jes 13,2-18 (Babel)	um 539
	Mal 3,17-21 (Gottlosen Israels)		um 460
		Ob 15a.16-18 (Edom, Völker)	5.Jhdt.
	Joel 1,15; 2,1-11 (Juda)		erste Hälfte 4.Jhdt.
		Joel 3,3-5; 4,12-16 (Völker)	erste Hälfte 4.Jhdt.
	Sach 14,1-6 (Jerusalem)	Sach 14,12-15 (Völker, die gegen J. zogen)	erste Hälfte 3.Jhdt.

Den ersten schriftlichen Niederschlag des Themas vom
'Tage Jahwes' finden wir in Am 5,18-20, doch ist mit
einiger Sicherheit anzunehmen, daß dieser Ausdruck
nicht von Amos geprägt wurde, sondern sich schon in
vor(schrift)prophetischer Zeit eine ganz bestimmte
Vorstellung damit verband. Dies wird deutlich an Am
5,18:'Was nützt euch denn der Tag Jahwes?'. Dieser
Satzteil des Disputationswortes Am 5,18-20 bliebe unverständlich, wenn die Zuhörer des Amos nicht eine ganz
bestimmte (positive!) Vorstellung vom 'Tage Jahwes' ge-
habt hätten. So verstand man unter dem יוֹם יְהוָה in vor-
amosischer Zeit ein konkretes geschichtliches Eingreifen Jahwes zugunsten Israels, wie wir es aus den Berich-
ten des jungen Israels her kennen, als Jahwe vor Israel
herzog, um ihm im Kampf den Sieg über die Feinde zu bringen. Der יוֹם יְהוָה war dieser Tag, an dem durch Jahwes
tatkräftiges Eingreifen Israel den Sieg davontragen
konnte. In diesen Zusammenhang gehört auch die Ankündigungsformel כִּי קָרוֹב יוֹם יְהוָה, die das Vertrauen Israels auf die wirksame Hilfe Jahwes zum Ausdruck bringt.

Die damit vorausgesetzte Herkunft des יוֹם יְהוָה aus den
Jahwekriegen, scheint mir aus der Untersuchung der Texte zweifelsfrei hervorzugehen. Die Versuche von M. WEISS
und H.-M. LUTZ, [1] das Motiv des Krieges zu negieren
oder als unwesentlich an die Seite zu stellen, führt
nur durch eine extreme 'Scheuklappentaktik' zum Erfolg.
H.-M. LUTZ muß ja selbst zugeben: "Der Tag Jahwes ist

-----

1) Vgl. WEISS, M., The Origin of the 'Day of the Lord' -
   Reconsidered, in: HUCA 37(1966), S.29-71; LUTZ, H.-M.,
   Jahwe, Jerusalem und die Völker. Zur Vorgeschichte
   von Sach 12,1-8 und 14,1-5. Diss. Mainz 1966, WMANT
   27, bes. S.130-146.

auch Krieg,aber nicht nur Krieg," [1]   was richtig
ist, da gerade die Theophanie auch ein wichtiges
Strukturelement des יוֹם יְהוָה wie auch der Jahwekrie-
ge darstellt.

Explizit kommt das Thema 'Krieg' bei den aufgeführten
Texten in Zef 1,16; Jer 46,10; Ez 7,15; 13,5; Klgl 2,
20-22; Ez 30,3ff; Jes 13,3.15f.18; Ob 16; Joel 2,1ff;
3,3; 4,13ff und Sach 14,1ff vor, doch implizit auch
bei Amos. Jes 2 nimmt eine Sonderstellung ein, da hier
der Prophet die Aussagekraft des geprägten Themas vom
יוֹם יְהוָה in den Dienst seiner Verurteilung der Hybris
der Menschen und der Verherrlichung der Hoheit Jahwes
stellt.

Die Verwurzelung des 'Tages Jahwes' in den Jahwekriegen
brachte es natürlich mit sich, daß dieser politisch-
national in dem Sinne geprägt wurde, daß man von einem
in der Zukunft liegenden 'Tag Jahwes' wiederum, wie
in der Zeit der Seßhaftwerdung, Sieg und damit Glück
für Israel in einer Schlacht mit einem Feindvolk er-
hoffte. Selten waren die Tage, an denen Israel nicht
von irgendeiner, meist übermächtigen Macht bedroht wurde, und so kann man sich gut vorstellen, daß die Hoffnung und die Sehnsucht nach einem baldigen 'Tag Jahwes'
wach und lebendig blieb.

Leider nicht so lebendig wie die Erinnerung an die siegreichen 'Tage Jahwes', deren innere Begründung in der
Erwählung Israels zum Gottesvolk liegt, blieb das Bewußt-
sein, daß Israel als Gottesvolk der Wegweisung Jahwes in
besonderer Weise verpflichtet war. Die Propheten waren
es dann, die die Thora mit ihrem Segen für die Gehorsa-
men und mit ihrem Fluch für die Ungehorsamen und Abtrün-

-----

1) LUTZ, H.-M., Jahwe..., a.a.O., S.146.

nigen wieder in die Mitte stellten. So ist es zu erklären, daß Amos einen יוֹם יְהוָה über Israel ansagen
kann, da das Gottesvolk sich von der Wegweisung Jahwes
entfernt hatte und sich ob dieses Ungehorsams den
Zorn Jahwes zugezogen hatte. Die Propheten schufen damit eine Ambivalenz des 'Tages Jahwes', die sich am
Einhalten von Recht und Gerechtigkeit von Seiten Israels orientierte.

Die prophetische Verkündigung des יוֹם יְהוָה über Israel
hat primär ihren Sinn darin, das Volk aufzurütteln und
zur Umkehr zu bewegen. Die Gerichtspredigt ist das 'In-
die-Bresche-Treten' (Ez 13,5) für das Volk, der Mauerbau
gegen den 'Tag Jahwes'. So steht die Androhung des 'Tages Jahwes' in einer Reihe mit anderen Gerichtsaussagen
der Propheten, jedoch mit der besonderen Betonung des
persönlichen Eingreifens Jahwes (Theophanie) und des
kriegerischen Charakters des Strafgerichtes, was beides
die Herkunft des יוֹם יְהוָה aus der Tradition der Jahwe-
kriege wahrscheinlich macht.

Der 'Tag Jahwes' kann in der Zukunft erwartet werden,
aber es kann auch auf ihn als ein Ereignis der Vergangenheit zurückgeblickt werden. Diese Beobachtung wehrt einer umfassenden eschatologischen Interpretation des Ausdrucks יוֹם יְהוָה. Unanzweifelbarer Beleg dieser Tatsache
ist Klagelieder 2, da dort der Untergang Jerusalems als
der von den Propheten des siebten und achten Jahrhunderts
angekündigte 'Tag Jahwes' angesehen wird. Die exilisch-
nachexilische Prophetie hat dieses Ereignis in derselben
Weise gedeutet, was die weitere Entwicklung der Vorstellung vom 'Tage Jahwes' (bringt Heil für das jahwetreue
Israel) belegt. Schon das aus Am 5,18-20 geschlossene
voramosische Verständnis vom 'Tage Jahwes' ließ den Schluß
zu, daß Amos' Hörer auf verschiedene 'Tage Jahwes', an
denen Jahwe Israel den Sieg über Feinde gab, zurückblik-
ken konnten.

Einen universalen und damit eschatologischen Charakter des 'Tages Jahwes' ist meines Erachtens erst in spätexilischer Zeit, beginnend mit Jes 13, zu erkennen.[1] Den 'Tag Jahwes' bei Amos eschatologisch-universal interpretieren zu wollen, geht an der Botschaft des Amos vorbei; hier wie auch in Jes 2 gibt es keinen Bruch, hinter dem völlig Neues entstehen würde. Die universaleschatologischen Partien von Zefanja (1,2-3.17-18), sind als sekundäre Übermalungen anzusehen.[2] So ist unter dem 'Tag Jahwes' in vorexilischer Zeit zweifelsfrei ein innergeschichtlicher Gerichtstag verstanden worden, wie er 722 und 587 v. Chr. dann auch eingetroffen ist. Die Eschatologisierung des 'Tages Jahwes' setzte in dem Moment ein, als Jahwe durch die erwartete und dann auch verwirklichte Heimführung aus dem Exil wieder, wie zu der Zeit der Herausführung aus Ägypten und der Heraufführung in das Gelobte Land, auf der Seite Israels stand (Jes 13; Ob; Joel 3 und 4; Sach 14; Mal 3).

Den Verlauf der Geschichte des 'Tages Jahwes' über die fünf Jahrhunderte könnte man überblickshaft so darstellen:

1. Der 'Tag Jahwes' wurde von Israel erwartet als ein Tag, an dem sich Jahwe seines Volkes annimmt, es aus der Knechtschaft und Unterdrückung befreit, indem er es zu einem glanzvollen Sieg über seine Feinde und Bedrücker führt (voramosisch).

2. Die auf die Erwählung basierende Hoffnung Israels auf einen heilvollen 'Tag Jahwes' wird von den vorexilischen Propheten zerstört, da Israel in dauerndem Bun-

-----

1) SCHUNK, K.-D., Strukturlinien, a.a.O., S.324; er möchte auch vorexilisch eschatologische Momente annehmen.
2) Vgl. die Abschnitte 4.3.2. und 4.3.5.

desbruch mit seinem Gott lebte. Die Zuwendung Jahwes, die sich in seinen Taten an den יָמִים יְהֹוָה
zeigte, wurde mit Füßen getreten. So wird der יוֹם
יְהֹוָה als Gerichtstag über das bundesbrüchige Volk
angekündigt, der unweigerlich hereinbrechen wird,
wenn das Volk nicht zu Jahwe umkehrt. Doch nicht
allein Israel ist betroffen, auch die anderen Völker, die das Jahwerecht nicht achten (Amos; Jesaja 2;
Zefanja; Jeremia; Ezechiel 7).

3. Der große יוֹם יְהֹוָה über Israel brach dann 587 v. Chr.
herein. Jahwe bringt an der Spitze der babylonischen
Truppen Verderben über sein abgefallenes Volk und
führt es in die Verbannung (Ez-echiel 13 und Klagelieder).

4. Die brennende Frage des dezimierten Jahwevolkes während der Verbannung: 'Hat Jahwe durch sein Gericht
sein Sonderverhältnis zu Israel für immer aufgekün-
digt?', wird von den spätexilisch-nachexilischen Propheten negativ beantwortet. Jahwe beginnt mit seinem
Volk wieder von vorne: ein neuer Exodus, ein neuer
Bund. Die damit beginnende eschatologische Komponente des 'Tages Jahwes', der nun als das endzeitliche
Gericht Jahwes verstanden wird, teilt sich in zwei parallel verlaufende Stränge:

a) Wiederaufnahme der voramosischen Konzeption, jetzt
   aber eschatologisch ausgerichtet. Der 'Tag Jahwes'
bedeutet Heil für Israel und Unheil für die Völker.
Insbesondere werden die Bedrücker Israels bestraft:
Babel (Jesaja 13), Edom (Obadja) und alle Völker, die
gegen Jerusalem gezogen sind (Sacharja 14,12ff). Für
sich betrachtet gehört auch Joel 4 zu dieser Gruppe.

b) Die ethische Komponente der vorexilischen Propheten
   bleibt erhalten: nur der bundestreue Teil Israels
wird am endzeitlichen 'Tag Jahwes' triumphieren. Die

alleinige Zugehörigkeit zum Volke Israel genügt
nicht, die persönliche Hinwendung zu Jahwe ist das
Maß, das über das Ergehen am eschatologischen Gerichtstag Jahwes entscheidet (Maleachi 3). Israel
wird also vor die Wahl gestellt: Kehrt es um zu Jahwe, so wird es am יום יהוה Bestand haben und Rettung
auf dem Zion finden (Joel 3 und 4), verschließt es
sich aber dem Umkehrruf der Propheten, so wird über
es das furchtbare Gericht Jahwes hereinbrechen (Joel
1,15; 2).

5.1.7. Zefanja 1,7.14-16: Der große Tag Jahwes

7 a   *Stille vor dem Herrn Jahwe!*
  b   *Denn nahe ist der Tag Jahwes,*
         denn Jahwe hat ein Schlachtopfer bereitet,
         seine Gäste geheiligt.

14 a   *Nahe ist der Tag Jahwes, der große.*
         Er ist nahe, schnell kommt er herbei.
   b   *Der Tag Jahwes ist schneller als ein Läufer,*
         und rascher als ein Held.

15 a   *Ein Tag des Zorns ist jener Tag,*
   b   *ein Tag der Not und der Bedrängnis,*
         ein Tag der Unwetter und Verwüstung,
         ein Tag der Finsternis und des Dunkels,
         ein Tag der Wolke und der Dunkelheit,

16 a   *ein Tag des Horns und des Kriegsgeschreis*
   b   *wider die festen Städte und hohen Zinnen.*

I   Die Einheitlichkeit dieses Textstückes Zef 1,7.
14-16 ist höchst umstritten. Die Zusammengehörigkeit von Zef 1,14-16 liegt klar auf der Hand (Explikation des Tages Jahwes), jedoch nicht die Bindung des Verses Zef 1,7 an diese Einheit. Die meisten Kommentatoren
behandeln den Vers Zef 1,7 entweder als eigene Einheit [1]
oder verbinden ihn mit Zef 1,(2)4-6 bzw. 1,8-(9)13. [2]
Ältere Kommentatoren setzten Zef 1,7 auch vor Zef 1,2
mit der Begründung, daß dadurch die Ankündigung des Tages Jahwes gleichsam der Rahmen des ganzen ersten Kapitels sei. [3]   Eine weitere Möglichkeit, der ich den Vor-

-----

1) So IRSIGLER, H.; ELLIGER, K.; TAYLOR, C.L.jr.; RINALDI, P.G.; HORST, F.

2) Für Zef 1,7-9 plädieren DEDEN, D.; BIC, M.; RAMIR, A.; EAKIN, F.E.jr.; BUCK, F.; IHROMI; VAWTER, B.; SCHÜNGEL-STRAUMANN, H.; DUHM, B.; für Zef 1,7-13 KELLER, C.-A.; MORGAN, G.C.; WATTS, J.D.W.; für Zef 1,4-7 GEORGE, A.; KEIL, C.F.; KLEINERT, P.; LAETSCH, T.; MURPHY, R.I.A.; für Zef 1,2-7 RUDOLPH, W.

3) So z.B. MARTI, K., KHC XIII, a.a.O., S.358.363.

zug geben möchte, ist die Angliederung von Zef 1,7
an Zef 1,14-16. [1]   Diese Umstellung trägt folgenden
Gründen Rechnung:

- Zef 1,7 liegt störend zwischen den Gottesreden Zef
  1,4-5 und Zef 1,8-9. [2]
- Der in Zef 1,7 explizierte Gedanke vom Anbruch und
  der Nähe des Tages Jahwes wird in den direkt anschlie-
  ßenden Versen nicht weiterverfolgt, erst in Zef 1,14.
  Selbstverständlich sprechen die Einheiten Zef 1,4-5
  und 1,8-9 auch vom Tage Jahwes, jedoch nicht im direkten Bezug auf ihn, wie es in Zef 1,7.14-16 der
  Fall ist. So steht Zef 1,7 heute als explizite Ankündigung des Tages Jahwes in Umrahmung von impliziten
  Begründungen desselben. Die Ursprünglichkeit dieser
  Stellung ist daher anzuzweifeln.
- Zef 1,7 verlangt eine Fortsetzung (welche nicht in Zef
  1,8ff zu finden ist; siehe Anm. 2). Was sollte der Prophet mit diesem kleinen Ausspruch, der ohne die Verbindung zu Zef 1,14-16 gar nicht richtig gedeutet werden kann, bei seinen Zuhörern wohl bewirken wollen?
  Eine Rückfrage der Hörer wäre auf jeden Fall zu erwarten, etwa in einem Hinweis nach der Art von Zef 1,12bδ
  oder allgemein als höhnische Frage nach der Nähe des
  Tages Jahwes. Auf solche Entgegnungen wäre Zef 1,14-16
  eine Antwort des Propheten.

-----

1) Mit CORNILL, C.H., Die Prophetie Zephanjas, in:ThStKr
   89(1916), S.302; SELLIN, E., KAT XII/2, Leibzig 1930,
   S.425; DEISSLER, A., Sophonie, a.a.O., S.447; KRINETZKI,
   G., Zefanjastudien, a.a.O., S.223; SEKINE, M., Zephanjabuch, in: BHH III, Göttingen 1966, Sp.2233; WEISS,H.,
   Zephanja c.1, a.a.O., S.3f. Einige dieser Autoren ziehen noch Zef 1,17-18 zu dieser Einheit.
2) Die Verse Zef 1,8-9 können unmöglich als Explikation zu
   Zef 1,7 gelten (gegen DUHM, B., Anmerkungen, a.a.O., S.34),
   da Zef 1,8f ein Drohspruch aber keine Gerichtsbeschrei-
   bung ist, die das Schlachtopfer von Zef 1,7 ausführen
   könnte.

- Die inhaltliche Verwandtschaft von Zef 1,7 und Zef
  1,14-16 ist offensichtlich. Die Ankündigungsformel
  קָרוֹב יוֹם יְהוָה findet sich in Zef 1,7bα und 1,14aα.
  Deutlich wird hier wie dort die Aktivität Jahwes,
  der diesen Tag herbeiführt (siehe besonders Zef 1,7bβ
  und die Theophanieschilderung Zef 1,15b).

Nimmt man diese Argumente zusammen, so scheint die Umstellung des Verses Zef 1,7 vor Zef 1,14-16 gut begründet zu sein. Die oben angeführten Alternativvorschläge
stehen demgegenüber auf recht schwachen Beinen, da sie
inhaltliche wie formale Bedenken nicht ausräumen können.
So werden wir Zef 1,7 mit der Angliederung an Zef 1,14-
16 am ehesten gerecht, zumal Zef 1,14aα als wiederholen-
der und bestätigend verstärkender Rückverweis auf Zef
1,7bα angesehen werden kann.

Die Gründe für die Abtrennung des Verses Zef 1,7 von Zef
1,14-16 sind schwer nachzuvollziehen. Die wohl plausi-
belste Erklärung ist, daß ein früher Redaktor (die Abtrennung muß sehr früh stattgefunden haben, was der Rückverweis von Zef 1,8aα belegt) die authentischen Einheiten Zef 1,8aβ-9aβ.b; 1,10aβ-11 und 1,12aβ-13a enger mit
der Verkündigung des Tages Jahwes verknüpfen wollte und
deshalb durch die Umstellung von Zef 1,7 gleichsam einen
Rahmen um diese Einheiten schuf. Diese Redaktion dürfte
dann auch für die Einleitungen von Zef 1,8aα; 1,10aα und
1,12aα 1) verantwortlich sein, die durch ihren Hinweis-
charakter auf den Tag Jahwes diesem Anliegen voll entsprechen.

Das Ende unserer Einheit mit dem Vers Zef 1,16 liegt darin begründet, daß mit Zef 1,17 Gottesrede beginnt, während in Zef 1,7.14-16 Prophetenrede vorliegt und der Stil

-----

1) Siehe zu den Einleitungen den Abschnitt 4.4.4.

dieser Verse abrupt mit Zef 1,16 endet. [1]
Die Authentizität dieser Einheit darf als gesichert
gelten, da alle authentischen Einheiten des ersten
Kapitels wie auch Zef 3,1-4.6-8bδ auf diesen Gerichtstag Jahwes, der in Zef 1,7.14-16 expliziert wird, durch
ihre Strafandrohungen und Schuldaufweise hinarbeiten.
Die Authentizität ist darüber hinaus auch allgemein anerkannt.

II   Unsere Einheit ist Prophetenrede. Das Zentral-
       thema ist der 'Tag Jahwes'. Seine Nähe wird ver-
kündet (Zef 1,7bα und 1,14aαβ), seine Größe (Zef 1,
14aα),seine Unberechenbarkeit bedingt durch die Schnelligkeit seines Kommens (Zef 1,14aβ.b). Die dreimalige
Erwähnung von יוֹם יְהוָה in Zef 1,7.14.14 wird in Zef 1,15f
mit dem kurzen יוֹם bzw. הַיּוֹם הַהוּא aufgenommen, insgesamt
siebenmal (7 = die Zahl der Totalität). [2]   Mit dieser
Aufnahme von יוֹם wird der Tag nun inhaltlich beschrieben, so wie ihn diejenigen, über die er kommen wird, er-
leben werden. Deutlich sind darin Züge der Theophanie
(Zef 1,15b) und der kriegerischen Auseinandersetzung (Zef
1,16) zu erkennen.
Es ist keine Frage, wen dieser Tag als Gerichtstag treffen wird: es ist Juda und besonders die Hauptstadt Jerusalem angezielt, dieselben Adressaten, die in all den vorangegangenen authentischen Teilen des ersten Kapitels
(diese sind identisch mit den in Zef 3,1-4.6-8bδ Angespro-

-----

1) Vgl. dazu in 5.1.8. Abschnitt I.
2) Vgl. Gen 1 - Sieben Tage der Erschaffung der Welt,
   der Erschaffung von allem, was existiert.

chenen) beschrieben wurden. [1)]   In diesen Versen wird
nun gesagt, daß das dort Angesagte auch wirklich eintreffen wird und unter welchen Begleiterscheinungen:
Jahwe selbst wird kommen und seine Hand wider Juda und
Jerusalem ausstrecken (Zef 1,4a), er wird jetzt den
Götzendienst vertilgen (Zef 1,4b.5), jene zur Rechenschaft ziehen, die sich von ihm entfernt haben durch die
Annahme fremdländischer Gewohnheiten, die sich am Mitmenschen vergangen haben und die nicht mehr damit rechnen,
daß Jahwe für Recht und Gerechtigkeit eintritt (Zef 1,8-
12; 3,1-4). So sind die hier angeführten Verse als Begründung der jetzt hereinbrechenden Strafe anzusehen
(vgl. Zef 3,6-8bδ).
Aus dem Gesagten wird deutlich, daß Zefanja hier den Tag
Jahwes in klassisch prophetischer Weise ankündigt, d.h.
dieser Tag kommt nicht nur über die Fremdvölker (Zef 3,6),
sondern in ganz besonderer Weise auch über das Bundes-
volk, wenn sich dieses am Jahwerecht und der Alleinzigkeit Jahwes vergangen hat. Durch solches Handeln wird
der Erwählungsauftrag, Zeichen zu sein unter den Völkern
für das Jahwerecht, negiert. [2)]
Von daher wird auch das Bild vom Schlachtopfer in Zef 1,7
verständlich. Das 'Opfermaterial' ist das bundesbrüchige
Volk, die in Zef 1,4-13; 3,1-4.6-8 angesprochenen Judäer
und Jerusalemer. Jahwe selbst ist es, der das Opfer bereitet und damit wiederum der selbstsicheren Aussage von
Zef 1,12bδ widerspricht. Sein Kommen zum Gericht wird wie

-----

1) Gegen EATON, J.H., Torch Bible Commentary, London 1961,
   S.131, der annimmt, Zef 1,14ff sei als Gericht über die
   ganze Welt zu verstehen. So auch, aber wohl von EATON
   abhängig, CARSON, J.T., Zephaniah, in: New Bible Commentary Revised, London [3]1970, S.777.

2) Vgl. den Exkurs: Der 'Tag Jahwes' - יוֹם יהוה.

eine kultische Feier in Szene gesetzt: [1] 'Stille
vor dem Herrn Jahwe!' (Zef 1,7aα). Dieser Aufruf, der
noch in Hab 2,20 und Sach 2,17 (dort jedoch ohne אֲדֹנָי)
begegnet, war der Aufruf des Priesters zu ehrfürchtiger
Stille vor der Theophanie Jahwes im Tempel. Es ist leicht,
sich vorzustellen, welchen Eindruck dieser Aufruf Zefanjas auf seine Zuhörer gemacht hat. Er war kein Kult-
prophet und sprach diese Worte wahrscheinlich an irgend-
einem öffentlichen Versammlungsort, wegen des Kultkolo-
rits des Spruches vielleicht auf dem Tempelplatz vor
der Tempelgemeinde. [2] Das Erstaunen seiner Zuhörer
und die Spannung auf das, was er nun weiter sagen würde, waren dem Propheten sicher. Zefanja bleibt bei der
Analogie mit der Kultfeier und setzt den Tag Jahwes mit
einem Schlachtopfer gleich. Doch bevor Zefanja diese
Entsprechung, die für seine Zuhörer sicher höchst er-
staunlich war, einführt, verkündet er die Nähe des Tages Jahwes : כִּי קָרוֹב יוֹם יְהוָה. [3] Dieser Ausdruck

-----

1) Daraus auf eine gewisse Affinität des Tages Jahwes zum
   Kultus zu schließen, wie dies LUTZ, H.-M., Jahwe.., a.
   a.O., S.141, tut, halte ich für verfehlt. Es ist hier
   kultischer Sprachstil gewählt, um das Bild 'Gericht =
   Schlachtopfer" aufzubauen, aber es ist weder der Tempel vorausgesetzt, noch spielt der Kult in den prophetischen Parallelen der Beschreibung eines Tages Jahwes
   eine Rolle. Gleichfalls ist die Deutung von SCHÜNGEL-
   STRAUMANN, H., Israel.., a.a.O., S.9f abzulehnen, die
   in Zef 1,7 eine Kultkritik nach der Art von Am 5,21-25;
   Jes 1,10-17 sehen möchte. Auch eine Ironisierung des
   synkretistischen Kultes der Zeitgenossen ist in Zef 1,7
   nicht angezielt (gegen IHROMI, Amm ani wadal nach dem
   Propheten Zephanja, Diss. Mainz 1972, S.62).

2) Vgl. die Reden des Propheten Amos vor der Tempelgemeinde in Bethel (Am 7,12ff).

3) Vgl. IRSIGLER, H., Gottesgericht, a.a.O., S.323ff; LUTZ,
   H.-M., Jahwe.., a.a.O., S.140-144; MÜLLER, H.P., Ursprün-
   ge und Strukturen alttestamentlicher Eschatologie, in:
   BZAW 109(1969), S.74-77.

findet in der nachzefanjanischen Verkündigung des
Tages Jahwes formelhaften Gebrauch, doch ist nicht
anzunehmen, daß Zefanja hier als Schöpfer des Struktur-
elements der 'Naherwartung' des Tages Jahwes anzusehen
ist, wie es SCHUNK und EGGEBRECHT vertreten. [1]
Insgesamt begegnet uns diese Formel (mit Abweichungen)
neunmal im Alten Testament:

כִּי קָרוֹב יוֹם יְהֹוָה : Zef 1,7; Jes 13,6; Joel 1,5;
4,14; Ob 15.

כִּי־בָא יוֹם־יְהֹוָה כִּי קָרוֹב : Joel 2,1

כִּי־קָרוֹב יוֹם וְקָרוֹב יוֹם לַיהֹוָה : Ez 30,3

ohne das begründende כִּי:

קָרוֹב יוֹם יְהֹוָה : Zef 1,14

קָרוֹב הַיּוֹם : Ez 7,7 [2]

Hier in Zef 1,7 findet sich dieser Ausdruck zum erstenmal, doch zeigt die Verwendung dieser Formel durch relativ viele Schriftpropheten, die nur in wenigen Fällen (so z.B. Joel) literarisch von Zefanja abhängig sind, daß die Formel selbst älter sein muß. [3]   Wo aber mag ihr ursprünglicher Sitz im Leben gewesen sein? Gerhard von RAD machte den Vorschlag, die Formel als den Ruf an-

-----

1) SCHUNK, K.-D., Strukturlinien in der Entwicklung der
Vorstellung vom 'Tag Jahwes', in: VT 14(1964), S.319-
330; EGGEBRECHT, G., Die früheste ..., a.a.O., S.46.

2) Die meisten Kommentatoren lassen Ez 7,7 bei der Untersuchung der Ankündigungsformel unbeachtet. Da es
jedoch außer Zweifel steht, daß mit קָרוֹב הַיּוֹם der
'Tag Jahwes' angekündigt wird, gehört auch diese Stelle in unsere Reihe.

3) Vgl. dazu HEINTZ, J.-G., Aux Origines d'une expression
biblique: ūmūšū qerbū, in A.R.M., X/6,8'?, in: VT 21
(1971), S.528-540, der in umusu qerbu eine Art Vorlage
für das biblische כִּי קָרוֹב יוֹם vermutet.

zusehen, "mit dem man ehedem die Mannschaft zur Hee-
resfolge aufgeboten hat, oder ... mit dem man einst
mit Jahwe in die Schlacht zog." [1)]   Dieser Vorschlag
hat Zustimmung aber auch scharfe Kritik gefunden, doch
erscheint mir besonders der zweite Teilsatz dieser
Lösung als annehmbar. Alle Texte weisen besonders auf
die Führung und die Initiative Jahwes hin, was 'das'
Kennzeichen der Kriege war, die Jahwe mit seinem Volke
einstmals führte. In diesem Ruf drücken die Israeliten
ihr Vertrauen aus, daß Jahwe mit ihnen in den Kampf
zieht, mit und für sie streitet, um ihnen den Sieg über
noch so übermächtige Feinde zu schenken.
Doch dieser Zusammenhang wird von Zefanja nun in echt
prophetischer Weise zerbrochen (vgl. Am 5,18-20). Der
Ruf 'nahe ist der Tag Jahwes' wird das Volk nicht mehr
zum Jubeln bringen, sondern ihm Schrecken einjagen, da
Jahwe nicht mit ihnen, sondern ob ihres gottlosen Handelns nun gegen sie kämpfen wird. Der Bund, der mit einem זֶבַח begann (Ex 24,4-11; Ps 50,5), wird im Richten
Jahwes über die Bundestreue seines Volkes wiederum zu
einem זֶבַח, doch wird dieses Communioopfer zur tödlichen
Bedrohung für die Abtrünnigen.
Jahwe selbst ist der Veranstalter dieses זבח des Gerichtes. Parallelen dazu finden wir in Jes 34,6; Jer 46,10
und Ez 39,17: [2)]

Jes 34,6: 'Das Schwert des Herrn ist voll Blut, es trieft
vom Fett, vom Blut der Lämmer und Böcke, vom
Nierenfett der Widder; denn der Herr hält in
Bozra ein Opferfestab, ein großes Schlachtop-

------

1) RAD, G. von, Theol. AT II, a.a.O., S.132.
2) Vgl. WEISS, M., The Origin ..., a.a.O., S.55f; RAD,
   G. von, Theol. AT, a.a.O., S.131.

ferfest in Edom (Jes 34,2b: Er hat sie (die
Völker) zum Untergang geweiht und zum Schlachtopfer bestimmt).'

Jer 46,10: 'Doch jener Tag ist ein Tag der Rache für
den Herrn, den Gott der Heere; er rächt sich
an seinen Gegnern. Da frißt das Schwert, wird
satt und trunken von ihrem Blut. Denn ein
Schlachtopfer hält der Herr, der Gott der Heere, im Land des Nordens am Euphratstrom.'

Ez 39,17: 'Du aber, Menschensohn – so spricht Gott, der
Herr – sag zu allen Vögeln und zu allen wilden
Tieren: Versammelt euch und kommt her! Von überall kommt zu meinem großen Opfer, das ich für
euch schlachte, zu meinem großen Opfer auf den
Bergen Israels, kommt, und freßt Fleisch und
trinkt Blut!'

Die Jesaja- und Jeremiastelle weisen durch sich selbst
und den Zusammenhang, in dem sie stehen, auf die Interpretation eines Kriegsgeschehens als Schlachtopfer (=
Gericht) Jahwes hin (vgl. die Rolle des Schwertes!).
In Ez 39,17 ist der Kriegscharakter nicht so deutlich,
da hier das Mahlelement, welches in Jes 34,6 und Jer 46,
10 fehlt, im Zentrum steht. Jedoch wird durch das 'Opfermaterial', als welches neben Tieren auch Helden, Reiter
und Krieger (Ez 39,18.20) genannt sind, deutlich ein
Kriegsgeschehen vorausgesetzt. [1]
Alle drei angeführten Texte sind jünger als Zef 1,7,
doch illustrieren sie, daß ein Strafgericht Jahwes als
Schlachtopfer dargestellt werden konnte. Das Unterschei-
dende der Zefanjastelle liegt im Opfermaterial, bei dem
es sich hier um das abtrünnige Jahwevolk handelt, in Jesaja, Jeremia und Ezechiel jeweils um Fremdvölker. [2]

-----

1) Vgl. auch Ez 38,21: Aufruf zum Krieg gegen Gog; Ez 39,
9: Kriegsausrüstung Israels; Ez 39,11-16: Aufforderung,
die in der Schlacht Gefallenen zu begraben.

2) Analog zu Zef 1,7 wäre auch Klgl 2,21f zu betrachten,
wo der Untergang Jerusalems mit einem Festtag verglichen wird, an dem Jahwe geschlachtet hat (טָבַח).

Dies wird zwar aus dem Vers Zef 1,7 alleine nicht
deutlich, doch der Zusammenhang des ganzen Kapitels
läßt keine andere Deutung zu.

Völlig unannehmbar ist dagegen die Position von NICOL-
SKY, [1] der annimmt, Zefanja hätte mit dem יוֹם זֶבַח
יְהוָה eine " der bevorstehenden Paschanächte" [2] gemeint, den Terminus זֶבַח anstelle von פֶּסַח jedoch verwendet, um seine Drohung nicht zu enthüllen. Als Beweis für diese Verbindung von זֶבַח und פֶּסַח in Zef 1,7
führt er 'die auf der Hefe dick geworden' aus Zef 1,12
an, für ihn "eine deutliche Anspielung auf die, die
das Pascharitual nicht halten, welches ungesäuerte Bro-
te für das Paschamahl verlangte." [3]

NICOLSKY übersieht damit den Bildcharakter von Zef 1,12bβ
und seine Beziehung zu Zef 1,12bδ. Zu Zef 1,7 ist zu sagen, daß die angeführten Beispiele bei anderen Propheten
deutlich belegen, daß kultische Sprache und Ritual von
den Propheten (keine Kultpropheten) zur Ankündigung
von Strafe und Gericht verwendet wurden, ohne daß damit
der Tempelkult angezielt ist oder man darauf schließen
müßte, die Propheten seien Kultpropheten. [4]

Die Frage nach der Identität 'seiner Gäste' wird sehr
unterschiedlich beantwortet: [5] die einen sehen in den
Gästen das zum Opfer bestimmte abtrünnige Gottesvolk (nach
Jer 12,5, wo heiligen = dem Untergang weihen), andere denken in Anlehnung an Ez 39,17 an Vögel und wilde Tiere,
wieder andere an Feindvölker oder an himmlische Mächte. Die
einzige Lösung, die nicht auf reine Spekulation angewie-

-----

1) NICOLSKY, N.W., Pascha im Kult des jerusalemischen Tempels I, in: ZAW 45(1927), S.187ff, besonders S.188ff.

2) ders., ebd., S. 189.

3) Ebd., S.189; vgl. dazu auch 5.1.4.

4) So EATON, J.H., TBC, a.a.O., S.122.128.

5) Vgl. dazu die ausführlichen Anmerkungen 210-212 bei
   IRSIGLER, H., Gottesgericht, a.a.O., S.292f.

sen ist, da sie Fundament im Kontext hat, ist die
Annahme, daß mit den Gästen ein feindliches Heer gemeint ist, welches das Strafgericht an seinem Volk voll-
zieht. [1]   Als späteres Beispiel kann Klgl 2,22 angeführt werden: 'Wie zum Festtag hast du gerufen die
Schrecken ringsum'. Mit den 'Schrecken' sind hier,
da es um den Untergang Jerusalems 587 v. Chr. geht, die
Babylonier gemeint. Deutlich wird ausgedrückt, daß Jahwe
es war, der sie gerufen (קָרָא) hat. Das hebräische Wort,
das in Zef 1,7bγ mit 'seine Gäste' übersetzt wurde, heißt
wörtlich 'seine Gerufenen'(קָרֻאָיו).
Der Schluß liegt also nahe, die Gäste Jahwes bei seinem
Schlachtopfer = Strafgericht mit den feindlichen Heeren
zu identifizieren, welche schon bald (קָרוֹב יוֹם יְהוָה)
über Juda/Jerusalem hereinbrechen werden. Auch das als
'Tag Jahwes' bezeichnete Gericht über Babylon (Deuterojesaja, Jes 13) geschieht durch gerufene, geheiligte
Krieger (מְקֻדָּשִׁים): 'Ich selbst habe meine heiligen Krieger aufgeboten, ich habe sie alle zusammengerufen'. Auch
Zef 1,7bγ heißt es:' seine Gäste geheiligt'. Heiligkeit
und Krieg widersprechen sich im Alten Testament nicht,
sondern sind wie Jes 13,3 zeigte nahe verwandt. Der Auf-
gebotsruf zum Kriege heißt: ... קַדְּשׁוּ מִלְחָמָה עַל - 'heiligt
den Krieg gegen'(vgl. Jes 6,4; Mich 3,5; Joel 4,9; 1 Sam
21,5-6). SABOTTKA übersetzt daher Zef 1,7bγ: " er hat geheiligt sein Aufgebot". [2]
Die Zuhörer Zefanjas mögen nach diesem ersten Spruch noch
gar nicht verstanden haben, daß dieser Tag Jahwes über sie

-----

1) Siehe dazu auch Zef 3,8; Abschnitt 5.1.6.
2) SABOTTKA, L., Zephanja, in: BibOr 25(1972), S.34.

194

selbst hereinbrechen wird. Erst in Verbindung mit den
Versen Zef 1,14-16 wird es ihnen bewußt geworden sein,
wie Zef 1,7 wohl zu verstehen sei, daß sie die Opfer
dieses Schlachtfestes sein würden, nicht die fröhlich
Mitfeiernden.

So nimmt Zef 1,14 das Thema von Zef 1,7 wieder auf und
bekräftigt zweifach die Nähe des Eingreifens Jahwes an
diesem Tag (קָרוֹב ... קָרוֹב יוֹם יְהוָה). Doch neben der
bedrohlichen Nähe dieses Tages Jahwes, beschreibt der
Vers Zef 1,14 diesen Tag noch näher: er ist der große
Tag, an dem sich alles und alle anderen als klein erweisen werden. In Joel 2,11 finden wir eine verwandte
Formulierung: 'Denn groß ist der Tag Jahwes und gar
furchtbar. Wer kann ihn ertragen?'. Doch zu der Größe
des Tages Jahwes tritt noch die Schnelligkeit, d.h. die
Unentrinnbarkeit.[1]   Die Nähe, Größe, Schnelligkeit
versperren den betroffenen Menschen jeden Ausweg zur
Flucht; der Tag Jahwes wird mit absoluter Gewißheit
über sie kommen. Die Bestimmung der Schnelligkeit durch
den Vergleich mit einem Läufer bzw. einem Helden, ist
nicht ungewöhnlich. Ib 9,25:' Schneller als ein Läufer
eilen meine Tage'; vgl. auch Ps 19,6; Joel 2,7; Ib 16,
14. [2]

Nach dieser äußeren Beschreibung des Tages Jahwes malen
die Verse Zef 1,15 und 1,16 ein poetisches Bild der Ereignisse, die diesen Tag inhaltlich bestimmen werden.
Dies geschieht in fünf stereometrischen Wortpaaren (Dop-
pelzweier; Zef 1,15b und 1,16a), die in Zef 1,16a dann
die konkrete Zielrichtung dieses Tages erkennen lassen.

-----

1) Vgl. Hab 1,8; Unentrinnbarkeit ist auch der Grundgedan-
   ke in Am 5,18-20.
2) Siehe KRINETZKI, G., Zefanjastudien, a.a.O., S.75.

Diesen fünf Wortpaaren übergeordnet erscheint Zef
1,15a, der gleichsam den Ausgangspunkt all dieser
Geschehnisse nennt: den Zorn Jahwes. Die Botschaft
vom Zorn Jahwes (עֶבְרָה) ist in der prophetischen Rede
fest verankert. [1]   Sie belegt, daß es Jahwe nicht
gleichgültig ist, was hier auf der Erde geschieht,
sondern daß er ein Gott ist, der sich um seine Schöpfung kümmert, in seinem Zorn um sie ringt und durch
die Botschaft seiner Propheten die Anlässe dieses Zornes (zumeist den Bundesbruch) ausmerzen möchte, damit
er nicht kommen muß, um die Menschen zu verderben (Hos
11,9). Bleibt die Botschaft seiner Propheten jedoch
fruchtlos, so vollstreckt Jahwe seinen Zorn an seinem
Tag.
Die Ausfaltung dieser Ereignisse, die durch den Zorn
Jahwes initiiert werden, geschieht durch folgende Wortpaare: [2]

a) Not und Bedrängnis (צָרָה וּמְצוּקָה)
b) Unwetter und Verwüstung (שֹׁאָה וּמְשׁוֹאָה)

Diese beiden ersten Wortpaare erweisen sich dadurch als
bekannte Formeln, da jeweils das zweite Wort (מצוקה /
משואה) nur im Zusammenhang mit dem ersten belegt ist;
a) mit צַר / צָרָה in Dtn 15,24; Ps 25,17; 107,6.13.19.28;
b) mit שֹׁאָה in Ib 30,3; 38,27. Auch die Wortpaare

c) Finsternis und Dunkel (חֹשֶׁךְ וַאֲפֵלָה) und
d) Wolke und Dunkelheit (עָנָן וַעֲרָפֶל) sind oft gebrauch-

te Formeln, die auch immer wieder bei Beschreibungen des
Tages Jahwes wie auch anderer Theophanieschilderungen

-----

1) Vgl. Jes 9,18; 13,13; Zef 1,18; 2,2; 3,8; Ez 7,19; Hos
   5,10; 11,9; 13,11; Hab 3,8 aber auch Prov 11,4; Ib 21,
   30; Ps 78,49; 90,9.11; Klgl 2,2.
2) Vgl. KAPELRUD, A.S., The message, a.a.O., S.62f.

auftreten. [1]   In Joel 2,2 finden sich beide Wortpaare nebeneinander, dies jedoch aufgrund literari-
scher Abhängigkeit zu Zef 1,15.
Das letzte Wortpaar

e) Horn und Kriegsgeschrei (שׁוֹפָר וּתְרוּעָה)

läßt sich nicht als Formel belegen. Nach SEIDEL können die Begriffe im kultischen als auch im kriegerischen Bereich angesiedelt werden. [2]   In der Mehrzahl der Fälle ist die Posaune Alarm- und Befehlsin-
strument. In der Verbindung mit Zef 1,16b wird jedoch
offensichtlich, daß Zef 1,16a dem kriegerischen Bereich
zuzuordnen ist.
Alle Begriffe dieser Wortpaare belegen die Negativität
des Tages Jahwes für die, über welche er hereinbrechen
wird. [3]   Man kann sie als Beschreibungen von Unheil
verstehen, welches besonders durch die Wortpaare c) und
d) als durch eine Theophanie hervorgebrachtes dargestellt wird, was wiederum die Aktivität Jahwes heraus-
stellt. Mit Zef 1,16a wird deutlich, daß wir an ein
Kriegsgeschehen zu denken denken haben, welches sich
wider die festen Städte und hohen Zinnen richtet, wider
die Dinge, auf die die Menschen als das von ihnen Ge-
schaffene vertrauen und als Folge dessen glauben, Jahwe
vergessen zu können.

-----

1) Zu c) Jes 8,22; 58,9; Joel 2,2; Ex 10,22; zu d) 1 Kön
   8,12; 2 Sam 22,10; Ps 87,2; Ex 20,21; Dtn 4,11; Ez 34,12.

2) Vgl. SEIDEL, H., Horn und Trompete im alten Israel unter Berücksichtigung der 'Kriegsrolle' von Qumran, in:
   Wiss. Zeitschrift der Karl-Marx-Universität Leibzig,
   6(1956/57), S.589ff.

3) Vgl. zu den metaphorischen Begriffen 'Finsternis, Dunkel, Wolke, Dunkelheit' AALEN, S., Die Begriffe 'Licht'
   und 'Finsternis' im Alten Testament, in: SNVAO.HF II,
   1(1951) besonders S.70f und auch folgende Stellen:
   Jes 5,20; 58,8; 59,9; Mich 7,9; Ps 36,10; Am 5,18-20.

Jahwe wird von diesen Menschen nicht mehr als Retter und Helfer angesehen. Jes 2,12ff waren die Gemächte und der Stolz der Menschen schon einmal Ziel eines Tages Jahwes :' Denn der Tag des Herrn der Heere kommt über alles Stolze und Erhabene, über alles Hohe ... überjeden hohen Turm und jede steile Mauer' (Vers 15; vgl. Zef 3,6).

5.1.8. Zefanja 1,17aαβ.b - 18aγ: Des Menschen Schicksal am Tag Jahwes

17 a   *Und ich stürze die Menschen in Angst,*
        daß sie gehen wie Blinde.
   b   *Ihr Blut wird verschüttet wie Staub,*
        ihre Eingeweide wie Kot.

18 a   *Weder ihr Silber noch ihr Gold kann sie retten*
        am Tag des Zornes Jahwes.

I   Mit Zef 1,17 beginnt ein neuer Abschnitt, was
       daran zu erkennen ist, daß zwischen dem poeti-
schen Gemälde von Zef 1,15-16 und dem Vers Zef 1,17
ein Stilbruch vorliegt und wir ab Zef 1,17 auch wieder
Gottesrede feststellen. Die thematische Analogie von
Zef 1,17f und Zef 1,7.14-16 veranlaßte einige Exegeten, [1]   diese beiden Einheiten zu einer einzigen zusammenzubinden. Die oben genannten Gründe verbieten dies
jedoch. [2]
Im Vers Zef 1,17 ist Zefanja sicher der Versteil aγ abzusprechen, da er vergleichbar mit dem inauthentischen
Vers Zef 1,6, das Gericht nochmals allgemein begründen
möchte, was jedoch an dieser Stelle sowohl überflüssig
als auch störend ist, zumal dieser Einschub Jahwe auch
noch in der dritten Person einführt. [3]
Der Vers Zef 1,18 ist nur bis aγ authentisch. Die Fortführung greift vergleichbar mit Zef 1,2-3 über den geschichtlichen Horizont Zefanjas hinaus und sagt der gan-

-----

1) So z.B. KRINETZKI, G., Zefanjastudien, a.a.O.; DEISS-
   LER , A., Sophonie, a.a.O.; GEORGE, A., Sophonie, a.
   a.O.; RUDOLPH, W., KAT XIII/3, a.a.O.; KELLER, C.-A.,
   Sophonie, a.a.O.

2) Vgl. das in 5.1.7. I Gesagte.

3) Siehe dazu auch den Abschnitt 4.4.5.

zen Erde (אֶרֶץ ist hier sicher nicht mit Land = Juda
zu übersetzen) den Untergang an. [1]
Über Zef 1,18 geht die Einheit nicht hinaus, da mit
Zef 2,1 ein neuer Einsatz gegeben ist durch einen Aufruf an das Volk.

II   Die als authentisch erkannten Versteile Zef
      1,17aαβ.b - 18aγ bilden eine gute Fortsetzung
der Verse Zef 1,7.14-16, indem sie die gleiche Situation voraussetzend, diese nun aus der Sicht Jahwes dar-
legen, während Zef 1,15-16 den Tag Jahwes aus der Sicht
derer beschrieb, über die er hereinbrechen wird. Die
Angst der Menschen und ihr Umhergehen gleich Blinden,
ist die Folge der Theophanieschilderung von Zef 1,15; [2]
die kriegerische Dimension des Tages Jahwes, die in Zef
1,16 zum Ausdruck kommt, findet sich hier in Zef 1,17b,
während Zef 1,18a über die direkt vorangehende Einheit
hinausgreift und eine Verbindung mit den Anklagen von
Zef 1,8-13 herstellt.
Diese enge Verbindung von Zef 1,17aαβ.b- 18aγ zu den
vorangestellten Einheiten, welche das abtrünnige Juda/
Jerusalem ansprechen, wehrt auch einer gelegentlich ver-
tretenen universalen Deutung von אָדָם in Zef 1,17aα.
Mit 'den Menschen' sind nicht wie der Ergänzer in Zef
1,18bβ annimmt, alle Bewohner der Erde gemeint, sondern
die schon im ganzen ersten Kapitel (außer Zef 1,2f) [3]
angesprochenen Bewohner Judas, insbesondere die der Hauptstadt Jerusalem.

-----

1) Vgl. den Abschnitt 4.3.4.; auch hier wie in Zef 1,17aγ
   ist von Jahwe in der dritten Person die Rede.
2) Diese Verbindung wird schon durch die Wortwahl deutlich: Zef 1,17aα: וַהֲצֵרֹתִי ; Zef 1,15bα: יוֹם צָרָה .
3) Zum Verhältnis von Zef 1,2f zu dem Ergänzer von Zef
   1,18aδ-b; vgl. 4.3.4.

200

Die mit Zef 1,17 anhebende Gottesrede schlägt die
Verbindung zu Zef 1,7, indem hier wie dort hervorgehoben wird, daß die Ereignisse dieses Tages ihren
Ausgangspunkt in Jahwe selbst haben, daß er es ist,
der an diesem Tag Rechenschaft von seinem Volke fordern wird, und deshalb die Bezeichnung dieses Tages
als 'Tag Jahwes' den Kern der Sache trifft. Er ist
es also, der die Menschen in Angst stürzt (vgl. Jer
10,18) durch sein Kommen an diesem Tag, so daß sie
wie Blinde umhergehen. Dieser Vergleich zeigt an, daß
die Menschen vor Angst ziellos umherlaufen, keinen
Ausweg mehr finden können. Doch weist er auch auf die
Ursache des Tages Jahwes hin, nämlich, daß sich die
Menschen selbst zu Blinden machten, indem sie von der
Wegweisung Jahwes abirrten. [1]
Der nun bewußtgewordenen Blindheit als Folge des Tages
Jahwes folgt eine in ihrer Art einmalig abschätzige Be-
schreibung dessen, was an diesem Tag mit den Menschen
geschehen wird:

a) ihr Blut wird verschüttet wie Staub,
b) ihre Eingeweide wie Kot.

Der Handelnde tritt in Zef 1,17b nicht deutlich hervor,
doch besteht kein Zweifel daran, daß Jahwe selbst bzw.
die von ihm gesandten Vollstrecker seines Gerichtes gemeint sind. Auch das Fehlen einer Begründung, das der
Glossator von Zef 1,17aγ gespürt und deshalb seine allgemein gehaltene Begründung eingefügt hat, ist nicht
verwunderlich und bereitet keinerlei Schwierigkeiten,

-----

1)Vgl. Jes 43,8:'Bringt das Volk her, das blind ist, obwohl es Augen hat'; auch Dtn 16,19; Ex 23,8:'Bestechung
   macht blind'; Klgl 4,14.

wenn man die enge Verbindung der Einheit Zef 1,17aαβ.
b - 18aγ mit dem ganzen ersten Kapitel betrachtet,
in dem doch Begründungen in Fülle für ein Gerichtshandeln Jahwes angeführt werden.
Nun aber zu den einzelnen Beschreibungen des Schicksals der Menschen an dem Tag Jahwes:

a) <u>Ihr Blut wird verschüttet wie Staub</u>

שׁפֵך דָמָם wird gewöhnlich mit 'blutvergießen' übersetzt, doch hier erscheint die Übersetzung von שׁפֵך
mit 'verschütten' wegen des Vergleichs mit dem Staub,
dem Bilde gerechter zu werden, da Staub nicht 'vergossen' werden kann. Ist im Alten Testament vom Blutvergießen die Rede, so ist damit zumeist das gewalt-
same Blutvergießen gemeint, ein Mord oder ein Kriegsgeschehen. [1]   Die Verbindung von Zef 1,17b zu Zef 1,16
läßt uns hier ein Kriegsgeschehen erahnen, welches mit
dem Menschenleben so umgeht, als wäre es so wertlos
wie der Staub. Blut hat in der alttestamentlichen Vorstellung eine ganz besondere Qualität, da es als Sitz
des Lebens betrachtet wird (Lev 17,11), daher Gott gehört und dem Genuß des Menschen entzogen ist (vgl. Dtn
12; Lev 17). Wird Blut vergossen, so muß es mit Staub
(עָפָר) bedeckt werden (Lev 17,13). Durch den Wert des
Blutes wird unser Bild in Zef 1,17b nur noch schreck-
licher. Der Vergleich mit dem Staub weist auch auf die
Menge des vergossenen Blutes hin; für unser Kriegsgeschehen könnte man die Verbindung von Staub und Blut
wie folgt beschreiben: Wie bei dem Zusammenprall zweier
Kriegsheere man vor aufgewirbeltem Staub kaum mehr etwas sieht, so wird nach dem Kampf das ganze Schlachtfeld

-----

1) Vgl. Joel 4,19; Ps 79,3ff; 1 Chr 22,8; 28,3.

gleichsam 'unter Blut' stehen, eine einzige 'Blut-
lache' sein. Diese kriegerische Auseinandersetzung
ist ein brutales Massaker, ein Menschengemetzel, bei
dem nicht mehr getötet, sondern geschlachtet wird (vgl.
Zef 1,7).

b) Ihre Eingeweide wie Kot

   Auch mit diesem zweiten Bild bleiben wir auf dem
'Schlacht - feld'. Der Vergleich des Menschen mit Kot
findet sich mit demselben Wort גֵּל noch in 1 Kön 14,10:
'Ich fege das Haus Jerobeam hinweg, wie man Kot hinweg-
fegt, bis nichts mehr vorhanden ist.' Mit etwas anderen
Worten findet sich dieselbe Sache in 2 Kön 9,37; Jer 8,2;
9,21; 16,4; 25,33, wo die Leichen von Abtrünnigen bzw.
Kriegsgegnern wie Mist oder Dünger auf den Feldern ver-
streut werden. Es ist deutlich, daß mit diesem Vergleich
die Wertigkeit des Lebens der Hingeschlachteten ausgesagt werden soll : ihr Leben war nichtig, gerade noch
gut genug für den Acker.
Nach dieser harten Wertung des Lebens derer, die sich
von Jahwe abgewandt haben, kehrt Zefanja den Blick auf
das, was diesen Menschen so wichtig war, worauf sie ver-
trauten und worauf sie stolz waren: ihr angehäufter
Reichtum, ihr Silber und Gold. Deutlich wird gesagt, daß
das, wonach sie ihr Leben lang strebten, wofür sie ihre
ganze Kraft und Energie verbraucht haben, worüber sie
letztlich sogar Jahwe vergessen haben, ihnen jetzt nicht
helfen kann, daß es völlig wertlos ist.
Gab es bei den 'profanen Kriegen' noch die Möglichkeit,
daß man sein Leben durch die Zahlung eines Lösegeldes
retten konnte, [1]   so ist dies an dem Tag Jahwes ausge-

-----

1) Vgl. 2 Kön 16,8; Jes 13,17.

schlossen, da man Gott nicht bestechen kann. [1]

Mit Zef 1,18aγ wird nochmals deutlich gemacht, daß
dieses Kriegsgeschehen am Tag Jahwes etwas quali-
tativ anderes ist als ein Kriegsgeschehen zwischen
zwei Völkern, da es ein Krieg ist, der von Jahwe geführt wird, weil dieser über sein Volk zornig ist.
Zef 1,18aγ schließt somit wieder den Kreis zu Zef
1,15aα, wo die Beschreibung des Tages Jahwes damit
begann, daß dieser Tag als ein Tag des Zornes bezeichnet wurde. Mit diesem Motiv des Zornes Gottes verbindet Zef 1,18aγ auch die folgende Einheit Zef 2,1-3,
die es unternimmt einen Weg zu zeigen, der vielleicht
in der Lage ist, den Menschen an diesem Tag des Zornes
Jahwes (hier jedoch אַף anstelle von עֶבְרָה) zu retten.

Mit den beiden letzten Einheiten des ersten Kapitels,
Zef 1,7.14-16 und Zef 1,17aαβ.b - 18aγ, wird das Gericht
Jahwes über sein Volk, welches sich des kultischen
wie ethischen Abfalls schuldig gemacht hat (Zef 1,4-13;
3,1-4.6-8bδ), in drastischer Weise beschrieben. Solcher
Lebenswandel führt zum Untergang, er ist in den Augen
Jahwes wertlos wie Staub und Kot. Der Prophet - und damit
Jahwe - endet jedoch nicht damit, daß er sagt: 'Dieser
Weg, den ihr eingeschlagen habt, ist der falsche und
wird solch ein Ende finden,' nein, er weist auch einen
neuen Weg, der nicht ins Verderben, der zur Rettung werden kann vor dem 'Tag Jahwes' (Zef 2,3; 3,12f).

-----

1) Ez 7,19 nimmt Zef 1,18aαβγ wörtlich auf.

ZEFANJAS VERKÜNDIGUNG VON DER WAHREN GOTTES-
VEREHRUNG, DIE EIN BESTEHEN AM GERICHTSTAG
JAHWES ERMÖGLICHT

5.2.1. Zefanja 2,1-3: Vielleicht bleibt ihr geborgen am Tag des Zornes Jahwes

1 a *Geht in euch, kommt zusammen,*
  b *Volk ohne Sehnsucht,*
2 a *bevor ihr verjagt werdet wie Spreu,*
    die verweht,
  b *bevor (noch) nicht über euch gekommen ist*
    der glühende Zorn Jahwes,
    bevor (noch) nicht über euch gekommen ist
    der Tag des Zornes Jahwes.
3 a *Suchet Jahwe, gleich allen Demütigen des Landes,*
    die sein Recht erfüllen.
  b *Suchet Gerechtigkeit, suchet Demut,*
    vielleicht bleibt ihr geborgen
    am Tag des Zornes Jahwes.

I   Zef 2,1-3 ist eine inhaltlich geschlossene Ein-
     heit. Sie beginnt mit einem Aufforderungsruf zur
inneren Sammlung und zur Zusammenkunft. Der Prophet
richtet diese Worte an seine Zuhörer, doch spricht er
nicht nur zu ihnen; der Tenor der Einheit richtet sich
an das ganze Volk, an ganz Juda. In Zef 2,1b charakterisiert er dieses Volk. Der zweite Vers spricht die
Dringlichkeit seiner Botschaft an, die gebotene Eile,
seine Worte zu hören, zu verstehen und sich danach zu
richten, denn der Tag des Zornes Jahwes, beherrschendes
Thema des ersten Kapitels, ist im Kommen (vgl. Zef 1,7.14:
קָרוֹב יוֹם יְהוָה).
Nach Aufruf und Begründung der Dringlichkeit und Wichtigkeit des Hörens, folgt in Zef 2,3 die eigentliche Botschaft. Das Befolgen dieser Botschaft schafft die Mög-

lichkeit, am Tag Jahwes geborgen zu bleiben (Zef
2,3b). Damit ist   die Einheit beendet, die
Verse Zef 2,1 und 2,2 haben ihre Begründung in Zef
2,3 gefunden.
Die folgenden Verse Zef 2,4ff sind deutlich von unserer Einheit abgesetzt. Es handelt sich dort um sogenannte Fremdvölkersprüche, während in Zef 2,3 sinn-
vollerweise nur Juda/Jerusalem, d.h. das Gottesvolk
angesprochen sein kann.
Die Einheitlichkeit von Zef 2,1-3 ist dennoch nicht
allgemein anerkannt. Einige Autoren verstehen Zef 2,3
als späteren Zusatz zu Zef 2,1-2. Danach wären diese
beiden Verse "an ironical exhortation to keep on in
shameless ways and be destroyed". [1] TAYLOR vermutet, daß das 'schamlose Volk' (von mir mit Volk ohne
Sehnsucht übersetzt) von Zef 2,1 vielleicht mit den
Philistern von Zef 2,4ff zu identifizieren sei. [2]
Dieser Vermutung widerspricht die Stichwortverbindung
von Zef 2,1-2 zu dem ersten Kapitel und die Bezeichnung
des Gerichtes Jahwes als 'Tag des Zornes Jahwes', [3]
woraus deutlich hervorgeht, daß mit dem angesprochenen
Volk Juda/ Jerusalem gemeint ist. In Zef 2,4-7 findet
sich auch keinerlei Strafbegründung, womit die Qualifizierung der Philister als Volk 'ohne Scham' in Zef 2,1
völlig aus der Luft gegriffen wäre.

-----

1) TAYLOR, C.L.jr., The Book of Zephaniah, a.a.O., S.1010.
2) Ebd., S.1021/1023; vgl. dazu auch die Vermutung von
   SCHARBERT, J., Die Propheten Israels, a.a.O., S.24.
   33f, der die Verse Zef 2,1-2 als Vorspann zu Zef 2,13ff
   betrachtet. Siehe dazu ausführlicher den Abschnitt
   5.3.3.
3) All dies findet sich in Zef 2,4-7 nicht wieder, da Zefanja wohl bewußt die Bezeichnung יוֹם יְהוָה für das
   Gericht über sein Volk reserviert hat; vgl. 5.3.1.

Auch ist TAYLORs Verständnis der Prophetie ein sehr
zweifelhaftes, da diese keineswegs ironisch zum
Schlechten, sondern engagiert zu Umkehr und Rückbesinnung auffordern möchte, und dieses Anliegen macht
es notwendig, daß neben dem Aufweis der Verfehlungen
auch Wege zum Guten, zur Umkehr aufgezeigt werden. Gerade dies geschieht in Zef 2,3 (vgl. auch Zef 3,12f)
und ohne diesen Vers wäre Zef 2,1-2 völlig sinnlos.

Die Frage nach der Authentizität dieser Einheit ist
eng verknüpft mit der sehr schwierigen Textlage, die
verschiedene Interpretationen und damit auch verschiedene Übersetzungen zuläßt. [1]   Oft geschieht es daher,
daß Versteile dem Propheten abgesprochen werden, nur
weil der einzelne Autor keine befriedigende Lösung für
das in dem Vers liegende Textproblem gefunden hat. [2]
Einen zefanjanischen Kern dieser Einheit leugnet niemand, denn dafür sind die Beziehungen von Zef 2,1-3
zu dem in großen Stücken authentischen ersten Kapitel
zu deutlich.

Die Authentizität des Verses Zef 2,3 wird gelegentlich
noch isoliert in Frage gestellt, da das dort ange-
schnittene Thema der Demütigen in nachexilischer Zeit
besonders hervortritt. [3]   Diese Feststellung trifft
Richtiges, doch kann damit kein Absolutheitsanspruch
belegt werden, zumal in Zef 3,12 (authentisch) dieses
Thema nochmals begegnet. [4]

-----

1) Vgl. dazu das Kapitel 2: TEXTKRITIK ZUM ZEFANJABUCH,
   zu Zef 2,1-3, S.17f.

2) Dies gilt besonders für Zef 2,3aβ.

3) So GEORGE, A., Michée, Sophonie, Nahum, Paris [2]1958,
   S.55.

4) Vgl. dazu auch JENNI, E., Art.: עָנָה II - 'elend sein',
   in: THAT II, a.a.O., Sp.344ff; IHROMI, Amm ani wadal,
   a.a.O., S.102-115.132ff.

II   Der interessanteste und wichtigste Kern von
      Zef 2,1-3 liegt zweifelsohne in dem Vers Zef
2,3. Die beiden vorangehenden Verse haben rein vor-
bereitende Funktion: Versammlung der Betroffenen und
Aufruf zum In-sich-Gehen, dreimalige Begründung des
Aufrufs von Zef 2,1a. In Zef 2,2b wird die Botschaft
vom יְהוָה יוֹם aufgenommen, während Zef 2,2a das Ergehen des in Zef 2,1 angesprochenen Volkes an diesem Tag,
welcher als nahe bevorstehend vorgestellt wird, in
einem Vergleich ausführt.
Die zwei Imperative in Zef 2,1a sind Hapaxlegomena
und daher sehr schwer zu deuten. [1]   Ausgehend von
den in Ex 5,7.12; Nm 15,32f; 1 Kön 17,10.12 belegten
Poelformen von קָשַׁשׁ, die das Einsammeln bzw. Zusammen-
lesen von Stroh und Holz ausdrücken, ist die Kal- bzw.
Hitpolelform von Zef 2,1 als äußeres Sammeln, d.h. zu-
sammenkommen bzw. als innere Sammlung, als In-sich-Gehen zu verstehen. Diese Interpretation der Hapaxlegomena ist nicht absolut sicher, doch   scheint sie im
Gegensatz zu den vielen abenteuerlichen Übersetzungs-
vorschlägen, die es für diese beiden Worte gibt, als
eine gut verständliche und eine in der Poelbedeutung des
Wortes standnehmende Übersetzung, alle Vorteile auf sich
vereinigen zu können.
Der Prophet spricht demnach mit diesem doppelten Aufruf
zwei Bereiche an:

a) den inneren - Aufruf zur Besinnung über die personale
   Lebensführung. Dieser Aufruf setzt daher die Schuldaufweise des Propheten von Zef 1,4-13; 3,1-4.6-8bδ
   voraus. Der Abfall ist jedem deutlich durch den Propheten vor Augen gestellt worden. Jetzt kommt es dar-

-----

1) Siehe Kapitel 2: TEXTKRITIK ZUM ZEFANJABUCH, S.17 und
   GRAY, J., A methaphor from building in Zephaniah II,1,
   in: VT 3(1953), S.404-407.

auf an, aus dieser Erkenntnis die praktische Kon-
sequenz zu ziehen, d.h. umzukehren.

b) den äußeren - Aufruf, zu dem Propheten zu kommen,
sich bei ihm zusammenzufinden, um seine Worte zu hören.

Mit diesem Beginn der Prophetenrede ist die Aufmerksam-
keit geweckt. Die Zuhörer warten auf die Worte des Propheten, und er fährt fort, indem er sie als ein Volk ohne
Sehnsucht qualifiziert. Es gibt keinen vernünftigen Zweifel daran, daß Zefanja damit seine Zuhörer, die Bevölkerung von Jerusalem anspricht. Auch für כסף ni. gibt es
unzählige Übersetzungs- und Konjekturvorschläge. [1]
Da eine Konjektur ob der guten Textbezeugung nicht zu
rechtfertigen ist, bleiben die Bedeutungen 'sich schämen'
oder 'sich sehnen'. [2] Beide Bedeutungen wären in diesem Zusammenhang sinnvoll und möglich. Für die zweite Bedeutung 'sich sehnen' spricht jedoch die Beziehung dieser
Qualifizierung des Volkes mit der Beschreibung von Zef
1,12f, die die Satten und Selbstzufriedenen, jene, die
von Jahwe nichts mehr erwarten, nichts mehr erhoffen,
zum Objekt hatte. [3] Ein Volk, letztlich jeder Mensch,
der keine Sehnsucht mehr hat, ist starr geworden, unfähig, sich Neuem anzupassen, auf veränderte Umstände
zu reagieren, zu faul und zu gemütlich, seine eigene Lage
kritisch zu überdenken, letztlich unfähig und unwillig,
den Forderungen von Zef 2,3 nachzukommen. Zefanja will
mit seiner Verkündigung aus diesem Volk ohne Sehnsucht

-----

1) Vgl, dazu DEISSLER, A., Sophonie, a.a.O., S.450; IRSIG-
LER, Gottesgericht, a.a.O., S.62, Anm.243; GRAY, J.,
A methophor.., a.a.O., S.404ff.

2) Vgl. GESENIUS, W., Hebräisches..., a.a.O., S.356f.

3) Die Abhängigkeit von Zef 2,1-3 von der Verkündigung
des ersten Kapitels stützt diese Interpretation.

wieder ein Volk machen, das danach strebt, Jahwes
Willen zu erkennen, und sich von diesem Willen Jahwes in seiner Lebensführung bestimmen lassen möchte, welches von Jahwe alles erwartet. Zeigte das
erste Kapitel mit seinen Anklagen, daß die Ichsucht
der Menschen die Sehnsucht nach Jahwe getötet hatte,
so möchte die 'Wegweisung' von Zef 2,3 (auch Zef 3,
12f) diese Sehnsucht nach Jahwe wieder wecken. Dieser Zusammenhang stützt die angenommene Übersetzung
von הַגּוֹי לֹא נִכְסָף mit 'Volk ohne Sehnsucht'.
Zef 2,2 begründet sodann dreifach den Aufruf von Zef
2,1 durch den Hinweis auf die Nähe (ehe, bevor -
בְּטֶרֶם) des Tages des Zornes Jahwes. Eindeutig beruft
sich hier Zef 2,2b auf die Verkündigung von Zef 1 und
setzt diese voraus. In Vers Zef 2,2a verwendet Zefanja
ein beliebtes Bild für das Gerichtshandeln Jahwes,
welches aus der Landwirtschaft entlehnt ist. Diejenigen,
die nicht in Jahwe Stand genommen haben, werden verweht wie die Spreu von der Tenne. So sagt auch Ps 1,4:
'Nicht so die Frevler. Sie sind wie Spreu, die der Wind
verweht' (vgl. Ib 21,18; Ps 35,5; 83,14; Jes 17,13; Jer
13,24; Hos 13,3). Mit diesem Vergleich Mensch = Spreu
wird die Nichtigkeit, die Nutzlosigkeit, die Vergeu-
dung des Lebens durch diese Menschen illustriert. Spreu
ist ein Abfallprodukt, das man verwehen läßt und fehlt
der Wind dazu, dann zündet man es an und verbrennt es.
Der Gedanke des Verbrennens spielt sicher auch in Zef
2,2a eine Rolle, da dort vom 'glühenden' Zorn Jahwes
die Rede ist, [1] der denjenigen, die gegen ihn aufge-

-----

1) Vgl. Jer 4,8; 12,13; 25,37; 30,24; 51,45; 2 Chr 28,11;
   Klgl 2,3 aber auch Zef 3,8.

treten sind, ihn nicht beachtet haben, den Untergang ankündigt.

Zef 2,2bβ wiederholt Zef 2,2bγ nur mit einer kleinen
Abweichung, die die Verbindung mit dem ersten Kapitel
noch deutlicher macht, indem hier vom Tag des Zornes
Jahwes die Rede ist wie in Zef 1,15.18. Der verwendete
Begriff ist zwar verschieden, in Kapitel 1 עברה , hier
אף wie dann auch in Zef 3,8bδ, doch rechtfertigt dies
keineswegs die Annahme, daß hier von einem anderen Tag
als von dem angekündigten יוֹם יְהוָה die Rede sei, noch
daß hier ein anderer Autor als der Prophet selber spricht.
Der Begriff יוֹם אַף־יְהוָה begegnet als 'Tag Jahwes' auch
noch in Klgl 2,21f.

Die zweimalige Wiederholung von בְּטֶרֶם לֹא־יָבוֹא עֲלֵיכֶם -
'bevor (noch) nicht über euch gekommen ist'zeigt die
Dringlichkeit der folgenden Botschaft an, da der Tag des
Gerichtes für Zefanja nicht mehr lange auf sich warten
läßt. Die Zuhörer werden 'jetzt' in die Entscheidung gerufen, sie haben keine lange Bedenkzeit mehr - der Tag
Jahwes ist nahe. Auch in dieser Botschaft von der bedrohlichen Nähe des Tages Jahwes schließt Zef 2,2 an die
Verkündigung des ersten Kapitels an (vgl. Zef 1,7.14). [1]

Der Vers Zef 2,3 führt nun zu dem Ziel der Rede Zefanjas.
Sein Ziel ist die nochmalige Ankündigung des Tages Jahwes jedoch mit dem Unterschied, daß er nicht die Vergehen seines Volkes aufzählt, sondern versucht, einen Weg
zu weisen, der vielleicht (Zef 2,3bγ) in der Lage ist,
diejenigen, die sich aus ihrem satten Erstarren der Selbstzufriedenheit noch lösen können, bevor der Tag Jahwes her-
einbricht, vor dem Untergang zu bewahren. Gerade dieses

-----

1) Vgl. dazu den Abschnitt 5.1.7. besonders S.189-191.

'vielleicht' (אוּלַי) macht deutlich, daß es eigentlich schon zu spät zur Umkehr ist. Doch Zefanja vertraut hier darauf, daß Jahwe auch den Umkehrwilligen,
ist auch die Umkehr noch nicht vollzogen, an seinem
Zornestag verschonen wird.
Drei Imperative (בַּקְּשׁוּ) weisen darauf hin, was Umkehr
bedeutet, was Jahwe verlangt:

a) Suchet Jahwe,
b) Suchet Gerechtigkeit,
c) Suchet Demut.

a) Suchet Jahwe : Das Suchen Jahwes wird inhaltlich
                   bestimmt durch den Vergleich in Zef
2,3aβγ sowie durch b) und c). Suchen Jahwes heißt also
sein Recht erfüllen, Gerechtigkeit üben und demütig sein
(vgl. Mich 6,8). Die Verse Am 5,4.6.14f haben auch das
Suchen Jahwes zum Thema: 'Suchet das Gute, nicht das Böse; dann werdet ihr leben'(Vers 14a); 'Suchet mich (den
Herrn), dann werdet ihr leben'(Verse 4.6). Gerade die
oft als Explikation von Am 5,4.6 verstandenen Verse Am
5,14f machen deutlich, daß dieses Suchen Jahwes keineswegs kultisch gemeint ist, sondern Befolgung und Beja-
hung des Willens und der Forderungen Jahwes anspricht.
Am 5,5 unterstreicht dies nochmals, indem das kultische
Aufsuchen Jahwes gegenüber der Suche Jahwes durch das
Befolgen seines Willens abgewertet wird. Jahwe suchen
heißt also primär, das Gute zu lieben (es damit auch
tun) und das Böse zu hassen (Am5,15a). Dies zeigt sich
im konkreten Umgehen mit den Mitmenschen, indem ich ihnen
ihr Recht nicht vorenthalte, ihnen damit Gerechtigkeit
zuteil werden lasse. Jahwe suchen ist eine Lebenshaltung
des rechten Verhältnisses zu Jahwe, des sich Bekennens
zu ihm in Wort und Tat (kultisch wie auch durch die Befolgung der zweiten Dekalogtafel). Wer Jahwe sucht, der

erwartet auch etwas von ihm, für den ist Jahwe nicht
ein Gott, der weder Gutes noch Böses tut, sondern einer, auf dessen Hilfe und Unterstützung ich mich völlig
verlassen kann. [1] Diese Interpretation wird auch
durch die sekundäre Zusammenfassung von Zef 1,4-5 in
Zef 1,6 gestützt, da dort der Synkretismus und die Abwendung von Jahwe als 'Nicht-suchen' und 'Nicht-fragen-
nach' bezeichnet wurde.

Zef 2,3aβγ:'gleich allen Demütigen des Landes, die sein
          Recht erfüllen'.

Mit פָּעַל wird ein Tun ausgedrückt, welches den Menschen
vor Gott qualifiziert. [2] Hier ist es eindeutig eine
positive Wertung der 'Demütigen', derer, die,wie der
Vergleich zeigt, Jahwe suchen, indem sie sein Recht
(מִשְׁפָּטוֹ), das Recht Jahwes, tun. Das Wort Recht (מִשְׁפָּט)
kommt von dem Verb שָׁפַט - 'richten' und beschreibt eine
Rechts-Ordnung, [3] hier die Rechts-Ordnung Jahwes.
Wer Jahwe sucht, sich darum bemüht, seinen Willen zu erkennen, der erfüllt also auch sein Recht, der verstößt
nicht gegen die Weisungen Jahwes, die Grundlage dieser
göttlichen Ordnung sind. Wer den מִשְׁפָּט Jahwes tut, der
stört weder die Ordnung zwischen Mensch und Gott noch
die unter den Menschen.
Dies wird hier ausgesagt von den עֲנָוִים, den Demütigen
(vgl. Zef 3,12: עַם עָנִי וָדָל). Die Bedeutung derer, die
arm, gering, unterdrückt und elend sind (עָנָה II - 'elend
sein), hat sich im theologischen Denken des Alten Testa-

-----

1) Siehe GERLEMANN, G., Art.: בָּקַשׁ - 'suchen', in: THAT I,
   a.a.O., Sp.333-336.

2) Vgl. VOLLMER, J., Art.: פָּעַל - 'machen, tun', in: THAT II,
   a.a.O., Sp.462.

3) Vgl. LIEDKE, G., Art.: שָׁפַט - 'richten', in: THAT II,
   a.a.O., Sp.1005.

ments von dem profanen Gebrauch (die, die nichts haben und daher von anderen Menschen abhängig sind; Ar-
menrecht) zu einer Qualifizierung des Jahweverhältnis-
ses von Menschen gewandelt. Die Demütigen sind solche,
die sich vor Gott arm gemacht haben, d.h. die sich
nach seinem Willen richten, sich ihm unterordnen, sich
ihm gegenüber als Knecht fühlen. [1] Es sind die Menschen, die auch insofern die Ordnung Jahwes akzeptieren,
daß sie sich in einer unüberbrückbaren Differenz zu
dem allmächtigen Gott wissen, d.h. positiv, ihr Mensch-
sein ernstnehmen, dabei aber nicht vergessen, daß dieser
Jahwe ein 'Gott für uns' ist (יהוה - Ex 3,14; Hos 1,9),
sie sich ihm also vertrauensvoll zuwenden und absolut
auf seine Treue bauen. Die Demütigen sind solche, die
ihren Stand nicht in menschlichen Werken oder Gütern
suchen, die nicht in selbstüberheblicher Art glauben,
daß sie keinen Gott mehr bräuchten, sondern sich ganz
in Gottes Hand begeben.
Die Armen und Geringen sind es daher auch, um die sich
Jahwe sorgt und die er der besonderen Obhut der Mächtigen anvertraut (vgl. Ps 76,10; Jes 11,4; 57,15; Sir
3,20). [2]

b) Suchet Gerechtigkeit : Im Zusammenhang mit מִשְׁפָּט

trifft man in der propheti-
schen Literatur auch häufig צְדָקָה, um das auszudrücken,

-----

1) Vgl. GESENIUS, W., Hebräisches.., a.a.O., S.605; siehe
auch GELIN, A., Die Armen - sein Volk, Mainz 1957, S.
25:"'Der Arme' ist der 'Hörige' Gottes im Sinne der rö-
mischen Familia geworden. 'Armut' ist eine Fähigkeit,
sich für Gott offen zu halten und meint ein 'Gott-zur-
Verfügung-Stehen'. Sie ist 'Demut vor Gott'."
2) Vgl. über das hier Gesagte hinaus noch den Punkt c)
und die Ausführungen zu Zef 3,12 in dem Abschnitt
5.2.2.

was Jahwe von den Menschen im Umgang miteinander erwartet: 'Das Recht ströme wie Wasser, die Gerechtigkeit wie ein nie versiegender Bach'(Am 5,24; vgl. auch
Jes 5,7; 9,6; 33,5; 56,1; 58,2; Hos 2,21; Jer 22,3.15;
Ez 18,5.19.21.27; 33,14.16.19; 45,9). [1]
Unser Begriff von Gerechtigkeit gibt jedoch nicht exakt
das wieder, was mit צְדָקָה (צֶדֶק) gemeint ist, da im Alten Testament Gerechtigkeit nicht als abstrakter Begriff
verstanden wird, sondern das Verhältnis der Menschen untereinander und auch das Verhältnis Gott - Mensch bestimmt.
צֶדֶק kann man daher als 'gemeinschaftsmäßiges Handeln, das
rechte Miteinander' wiedergeben. [2]   Gerhard von RAD
meint sogar :" צְדָקָה kann man ohne weiteres als den höch-
sten Lebenswert bezeichnen, als das, worauf alles Leben,
wenn es in Ordnung ist, ruht." [3]
Gerechtigkeit muß sich daher im täglichen Umgang mit den
Mitmenschen und Gott zeigen, nicht nur darin, daß ich
meine Pflicht erfülle, dem anderen das zugestehe, was er
von Rechts wegen beanspruchen kann (= sein Recht), sondern daß ich positiv für die Gemeinschaft wirke, gemein-
schaftsdienend handle. Dies schließt selbstverständlich
auch ein adäquates Verhältnis zu Gott ein (vgl. Zef 1,8f:
Bruch mit dem Mitmenschen als Folge des Bruches mit Gott).
Daher ist es notwendig, und dies fordert Zefanja hier, daß
sich die Menschen immer wieder auf den Weg machen und von
den frevlerischen Wegen auf die der Gemeinschaftstreue um-
schenken, צֶדֶק suchen. Umfassend kann diese mit צְדָקָה bezeich-

-----

1) Vgl. weitere Stellen bei LIEDKE, G., Art.: שָׁפַט -'richten', in: THAT II, a.a.O., Sp.1005.
2) Vgl. HECHT, F., Eschatologie und Ritus bei den 'Reformpropheten', Leiden 1971, S.27f; KOCH, K., Art.: צֶדֶק -
   'gemeinschaftstreu/heilvoll sein', in: THAT II, a.a.O.,
   Sp.512ff.
3) RAD, G. von, Theol. AT I, a.a.O., S.382.

nete Gerechtigkeit nur von Jahwe selbst ausgesagt
werden, er ist der absolut Gerechte.
Gerade der Mächtige, besonders der König, ist von
Jahwe dazu aufgerufen, Recht und Gerechtigkeit auszu-
üben, d.h. besonders den Armen, Witwen und Waisen,
kurz den עֲנָיִם , ihr Recht nicht vorzuenthalten und
gerecht zwischen ihnen und ihren Bedrückern zu entscheiden. Die Bilder vom erwarteten 'Friedenskönig'
zeigen, daß gerade dieser es sein wird, der Recht und
Gerechtigkeit in Fülle bringen wird: 'Er festigt und
stützt es (sein Reich) durch Recht und Gerechtigkeit'
(Jes 9,6); 'er richtet die Hilflosen gerecht und entscheidet für die Armen (עֲנָיִם) des Landes, wie es
recht ist - Gerechtigkeit ist der Gürtel um seine Hüf-
ten' (Jes 11,4.5).

c) Suchet_Demut : Im Zusammenhang mit a) und b) ist
                 wohl schon deutlich geworden, was das
Suchen nach Demut bedeutet: Zurückstellen des eigenen
Ichs hinter den Auftrag und die Forderungen Jahwes, Tun
seines Willens, leben wie es Jahwe gefällt. Mich 6,8
könnte als Ausformulierung dieser Forderung gelten:
'Recht tun, Güte und Treue lieben, in Ehrfurcht wandeln
mit deinem Gott'. Demütig sind also jene, die sich noch
ihre Sehnsucht nach Jahwe bewahrt haben (vgl. Zef 1,6),
die von ihm noch alles erwarten, die sich nicht vom Ego-
ismus leiten lassen. [1] Gerade denen, die nach Demut
streben, die nicht stolz tun und über andere spotten,
gilt Jahwes besondere Zuwendung nach der Botschaft der
Propheten und der Weisheitsliteratur. Jahwe rettet sie,

-----

1) Vgl. MARTIN-ACHARD, R., Art.: עָנָה II - 'elend sein',
   in: THAT II, a.a.O., Sp.345f; DELEKAT, L., Zum hebräischen Wörterbuch, a.a.O., S.35-49.

erhört ihr Flehen und vergißt sie nicht (vgl. Ps 10,12.
17; 76,10; Jes 29,19). [1]

Richten sich die Zuhörer Zefanjas nach diesen Forde-
rungen Jahwes, so sieht der Prophet noch einen Funken
Hoffnung: 'vielleicht bleibt ihr geborgen am Tag des
Zornes Jahwes' (Zef 2,3bγδ). Die Bedingung der Möglich-
keit einer Rettung am יוֹם אַף־יְהוָה ist also die radikale
Umkehr. Das 'vielleicht' bringt zweierlei zum Ausdruck:

1. Es ist kaum mehr Zeit zur Umkehr, da der Tag Jahwes
   nahe ist (Zef 2,2; 1,7.14).
2. Allein von Jahwe her kann diese Gnade der Versöhnung
   und damit der Verschonung kommen, wenn er trotz dem
   in Zef 1,4-13; 3,1-4.6-8bδ aufgezeigten Lebenswandel
   die Umkehrwilligen verschonen will.

Der oben angeführte Paralleltext zu Zef 2,3 läßt auch nur
ein 'vielleicht' offen: 'Haßt das Böse, liebt das Gute,
und bringt bei Gericht das Recht zur Geltung! Vielleicht
(אוּלַי) ist der Herr, der Gott der Heere, dem Rest Jo-
sefs dann gnädig' (Am 5,15). [2] Zefanjas Rede zu seinem
Volk hat genau diesen Sinn, einen 'Rest' der Judäer/ Jerusalemer vor dem Untergang am Gerichtstag Jahwes zu bewahren, indem er eindringlich zur Umkehr aufruft. [3]
Durch die nochmalige Erwähnung des יוֹם אַף־יְהוָה schließt
sich der Kreis der Verkündigung des Tages Jahwes über
das abtrünnige Juda/Jerusalem. Die Aufforderung, Jahwe zu
suchen, ergeht also gerade an jene, die im ersten Kapitel

-----

1) Vgl. zu dem Begriff der Demut weiterhin 5.2.2.
2) Die Verse Am 5,14-15 werden von einigen Autoren dem
   Propheten abgesprochen, vgl. WOLFF, H.W., BK XIV/2,
   a.a.O., S.295; DEISSLER, A., NEB, a.a.O., S.114. Zu
   dem 'vielleicht' siehe auch Jona 3,8; Jes 37,4.
3) Vgl. dazu auch den Exkurs: Das Problem des 'Restes' im
   Zefanjabuch, S.86ff.

(auch Zef 3,1-4.6-8) angeklagt wurden, an die, die
fremden Götzen huldigten (Zef 1,5), an die Opportu-
nisten und Edlen am Hofe des Königs (Zef 1,8f), die
betrügerischen Krämer (Zef 1,11), die selbstgefälli-
gen Reichen (Zef 1,12) - kurz an all die, die sich
selbst, materielle Güter, politische Vorteile oder
irgendwelche Götzen an die Stelle Jahwes gesetzt haben
und ihn darüber vergaßen.

Zefanjas Prophetie ist wie die Verkündigung der anderen Propheten vom Tage Jahwes ein 'Mauerbau' (Ez 13,5)
gegen diesen Gerichtstag, in dem zur Umkehr aufgefor-
dert wird, die 'vielleicht' ein Bestehen an diesem Tage
ermöglicht.

5.2.2. Zefanja 3,11-13aβ-ε: Ein Rest wird übrigbleiben

11 a *An jenem Tag wirst du nicht zuschanden,*
      trotz all deiner Untaten, mit denen du
      dich gegen mich vergangen hast,

   b *denn dann werde ich fortschaffen aus*
      deiner Mitte deine stolzen Prahler,
      und nicht wirst du mehr übermütig sein
      auf meinem heiligen Berg.

12 a *Ich werde übriglassen in deiner Mitte*
      ein Volk, demütig und gering:

   b *sie suchen Zuflucht im Namen Jahwes.*

13 a *Sie werden kein Unrecht tun,*
      sie werden keine Lüge reden und nicht
      wird man in ihrem Munde finden
      eine trügerische Zunge.

I   Waren in Zef 3,9-10 die Heidenvölker Objekt des göttlichen Handelns und Redens, so ist in Zef 3,11-13aβ-ε wieder wie in Zef 3,1-4.6-8bδ Jerusalem angesprochen. Dies wird deutlich durch die Anrede in der zweiten Person feminin singular und darüber hinaus in Zef 3,11bδ, wo mit הַר קָדְשִׁי nur der Zion gemeint sein kann. [1] In Zef 3,14 beginnt mit der Aufforderung zum Jubel eine neue Einheit in Prophetenrede, die keinesfalls eine primäre Fortsetzung von Zef 3,11-13aβ-ε sein kann.

Die von einigen Auslegern erkannte Zäsur zwischen Zef 3,12a und 3,12b, [2] die zweifellos mit gewissem Recht angemerkt wird, rechtfertigt keinesfalls in Zef 3,12b

-----

1) 'Mein heiliger Berg' ist eine beliebte Bezeichnung für den Zion in nachexilischer Zeit, doch auch schon vorexilisch belegt; vgl. Jes 11,9; Jer 31,23.

2) Vgl. IHROMI, Amm ani wadal, a.a.O., S.104ff; IRSIGLER, H., Gottesgericht, a.a.O., S.151-158.

den Beginn einer neuen Einheit zu sehen, da die inhaltlichen Bezüge von Zef 3,12bα zu Zef 3,11-12a eine
Zusammengehörigkeit höchst wahrscheinlich machen wie
auch die gemeinsame Anlehnung an weitere authentische
Texte des Zefanjabuches. [1)]
Die Authentizität der Einheit ist weitgehend anerkannt
aufgrund der Nähe dieser Verse zu Zef 2,3, sowie zu der
vorausgehenden Gerichtsankündigung, welche in Zef 1,4-13;
3,1-4.6-8bδ vorliegt.

II   Offensichtlich nimmt die Einleitungsformel בַּיּוֹם
          הַהוּא in Zef 3,11aα auf die Ankündigung des gött-
lichen Strafgerichtes in Zef 3,8 Bezug. Die dazwischen
liegende inauthentische Einheit Zef 3,9-10 wird in Zef
3,11-13aβ-ε mit keiner Anspielung erwähnt. [2)]   Die Verbindung zu der Einheit Zef 3,6-8bδ liegt einmal darin,
daß wieder Jerusalem und seine Bewohner angesprochen
sind und zum anderen Zef 3,11 ein Gerichtshandeln voraussetzt, dem nach Zef 3,12 ein Rest entrinnen kann ob
seiner vorbildlichen Lebensführung. So besteht keine Ver-
anlassung בַּיּוֹם הַהוּא hier auf einen eschatologischen Gerichtstag zu beziehen, da direkt der Tag des angekündigten Gerichtes angesprochen wird, der im ersten Kapitel
als יוֹם יְהוָה bezeichnet wurde.
Die inhaltliche Aussage von Zef 3,11-13aβ-ε läßt jedoch
erstaunen, wenn wir sie auf dem Hintergrund der anderen
authentischen Einheiten betrachten: Das angekündigte Ge-

-----

1) Siehe dazu unter II.
2) Das Gegenteil wird von einigen Kommentatoren, die בּוֹשׁ
   subjektiv mit 'sich schämen' übersetzen, angenommen;
   Vgl. RUDOLPH, W., KAT XIII/3, a.a.O., S.296f; ELLIGER,
   K., ATD 25, a.a.O., S.79f.

richt wird zwar eintreffen (Zef 3,11a.baß), doch
wird zugesagt, daß ein Rest übrigbleiben wird, ein
Rest, der sich durch seine Jahwetreue auszeichnet.
Das 'vielleicht' von Zef 2,3bγ wird hier in Gottesrede zugesagt. Diese Spannung ist wohl so zu erklären,
daß die Botschaft des Zefanja vom kommenden Gericht
und dessen Beschreibung als Gericht totaler Vernichtung, bei einigen Zuhörern auf fruchtbaren Boden gefallen ist. Das 'vielleicht' hat einige zur Erkenntis
ihres Lebenswandels gebracht und zur Umkehr beigetra-
gen. Diesen Menschen wird nun zugesagt, daß sie den
richtigen Weg eingeschlagen haben, und daß sie deshalb
auf die Verzeihung Jahwes hoffen dürfen, die sich durch
die Schonung am Gerichtstag erweisen wird.
Die Gerichtsandrohung und damit die ganze bisherige Verkündigung, wird mit keinem Wort zurückgenommen. Das Gericht wird sicher kommen, doch wird es die vernichtend
treffen, die das Jahwerecht mit Füßen traten, jene aber,
die von ihrem falschen Weg umgekehrt sind, wird es verschonen.
Zef 3,11a enthält die Zusage, daß Jerusalem am Gerichtstag (בַּיּוֹם הַהוּא) nicht zuschanden werden wird. Die objektive Bedeutung von בוֹשׁ - 'zuschanden werden', ist hier
der subjektiven 'sich schämen' [1]   vorzuziehen, da die
Scham der Bevölkerung Jerusalems ja die Erkenntnis ihrer
Vergehen voraussetzen würde, was, wie uns die folgenden
Verse lehren, jedoch nur für einen kleinen Teil der Fall
ist. [2]   Der Begriff בוֹשׁ hat seinen festen Platz in den

-----

1) Vgl. dazu STOLZ, F., Art.: בוֹשׁ - 'zuschanden werden',
   in : THAT I, a.a.O., Sp.270; DEISSLER, A., Sophonie,
   a.a.O., S.464.
2) Die Einsicht in die Wertigkeit ihres Tuns ist für die
   Jerusalemer auch dann nicht zwingend, wenn tatsächlich
   nach Zef 3,9-10 die anderen Völker sich zu Jahwe be-
   kehren würden (und diese Einheit authentisch wäre).
   Gegen die S.220, Anm. 2 angeführten Autoren.

Heils- und Unheilsweissagungen der Propheten (vgl.
Jes 1,29; 19,9; 29,22; 49,23; Jer 15,9; Ez 26,63
u.v.m.).

Jerusalem wird bestehen bleiben trotz aller Untaten.
Es ist keine Frage, was mit diesen Untaten gemeint ist.
Diese wurden ja in Zef 1,4-13; 3,1-4.6-8bδ ausführlich
genannt, wobei in Zef 3,7bβ derselbe Begriff (עֲלִילֹת)
verwendet wurde. Dieser Lebenswandel führte zum Bruch
mit Jahwe (in diesem Sinne wird das Verb פָּשַׁע häufig
in Prophetentexten gebraucht; vgl. Jes 1,2; 43,27; Jer
2,8.29; Ez 2,3) [1]   Das sicher kommende Gericht wird
diese Untaten nicht ungesühnt lassen, aber es wird nicht
blindwütend dreinschlagen, sondern jene treffen, die
verstockt blieben und nicht von ihren Untaten ließen:
die stolzen, hochmütigen Prahler, jene also, die sich
selbst hochschätzen (גַּאֲוָתֵךְ von der Wurzel גאה - 'hoch
sein'; [2]   vgl. Zef 2,8.10) und daher glauben, Jahwe
und seine Weisungen vergessen zu können. Mit diesen
'Prahlern' ist nicht eine bestimmte Gruppe angesprochen,
sondern damit sind all jene gemeint, die ihre eigene Person, ihre Macht, ihren Reichtum oder ihren Götzen höher-
schätzen als Jahwe.

Sie alle wird das Gericht treffen, sie werden ausgemerzt
aus Jerusalem. Die Bezeichnung 'aus deiner Mitte' trifft
sich mit Zef 3,3aα (vgl. Zef 3,5aα und Zef 3,12aα), wo
ausgesagt wurde, daß diejenigen, die die Untaten begehen,
dies inmitten Jerusalems tun. Impliziert ist bei diesem
Ausdruck בְּקִרְבֵּךְ sicher auch, daß wenn im Innern, inmitten

-----

1) Vgl. KNIERIM, R., Art.: פֶּשַׁע - 'Verbrechen', in: THAT II,
   a.a.O., S.490ff.
2) Vgl. STÄHLI, H.-P., Art.: גָּאָה - 'hoch sein', in: THAT I,
   a.a.O., Sp.380, 3b; Sp. 381f, 4a.

der Stadt solche Untaten geschehen, die ganze Stadt
gleichsam 'verseucht' ist, während der umgekehrte
Vorgang, die Entfernung des Übels aus der Mitte wie
in Zef 3,11, die Reinigung der ganzen Stadt von diesen Untaten bedeutet.
Nur deshalb kann Zef 3,11bγ in so sicherem Ton fort-
fahren und sagen, daß Jerusalem respektive seine Bewohner nicht mehr übermütig sein werden, d.h. sie
werden sich an die richtige Stelle setzen, unter die
Weisung Jahwes. [1]
Eine Parallele zu Zef 3,11bγδ liegt in Jes 11,9 vor,
in der Ankündigung des 'messianischen Reiches': 'Man
tut nichts Böses mehr und begeht kein Verbrechen auf
meinem ganzen heiligen Berg.'
Zef 3,12 und 3,13a werfen nun einen Blick auf jene, die
beim kommenden Gericht bewahrt werden, [2] und beschreiben die Eigenschaften, denen sie die Rettung am Gerichtstag zu verdanken haben und die in der Zukunft das Leben
in Jerusalem bestimmen sollen. Übrigbleiben wird ein
Volk, das

a) demütig und gering ist und seine Zuflucht sucht im
   Namen Jahwes,
b) kein Unrecht tut und
c) keine Lüge redet, in deren Mund man keine trügerische
   Zunge findet.

-----

1) Vgl. zu Zef 2,3 den Abschnitt 5.2.1.
2) Zu der Wurzel שאר vgl. den Exkurs: Das Problem des
   'Restes' im Zefanjabuch, S. 86ff

a) <u>Ein demütiges und geringes Volk, das seine Zuflucht im Namen Jahwes sucht</u>:

עָנִי וָדָל עַם ist singulär, doch von einem עָנִי עַם
spricht auch Ps 18,28 (= 2 Sam 22,28) und von einem
עַם דָּל Spr. 28,15. Besonders Ps 18,28 kann uns helfen,
den Sinn dieser Worte zu klären: ' Dem עָנִי עַם bringst
du Heil, doch die Blicke der Stolzen zwingst du nieder.'
Das עַם עָנִי steht also im Gegensatz zu den Stolzen, den
Überheblichen (Zef 3,11b). [1]   In Zef 3,11bβ und Zef
3,12aβ ist genau dieser Gegensatz grundgelegt: Fort-
geschafft werden die Prahler - übriggelassen ein demütiges und geringes Volk. Unter den Demütigen sind also
diejenigen zu verstehen, die sich Jahwe beugen und
sein Recht tun. Die Wurzel des Wortes עָנִי ist עָנָה II -
'elend sein'. [2]   Daher auch oft die Übersetzung mit
'Bedrückte, Gebeugte'. Doch gerade diese Be- und Unterdrückung dieser עָנָוִים durch ihre Mitmenschen läßt sie
in besondere Nähe zu Jahwe rücken, der sich dann auch für
sie besonders einsetzt. Sie schreien zu Jahwe (Ps 34,7),
suchen Zuflucht beim Zion (Jes 14,32) und loben den Namen Jahwes (Ps 74,21). " Jahwe erbarmt sich ihrer (Jes
49,13), er hört ihr Rufen (Ib 34,28), er erhört sie
(Jes 41,17), vergißt sie nicht (Ps 74,19) und verbirgt
sein Angesicht nicht vor ihnen (Ps 22,25), sondern erret-

-----

1) Vgl. dazu GELIN, A., Die Armen .., a.a.O., S. 40: Ab-
   gegrenzt von den Armen wird: "Das weniger fromme Israel,
   die führenden Schichten, alle, die nach der heidnischen
   Kultur schielten, alle, die von jenem Reichtum sich hatten betören lassen.".." Im Gegensatz zu den 'Armen' sehen wir da die Schar der'Bösen'(rasha Ps 34,22), der
   'Frevler' (pescha Ps 37,38; hatta Ps 25,8), der 'Stolzen'
   (ge'ew Ps 9,10)". Vgl. auch ebd., S.58.
2) Vgl. dazu und zum folgenden MARTIN-ACHARD, R., Art.:
   עָנָה - 'elend sein', in: THAT II, a.a.O., Sp.344ff; IHROMI,
   Amm ani wadal, a.a.O., S.30ff. 102ff.

tet sie (Ps 35,10), schafft ihnen Recht (Hi 36,6),
hilft ihnen (Ps 34,7)." [1]   So finden wir diesen
Ausdruck auch immer wieder im Zusammenhang mit denen,
die nicht die vollen Rechte in Israel besitzen: Fremde, Waisen, Witwen, Hungrige, Nackte, Hilflose (vgl.
Ez 22,29; Jes 10,2; Sach 7,10; Jes 58,7; Ib 29,12).

Gerade in diesen Zusammenhang gehört dann auch die Verbindung von עָנִי und דָּל, die sich noch in Jes 10,2; Ps
82,3.4; Ib 34,28; Jes 26,6 und Spr 22,22 findet, wobei
דָּל mehr auf die wirtschaftliche Not der Angesprochenen
Bezug nimmt (Vgl. auch עָנָו und דָּל in Jes 11,4 und Am
2,7). Besonders anzumerken ist auch, daß die Eigenschaft
der Demut in Sach 9,9 auch für den kommenden Friedenskönig beansprucht wird.
Aus dem sicher primär profanen Gebrauch von עָנִי und דָּל
entwickelte sich mit der Zeit ein theologischer, der
eine Geisteshaltung ausdrücken will, die im krassesten
Gegensatz zu Stolz, Hochmut und Überheblichkeit steht. [2]
Wie die, die keine Geldmittel, keinen Besitz haben und
jene, die von den Oberen des Landes unterdrückt werden,
keine andere Zuflucht haben, als sich mit ganzem Herzen
und ganzer Seele Jahwe hinzugeben, um von ihm alles zu
erwarten, so soll es jeder tun, nicht unbedingt aus wirt-
schaftlicher Not, sondern aus der Anerkenntnis Jahwes als
des mächtigen und heilschaffenden Gott. " Die 'Armen Jahwes' nehmen ihre Zuflucht zu Gott allein, sie überantwor-
ten sich Ihm ganz und schenken Ihm unbegrenztes Vertrau-

------

1) MARTIN-ACHARD, R., Art.: עָנָה II - 'elend sein', a.a.O.,
   Sp.345.
2) Siehe GELIN, A., Die Armen, a.a.O., S.16:"Für die Propheten ist die Armut nie etwas Neutrales gewesen. Sooft
   sie davon sprechen, erheben sie Protest gegen die Unterdrückung durch die Reichen und Mächtigen und gegen jede
   Ungerechtigkeit." Vgl. Am 4,1; Jes 10,1-2; Ps 82,3f;
   Jes 11,4; Ib 24,2-12.

en." [1]   So steht in Jes 3,15 die עֲנִיִּים in Korres-
pendenz zu עַמִּי als dem Teil des Volkes, der von den
Herrschenden unterdrückt wird. Dieser Teil ist in besonderer Weise Volk Gottes, die Unterdrücker, Ausbeu-
ter und Rechtsverdreher gehören nicht dazu (vgl. Zef
3,1-4).
Gerade dieses sich mit seiner ganzen Person Jahwe Unter-
stellen findet sich in Zef 3,12b in kultischer Ausformulierung: 'sie suchen ihre Zuflucht im Namen Jahwes'.
חָסָה בְּ weist auf die liturgische Sprache hin, die das
völlige Vertrauen des Sprechenden zu Jahwe ausdrücken
soll (vgl. Ps 7,2; 11,1; 16,1; 25,20). [2]   Mit חסה
kann aber auch das Aufsuchen des Schutzheiligtums ausgedrückt werden (Ps 36,8; 57,2). Gerade für die Armen
und Gebeugten war das Heiligtum 'die' Schutzstätte. [3]
Nach Jes 18,7; Dtn 12,11; 1 Kön 8,16 ist es der Zion
bzw. der Tempel, worin Jahwe seinen Namen gegenwärtig
sein läßt. Wie KRINETZKI richtig bemerkt, dürfte in Zef
3,12 eine Zusammenschau von Zuflucht im Tempel und dem
Wohnen des Namens Jahwes an diesem Ort vorliegen. [4]

-----

1) GELIN, A., Die Armen, a.a.O., S.8; vgl. auch PLOEG,
   J. van der, Les pauvres d'Israel et leur Piété, in:
   OTS 7(1950), S.236-270.

2) Vgl. GERSTENBERGER, E., Art.: חסה - 'sich bergen', in:
   THAT I, a.a.O., Sp.621-623; ebenso DELEKAT, L., Zum
   hebräischen Wörterbuch, a.a.O., S.28-31.

3) Erläuternd dazu BRONGERS, H.A., Die Wendung besem jhwh
   im Alten Testament, in: ZAW 77(1965), S.4:" Der sem
   jhwh wäre auch hier am besten zu interpretieren als
   Macht, und zwar im Sinne von Schutzmacht, worin Israels
   Rest sich bergen darf. Als Beweisstelle wäre zu nennen
   Prov 18,10, wo die Schutzmacht Jahwes mit einem festen
   Turm verglichen wird". Siehe auch Ps 20,2.

4) Vgl. KRINETZKI, G., Zefanjastudien, a.a.O., S.153.

Dieses arme und geringe Volk, welches mit seiner
ganzen Existenz auf die Güte Jahwes baut, verlangt
die Nähe Jahwes und die Möglichkeit, bei ihm Zuflucht
zu finden vor allen Gefahren.

b) Ein_Volk,_das_kein_Unrecht_tut:

Zef 3,13aβ kommt wörtlich in dem höchstwahrscheinlich sekundären Vers Zef 3,5 vor, dort jedoch von Jahwe
ausgesagt, um hervorzuheben, daß er Rechtes tut, im
Gegensatz zu den Taten der Jerusalemer, die in Zef 3,
3-4 beschrieben wurden. Der Ausdruck עָוֶל [1] hat seinen Sitz im Leben in der Rechtssprache und bezeichnet
dort die konkret juristisch verfolgbare Tat. Das Restvolk wird demnach solche Taten meiden, was selbstverständlich impliziert, daß es sich um das Recht Jahwes
(מִשְׁפָּט - Zef 2,3) bemüht. Genau dies wurde in Zef 2,3
von den Demütigen des Landes ausgesagt. [2] Wie in
Zef 3,5 das Recht Jahwes dem Unrecht der Richter und
damit dem in Zef 3,3f beschriebenen Handeln der führenden Stände Jerusalems gegenübersteht, so ist auch hier
das Nichttun des Unrechtes (Zef 3,13aβ) den Untaten (Zef
3,11aβ), die von Jahwe samt den 'Tätern' = den Prahlern
vertilgt werden, gegenübergestellt.

c) Ein_Volk,_das_keine_Lüge_redet,_in_dessen_Mund_man
   keine_trügerische_Zunge_findet: [2b]

Auch mit dieser Aussage bewegen wir uns primär wieder
im rechtlichen Bereich. [3] כָּזַב - lügen kommt von der

-----

1) Vgl. KNIERIM, R., Art.: עָוֶל - 'Verkehrtheit', in:
   THAT II, Sp. 224-226.
2) Siehe dazu ausführlich den Abschnitt 5.2.1.
2b) Vgl. Apk. 14,5
3) Vgl. KLOPFENSTEIN, M.A., Art.: כָּזַב - 'lügen', in:
   THAT II, a.a.O., Sp.817-822.

Falschaussage vor Gericht, danach ausgeweitet auf
die bewußt falsche Darstellung eines Sachverhaltes.
In Zef 3,13 wird es kaum um eine einzige Lüge gehen,
sondern um die Wahrhaftigkeit des Menschen im Ganzen.
"Eine lügnerische Zunge kann, pars pro toto, das Verhalten, ja das Wesen seines Menschen offenbaren." [1]
Genauso umgekehrt: wo keine lügnerische Zunge ist
(vgl. Jes 52,9; Jer 8,5; 14,14), keine Lüge gesagt
wird, da ist der Mensch als Ganzer heil, da wird kein
Unrecht getan und das Zusammenleben der Menschen ist
durch Offenheit und Wahrheitsliebe bestimmt.
Vergleichen wir nun Zef 3,12f mit Zef 2,3, so stellen
wir fest, daß der Rest in Jerusalems Mitte, das demütige und geringe Volk, sich auf das eingelassen hat,
was Zefanja in Zef 2,3 verkündigte: sie erfüllen das
Recht Jahwes, suchen Gerechtigkeit und Demut, legen
ihr ganzes Vertrauen auf Jahwe allein.

-----

1) KLOPFENSTEIN, M.A., Art.: כזב - 'lügen', in: THAT II,
   a.a.O., Sp.819.

5.3. ZEFANJAS VERKÜNDIGUNG VOM GERICHT JAHWES ÜBER DIE JUDA UND JERUSALEM BEDROHENDEN VÖLKER

5.3.1. Zefanja 2,4-5a.bβγδ- 7aγ.bα: Ansage der Vertreibung der Philister aus der Küstenebene

4 a *Gaza wird verlassen sein,*
Aschkelon zur Wüste werden,
b *Aschdod wird man am hellen Mittag vertreiben*
und Ekron wird entwurzelt.
5 a *Wehe euch, ihr Bewohner der Meeresküste,*
Volk der Kreter.
b *Ich demütige dich, du Land der Philister,*
ich vernichte dich,
so daß kein Bewohner zurückbleibt.
6 a *Du wirst zu Triften für die Hirten*
und zu Hürden für die Schafe.
7 a *Am Meere werden sie weiden,*
b *in den Häusern von Aschkelon*
werden sie lagern am Abend.

I   Die Einheitlichkeit von Zef 2,4-5a.bβγδ- 7aγ.bα
ist keineswegs allgemein anerkannt. Eine erste
Zäsur wird zwischen dem Prophetenspruch Zef 2,4 und der
Gottesrede Zef 2,5 gesehen, wobei als weitere Gründe
für diese Trennung der Weheruf in Zef 2,5aα, der als
Zeichen eines Neueinsatzes aufgefaßt wird, sowie die
umfassenden Bezeichnungen 'Bewohner der Meeresküste',
'Volk der Kreter', 'Land der Philister' in Zef 2,5 denen
in Zef 2,4 Städtenamen gegenüberstehen, angeführt werden.
Dazu ist folgendes zu bemerken: Erst durch die Konjektur
von כְּנַעַן in Zef 2,5bβ zu אַכְנִיעֵךְ - 'ich demütige dich' und
sodann durch וְהַאֲבַדְתִּיךְ in Zef 2,5bγ wird deutlich, daß es

sich hier um einen Gottesspruch handelt. [1]   Doch
was verbietet, auch den Vers Zef 2,4 als Ausspruch
dieses göttlichen 'Ich' anzusehen? Die ganze Einheit
könnte ohne Schwierigkeiten als eine Zukunftsweissa-
gung Jahwes über das Philisterland betrachtet werden.
Wendet sich Zef 2,4 an die politisch relevanten Städte
des in Zef 2,5 dreifach umschriebenen Gebietes, so
ist darin kein Gegensatz begründet, sondern Zef 2,5
ist als umfassende Beschreibung des angesprochenen Gebietes, dessen politische Zentren die in Zef 2,4 genannten Städte sind, anzusehen. Der Versteil Zef 2,5bγ
greift mit der Aussage, daß kein Bewohner zurückbleibt
nicht nur auf Zef 2,5a (יֹשְׁבֵי חֶבֶל הַיָּם) zurück, sondern
auch auf die von Zef 2,4, die die Vertreibung, das Ver-
lassensein und die Unbewohnbarkeit der Städte ansagt.

Die Verse Zef 2,6.7aγ.bα setzten deutlich sowohl den
Vers Zef 2,5, als auch Zef 2,4 voraus und verbinden
deren Aussage, wobei Aschkelon in Zef 2,7bα als Pars
pro toto für die Städte von Zef 2,4 anzusehen ist. So
ergibt sich ein Bogen von Zef 2,4 bis Zef 2,7bα, der
diese Verse verbindet und sie als eine Einheit zu erkennen gibt. [2]
Die Abgrenzung der Einheit im Kontext des Zefanjabuches
nach vorne und hinten ist offenkundig durch die Adressaten des Spruches. Zef 2,1-3 spricht zu Juda/Jerusalem,
Zef 2,8f zu Moab und Ammon, den östlichen Nachbarn Judas,
während Zef 2,4-7 das westliche Nachbarland, die Philisterebene, im Blick hat.

-----

1) Abgesehen von der Glosse Zef 2,5bα; vgl. den Abschnitt
   4.4.6.
2) Zu der Frage nach der Zugehörigkeit von Zef 2,7aγ.bα
   zu Zef 2,4-6 vgl. den Abschnitt 4.3.6.

Die Frage nach der Authentizität dieser Einheit ist
leider nur sehr unsicher zu beantworten, da sie inhaltlich sehr allgemein bleibt und daher keine konkreten Anhaltspunkte in der Geschichte bietet. Alle
vier Fremdvölkersprüche von Zef 2,4-15 (Philister,
Moab und Ammon, Kusch und Ninive) weisen keine inhaltlichen Verbindungen zu den authentischen Einheiten
auf, die ausnahmslos die Bewohner der Stadt Jerusalem
ansprechen und religiös-ethischen Inhaltes sind. Unser einziges Kriterium bei der Frage nach der Authentizität liegt somit darin, inwieweit die Fremdvölkersprüche mit dem geschichtlichen Hintergrund der authentischen Einheiten zu harmonisieren sind.
Vergleichen wir daher die historischen Gegebenheiten in
der Zeit des letzten Drittels des siebten vorchristlichen Jahrhunderts, [1]   so finden wir einige Anhaltspunkte, die es erlauben, Zef 2,4-5a.bβγδ-7aγ.bα als
zu dieser Zeit gehörig anzusehen. Die relative Freiheit Judas in der Zeit des Niedergangs des assyrischen
Reiches wurde von dem Reformkönig Joschija genutzt zur
Erweiterung seines Gebietes, um das Davidische Großreich
wiederherzustellen. Die Philister wurden von daher als
Eindringlinge in judäisches Gebiet betrachtet, denen
damit wie auch den anderen im zweiten Kapitel angeführten Völkern, der Vorwurf gemacht werden konnte, sich
gegenüber dem Gottesvolk schändlich benommen zu haben.
Zefanjas Spruch könnte daher gut als Unterstützung der
Bemühungen Joschijas verstanden werden, die alten Rechte
wieder einzufordern.
Diese Zuordnung des Spruches zu Zefanja darf keinesfalls
als völlig gesichert gelten, doch ist damit eine nicht

-----

1) Vgl. dazu das Kapitel 3.1.

von der Hand zu weisende Möglichkeit gegeben, die
Authetizität von Zef 2,4-5a.bβγδ-7aγ.bα anzunehmen.

II   Auffällig an dieser Drohrede gegen ein Nachbar-
       volk ist, daß keinerlei Grund für diese Vertrei-
bungsansage genannt wird, was bei den alttestamentlichen Propheten eigentlich nicht üblich ist. Gerade bei
den Weherufen (Zef 2,5aα) wird in der Regel in dem
dem הוֹי folgenden Partizip der Grund der Anklage genannt, d.h. über ein bestimmtes Tun wird das Wehe gesprochen. [1)]   Nehmen wir dies auch für unseren Wehe-
spruch an, so liegt der Grund der Anklage in dem Be-
wohnen der Meeresküste, d.i. das Philisterland. Die
dort Lebenden werden als Fremdlinge (גּוֹי כְּרֵתִים), ja
als feindliche Ausländer, die sich auf dem rechtmäßi-
gen Besitz Judas niederließen, verstanden. Als geschichtlicher Hintergrund dieser Verse ist es keinesfalls notwendig, den berüchtigten 'Skythensturm' zu
bemühen, wogegen auch die Reihenfolge der Städte in
Zef 2,4 sprechen würde, die eine Süd-Nord-Richtung
anzeigt, die Skythen aber als das 'Volk aus dem Norden'
angesehen wurde, von dem man glaubte, daß es auf seinem Weg nach Ägypten durch die Philisterebene gezogen
sei. [2)]

-----

1) Siehe WESTERMANN, C., Grundformen prophetischer Rede,
   a.a.O., S.138 und WOLFF, H.W., BK XIV/2, a.a.O., S.284ff.
   Bsp.: Jes 5,8:'Wehe euch, die ihr Haus an Haus reiht'-
   partizipial übersetzt: 'Wehe den Haus-an-Haus-Reihen-
   den.' Vgl. auch S.149, Anm. 1 zu der Herkunft der Wehe-
   rufe.
2) Vgl. den Exkurs: Der 'Skythensturm' als Hintergrund der
   zefanjanischen Prophetie? , S.49-51. Ein gutes Beispiel
   für die Überbeanspruchung des höchst unsicheren Skythensturmes, finden wir bei MARTI, K., KHC XIII, a.a.O., S.
   358f, der schon in Zef 1,7 die Gäste mit den Skythen

Es ist daher eher anzunehmen, daß Joschija in der
Zeit relativer politischer Ruhe, d.i. die Zeit, in
der Assyrien sich der existentiellen Bedrohung durch
die Meder und Babylonier erwehren mußte und dabei auf
seine kleinen Vasallenstaaten wenig achten konnte, diese genutzt hat, um seine Landesgrenzen zu erweitern
und dabei die unter assyrischer Oberherrschaft stehenden Städte der Philisterebene (seit Tiglat-Pileser III.
bzw. Sargon II.) und deren Land als Teil Judas zu beanspruchen.
Der Vers Zef 2,4 führt vier Städte der Pentapolis der
Philister an. Die fünfte Stadt Gath fehlt, was gut damit zu erklären ist, daß Gath in der Zeit der Verkündigung Zefanjas keine politische Macht mehr besaß.
Diese vier Städte: Gaza, Aschkelon, Aschdod und Ekron
repräsentieren somit das politische Philisterland, dessen Bewohner in Zef 2,5a zweifach benannt werden (Bewohner der Meeresküste; Volk der Kreter). Bei Jeremia
finden sich in Jer 25,20 genau diese Städte als Vertreter des Philisterlandes:'alle Könige des Philisterlandes, Aschkelon, Gaza, Ekron und den Rest von Aschdod'.
Auch Amos zitiert diese Städte als Repräsentanten des
Philisterlandes:'Darum schicke ich Feuer in Gazas Mau-
ern; es frißt seine Paläste. Ich vernichte den Herrscher

-----

identifiziert, welche Zefanja vor Augen haben sollte.
Zefanja soll demnach erwartet haben, " dass die Skythen die philistäischen Städte zerstören, Jerusalem
erobern, selbst unter Kusch eine Niederlage anrichten,
und dann wieder nach Norden umkehrend, über Ninive
herfallen und Assur ein Ende bereiten werden." (S.358).
Das geringe Echo in der Geschichtsschreibung, das allein
auf HERODOT (I,103-106) verweisen kann, läßt diese Annahme MARTIs als höchst unwahrscheinlich erscheinen;
vgl. auch GESE, H., Zefanjabuch, a.a.O., Sp.1902.

von Aschdod und den Zepterträger von Aschkelon. Dann
wende ich meine Hand gegen Ekron, und der Rest der
Philister wird verschwinden, spricht der Herr' (Am
1,7-8). Kein Zweifel also daran, daß sich das Schicksal des ganzen Philisterlandes am Los dieser vier
Städte entscheiden wird.

Auf besonders kunstvolle Weise beschreibt Zefanja das
Los von Gaza und Ekron, indem er die Konsonanten dieser
Städtenamen zur Beschreibung ihres Schicksals benutzt
(עֲזוּבָה - עַזָּה \ תֵּעָקֵר - עֶקְרוֹן). Vergleichbares findet
sich in Mich 1,10-15 und Jes 10,28ff. Um dies in der
deutschen Sprache nachempfinden zu können, machte H.W.
WOLFF einige Beispiele:" Hatzfeld verfällt der Hetze!
oder Schellenbeck muß zerschellen." [1]   Warum Zefanja
dieses Wortspiel nicht auch bei Aschkelon und Aschdod
angewendet hat, obwohl dies im Hebräischen durchaus
möglich wäre, läßt sich nicht ergründen. [2]   Der tie-
fere Sinn dieser Wortspiele liegt wohl darin, daß diese Städte in ihrem Namen schon die eigene Vernichtung,
ihr eigenes Schicksal ausdrücken, dem sie nicht entfliehen können (nomen est omen!). Allen vier Städten und
damit dem ganzen Land wird in Zef 2,4 angesagt, daß die
Bewohner es verlassen müssen. Sie werden vertrieben
(Zef 2,4bα), das Land wird für sie unbewohnbar werden wie
die Wüste (Zef 2,4aβ), sie sind ohne Bestand, entwur-

-----

1) WOLFF, H.W., Mit Micha reden, a.a.O., S.54. Vgl. dazu
   auch die Übersetzung von BUBER, M. - ROSENZWEIG, F.,
   Bücher der Kündung, Köln 1958, S.710, zu Ekron:" und
   Ekron, 'Wurzellos', wird entwurzelt" (zu Gaza - vergessen); BRANDENBURG, H., Die kleinen Propheten, a.a.O.,
   S.178 bietet folgende Beispiele:" Erlangen wird nichts
   erlangen, Wurzen wird entwurzelt."

2) Vgl. zu Aschdod THOMAS, D.W., A Pun on the Name of
   Ashdod in Zephaniah ii.4, in: Exp.T 74(1962/63), S.63.

zelt, ohne die Chance an diesem Ort zu überleben.

Das Vertreiben am hellen Mittag soll wohl einmal dies
deutlich machen, daß diejenigen, die die Bewohner vertreiben werden, so übermächtig sind, daß sie es nicht
nötig haben, im Dunkel der Nacht zu kommen, und zum anderen kann damit die Schnelligkeit des Sieges ausgedrückt sein, der bis Mittag schon gewonnen ist.
Der Vers Zef 2,5 spricht nun die Bewohner des Philisterlandes direkt an und ruft ihnen das 'Wehe', הוֹי, entgegen. Die Herkunft des Weherufes aus der Totenklage
macht deutlich, daß jene , denen dieses Wehe zugerufen
wird, unter einer todbringenden Bedrohung stehen. [1]
Dieses 'Wehe' wird den Bewohnern der Meeresküste zugerufen, die parallel als 'Volk der Kreter' bezeichnet
werden. Vergleichen wir unsere Karte, [2]   so ist kein
Zweifel daran anzumelden, daß mit den Bewohnern der Meeresküste die Bewohner des Philisterlandes , die der in
Zef 2,4 genannten Städte, gemeint sind. Eine hilfreiche
Parallele, die auch die Bezeichnung 'Kreter' für die
Philister erwähnt, findet sich in Ez 25,16:' Ich will
jetzt meine Hand gegen die Philister ausstrecken, ich
will die Kreter ausrotten und die übrigen Völker an der
Küste vernichten'. Statt הֶבֶל הַיָּם findet sich in Ez 25,16
zwar חוֹף הַיָּם, doch ist darin kein Unterschied zu erkennen;
es handelt sich jeweils eindeutig um die Mittelmeerküste.
Die Bezeichnung der Philister als 'Kreter' könnte damit
zusammenhängen, daß man glaubte, sie seien von Kreta her
in Palestina eingewandert, was jedoch nicht nachgewiesen
werden kann. Einen weiteren Beweis dafür, daß mit 'Kretern'

-----

1) Siehe dazu ausführlich den Abschnitt 5.1.5. zu dem
   Vers Zef 3,1.
2) Siehe S. 236.

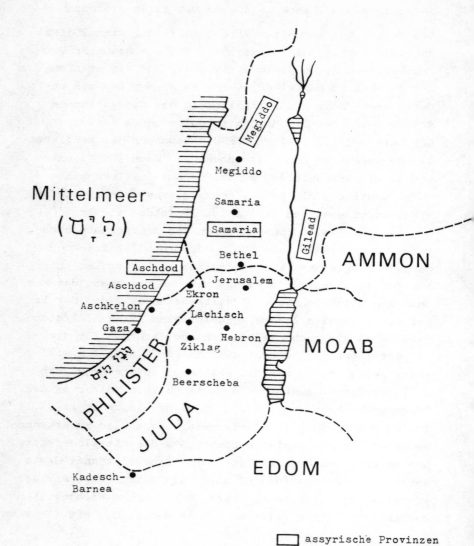

Mittelmeer
(הַיָּם)

Megiddo

Megiddo

Samaria

Samaria

Bethel

Jerusalem

Aschdod

Aschdod

Ekron

Aschkelon

Lachisch

Gaza

Ziklag

Hebron

Gilead

AMMON

MOAB

נַחַל מִצְרַיִם

PHILISTER

Beerscheba

JUDA

EDOM

Kadesch-
Barnea

☐ assyrische Provinzen

aus: AHARONI, Y., The Macmillian Bible Atlas, Jerusalem
[7]1968, Nr.151: The Districts of Assyria in the Days
of Sargon II., 733 to 716 B.C.

die Philister gemeint sind, findet sich in 1 Sam
30,14-16. David verfolgte die Amalekiter, die in
Juda eingedrungen waren und die Stadt Ziklag (siehe
Karte, S.236) niedergebrannt hatten. Da ergriff er
einen Sklaven der Amalekiter, der sagte:'Wir waren
in das Südland der Kreter und in das Gebiet Juda
und in das Südland von Kaleb [1] eingefallen und
haben Ziklag niedergebrannt'(V.14). Im Vers 1 Sam
30,16 heißt es: die Amalekiter feierten, 'weil sie
im Land der Philister und im Land Juda so reiche Beute gemacht hatten.' Da das Gebiet Kalebs zu Juda gehört, kann mit dem Land der Kreter nur das Land der
Philister gemeint sein. Die beiden Bezeichnungen waren
wohl austauschbar, worauf auch die Bezeichnung der
Leibwache Davis mit הַכְּרֵתִי וְהַפְּלֵתִי hindeutet (vgl. 2 Sam
8,18; 15,18; 20,7.23; 1 Kön 1,38.44; 1 Chr 18,17). [2]

Mit dem 'Ich' von Zef 2,5b wird deutlich, daß es Jahwe
ist, der sich gegen die Bewohner des Philisterlandes
stellt und derart tätig wird, daß Zef 2,5bγ sagen kann,
daß kein Bewohner zurückbleibt. Mit אבד hi., was in
der Regel 'vernichten' bedeutet, wird im Zusammenhang
mit Zef 2,4 und Zef 2,5bγ weniger die Vernichtung durch
Tötung angesprochen sein, sondern die Vernichtung durch
den Verlust der nationalen Existenz, durch Deportation
und Vertreibung. So endet der Vers Zef 2,5 wie 2,4 mit
der Aussage, daß die Philister das Land verlassen werden
und ihre Städte veröden.

-----

1) Von Kaleb, dem Sohn Jefunnes, berichtet Num 13,6.30;
   14,6,24,30 u.a. Er war einer der Späher des Mose, der
   mit in das 'Gelobte Land' einziehen durfte und nach
   Jos 14,13f, bei der Verteilung des Westjordanlandes,
   das Gebiet von Hebron zugesprochen bekam.
2) Vgl. GESENIUS, W., Hebräisches ... ,a.a.O., S.365.

Genau dieses Bild vom verlassenen Land und der verödeten Stadt nehmen die Verse Zef 2,6.7 auf, indem
sie anführen, daß das Land zur Schafweide, zu Triften für die Hirten wird (vgl. Am 1,2). Hürden für
die Schafe, die nach Num 32,16ff wohl in der unmittel-
baren Nähe der Dörfer eingerichtet wurden, damit dort
die Tiere am Abend untergebracht und leicht bewacht
werden konnten, bestimmen das Bild der Landschaft
nach der Vertreibung der jetzigen Bewohner. Die Häuser
der Städte (Aschkelon ist hier als Beispiel für alle
angeführt), in denen früher reges Leben herrschte und
fröhliche Feste gefeiert wurden, dienen jetzt nur noch
den Hirten zum Nachtlager.
Es mag verwundern, daß diese Ansage der Deportation der
Bevölkerung und der Verödung des Landes, welche nach
Zef 2,5b von Jahwe herbeigeführt wird, nicht mit dem
Thema des ' Tages Jahwes ' verbunden wurde. Dieser wird
bei Zefanja nur über das eigene Volk angesagt. Zefanja
wird den Begriff יֹום יְהֹוָה bewußt hier nicht verwendet
haben, um seinen Zeitgenossen nicht die Möglichkeit zu
geben, den angekündigten Tag über Jerusalem nun auf
ein Fremdvolk abzuschieben. Die Feindvölker des zweiten
Kapitels haben keine 'Blitzableiterfunktion', womit der
Tag Jahwes wieder zu einem heilsgeschichtlichen Ereignis
im Sinne der vorprophetischen Verkündigung werden würde. [1]
Das strenge Gericht über Jerusalem wird durch die Ansage
der Vertreibung an die im zweiten Kapitel aufgeführten
Völker keineswegs gemildert oder sogar aufgehoben.
Man kann sich gut vorstellen, daß Zefanja diese Worte als
Unterstützung der expansiven Politik Joschijas sprach und

-----

1) Vgl eine solche unannehmbare Interpretation bei SCHAR-
BERT, J., Die Propheten Israels, a.a.O., S. 33f.

die Legitimation für ein solches Vorgehen hervor-
heben wollte. Das Philisterland gehört eigentlich
zu Juda und zu einer Restauration, zu einer Besinnung auf die alten Werte, gehört auch die Restauration des alten Gebietes. Die Zeit des Niedergangs
des assyrischen und des noch nicht erstarkten babylonischen Reiches war günstig. Mit dieser Situierung
der Einheit zeigt sich auch eine zeitliche Differenz
zu der Verkündigung des Tages Jahwes im ersten Kapitel (mit Zef 3,1-4.6-8bδ), welche noch in der Minderjährigkeit des hier schon agierenden Königs Joschija
angesetzt werden mußte.

5.3.2. Zef 2,12 : Drohwort gegen die Kuschiten

12   *Auch ihr, Kuschiten, seid von meinem*
      Schwert Durchbohrte.

I   Die Abgrenzung dieser kurzen Einheit, die wohl
      ein Fragment darstellt, da die einleitenden Wor-
te גַּם־אַתֶּם - 'auch ihr', logisch eine ähnlich formu-
lierte Aussage über ein anderes Volk voraussetzen, die
keineswegs in einem der uns im Zefanjabuch überlieferten Verse wiederzufinden ist, liegt klar auf der Hand.
Angesprochen werden die Kuschiten, während die voran-
stehende inauthentische Einheit Zef 2,8-9 Moab und
Ammon ansprach, die nachfolgende authentische Einheit
Zef 2,13-14b gegen Assur, insbesondere gegen dessen
Hauptstadt Ninive gerichtet ist.
Dem Vorschlag ELLIGERs, [1]   den Vers Zef 2,12 mit Zef
2,13-15 zu einer Einheit zusammenzubinden, da "Vers 13
nach einer Anknüpfung verlangt", [1]   ist nicht zu folgen, da zum einen Zef 2,12 mit der Erwähnung des Schwertes Jahwes ('mein Schwert') eindeutig eine Kampfhand-
lung voraussetzt, während Zef 2,13ff mehr die Verlassenheit und Trostlosigkeit des Gebietes von Ninive nach der
kommenden Zerstörung beschwört. Zum anderen wehrt einem
Zusammenschluß die Tatsache, daß Zef 2,12 ein Gottesspruch ist, [2]   während Zef 2,13ff Prophetenrede wieder-

-----

1) ELLIGER, K., ATD 25, a.a.O., S.73.
2) Dieser Gottesspruch wird jedoch öfter nach SCHWALLY
   durch Konjektur zum Prophetenspruch gemacht, was
   jedoch keinen Anhaltspunkt in der Überlieferung hat.
   Anstelle von חַרְבִּי הֵמָּה wird חֶרֶב יְהוָה gelesen (vgl.
   dazu auch BHS).

gibt. Ob dieser formalen und inhaltlichen Diskre-
panzen, ist dieser Vorschlag abzulehnen, besonders
da durch ein Zusammenziehen beider Einheiten die
Schwierigkeit des Versanfanges von Zef 2,13 auch
nicht gelöst, bzw. nur verlagert würde.
Bei der Frage nach der Authentizität, sind wir bei
diesem kurzen Spruch allein auf eine mögliche Verwurzelung in der Geschichte angewiesen. Diese ist
in der Zeit des Zefanja,wie unter II gezeigt wird,
durchaus gegeben, so daß kein Grund dazu besteht,
Zef 2,12 Zefanja abzusprechen.

II   Der historische Hintergrund einer solchen Droh-
      rede zur Zeit des Zefanja liegt deutlich vor
Augen. [1]   Obwohl seit 663 v. Chr. (Begründung der 26.
saitischen Dynastie durch Psammetich I.) [2]   wieder
eine äygptische Dynastie über Ägypten herrschte, welche eine ca. 60 Jahre dauernde äthiopische Dynastie
abgelöst hatte, ist es wenig verwunderlich, daß in
Juda die Bezeichnung 'Ägypter' und 'Kuschit' noch aus-
wechselbar war. Dies wurde wohl auch noch dadurch un-
terstützt, daß die ägyptischen Heere durchsetzt waren
mit Männern aus dem " hochgewachsenen Volk mit der
glänzenden Haut" (Jes 18,2.7), " die Herodot die größten
und schönsten aller Menschen" [3]   nannte.
Gerade diesen ägyptischen Heeren wird Zef 2,12 gelten,
jenen, die nach der Auskunft der Chronik Nabopolassars, [4]

-----

1) Siehe dazu das Kapitel 3., besonders S.34.
2) Vgl. die Tabelle S.27.
3) Einheitsübersetzung der Heiligen Schrift, Das Alte
   Testament, Stuttgart 1980, Anmerkung zu Jes 18,1,
   S.1623.
4) Vgl. AOT, a.a.O., S.362.

dem niedergehenden assyrischen Reich gegen die Babylonier zu Hilfe kamen, wohl aus der Angst vor einer
zu starken babylonischen Macht heraus. Diese Heere
waren ja unentwegt vor den Augen der Judäer, da der
Weg nach Karkemisch, Haran und Ninive, den Orten der
letzten Verzweiflungsschlachten, durch die Philisterebene westlich Judäas führte.

Zefanja kündigt nun in diesem Gottesspruch an, daß
diese Heere letztlich an dem Schwert, welches sie
der assyrischen Macht leihen, selbst untergehen werden, d.h. eine kriegerische Niederlage erleiden werden. Nach der oben genannten Chronik Nabopolassars
(AOT, S.362), ist mit diesen ägyptischen Hilfstrup-
pen gewiß ab 616 v. Chr. zu rechnen, was eine Abfassungszeit dieses Spruches wohl noch vor dem Untergang
Ninives 612, gewiß aber vor 605, dem Todesjahr Joschijas nahelegt. Dieser wurde ja dabei getötet, daß er
sich den ägyptischen Heeren entgegenstellte, als diese
zu der Entscheidungsschlacht nach Karkemisch zogen.

Diese äygptischen Heere waren den Judäern auch daher
ein Dorn im Auge, da diese die Unterdrücker Judas un-
terstützten, deren Ende sehnlichst erwartet wurde.

5.3.3. Zefanja 2,13-14bβ: Vorhersage des Untergangs des assyrischen Reiches

13 a   *Dann streckt er seine Hand aus gegen den Norden, er richtet Assur zugrunde,*
   b   *er macht Ninive zur Einöde, trocken wie die Wüste.*

14 a   *Es werden Herden darin lagern, allerlei Tierarten, der Pelikan wie die Rohrdommel übernachten auf den Säulenknäufen,*
   b   *das Käuzchen ruft im Fenster, der Rabe auf der Schwelle.*

I   Die Abgrenzung dieser Einheit gibt einige Schwierigkeiten auf. Zef 2,13aα als Neubeginn einer Einheit wäre ungewöhnlich, [1] seine Verbindung mit Zef 2,12 (was gelegentlich vorgeschlagen wird) befriedigt auch nicht, da einmal ein Wechsel von Gottes- zu Prophetenrede vorliegt und die Stichometrie nicht zu harmonieren ist. Die Vermutung einiger Autoren, daß die Nennung des 'Nordens' in Zef 2,13a als bewußter Gegensatz zu der südlichen Lage von Kusch (bzw. Ägypten) formuliert wurde und damit ein primärer Zusammenhang

-----

1) Dem Versuch von SCHARBERT, J., Die Propheten Israels, a.a.O., S.24.33f, Zef 2,13ff wegen der Schwierigkeit des Textanfanges (Jussivform mit Waw modale) hinter Zef 2,2 als Ablenkung des Gottesgerichtes über Jerusalem nach Ninive (Assur), ist nicht zu folgen, da dieser Vorschlag einmal den ursprünglichen Zusammenhang von Zef 2,1-3 sprengt (vgl. 5.2.1.) und zum anderen die Botschaft Zefanjas deutlich von der Unabwendbarkeit des Gerichtes spricht. Die einzige Hoffnung liegt in der persönlichen Umkehr (vgl. Zef 2,3; 3,11ff), die selbst in Zef 2,1-2 noch nicht vorliegt und es daher unverständlich bliebe, warum das Gericht nach Assur abgelenkt würde. Darüber hinaus relativiert diese Sicht der Fremdvölkersprüche die ethische Botschaft Zefanjas von Zef 1,4-13; 3,1-4.6-8bδ.

der beiden Einheiten feststehen würde, läßt sich
nicht halten, da die Ordnung der Völkersprüche im
zweiten Kapitel nach dem Muster Westen (Philister) -
Osten (Moab und Ammon) - Süden (Kusch) - Norden
(Assur), wohl schwerlich auf den Propheten Zefanja
selbst zurückgeht, da sich der Moab-Ammon-Spruch
(Zef 2,8-9) als sekundär erwiesen hat. Die so durch
die Vierzahl implizierte Totalität der Nachbar- und
Feindvölker, denen das Gericht angekündigt werden soll,
paßt kaum zu der religiös-ethisch motivierten Verkündigung des Propheten, wie sie uns in den authentischen
Texten gegenübertritt. Die heutige Ordnung des zweiten
Kapitels ist offensichtlich einer späteren Redaktion
zuzuschreiben.
Die Abgrenzung von Zef 2,15 liegt darin begründet, daß
dieser Vers den Untergang der Stadt Ninive schon voraussetzt, wogegen Zef 2,13-14bβ dieses Geschehen als
ein in der Zukunft liegendes voraussagt. Ein Ergänzer
hat Zef 2,15 nach dem Untergang der Stadt im Jahre 612
vor Christus als Bestätigung der Prophetie Zefanjas
hier eingefügt und geschickt die Voraussage der Verödung
und der Inbesitznahme der Stadt durch die Tiere aufgenommen. In Zef 2,15a liefert er noch eine Begründung
für den Untergang Ninives, der in Zef 2,13-14bβ nicht
zu finden ist, indem er den Hochmut, der schon Moab und
Ammon vorgeworfen wurde (Zef 2,8f), als Grund des Gerichtshandelns Jahwes einführt. [1]
Die Authentizität unserer Verse mit Ausnahme von Zef
2,14bγ darf als gesichert gelten, da die geschichtliche

-----

1) Vgl. dazu besonders den Abschnitt 4.3.6.

Situation zur Zeit Zefanjas einen solchen Spruch
sehr wahrscheinlich macht. [1]   Erst die assyrische
Oberhoheit über Juda und Jerusalem brachte solche
kultischen und damit auch zwischenmenschliche Deka-
denzerscheinungen hervor, wie sie in Zef 1,4ff und
Zef 3,1ff beschrieben werden. Somit liegt bei den
Assyrern die Schuld des Anstoßes zu solchem Fehlverhalten, was jedoch keinesfalls als Freispruch für
die Untreuen, die sich verführen ließen, interpre-
tiert werden darf. Die Vernichtung Assurs ändert
nichts an der Schärfe und der Ernsthaftigkeit der
Ankündigung des Tages Jahwes über Juda und Jerusalem.

II   Die Prophetenrede Zef 2,13-14bβ nennt den Han-
       delnden von Zef 2,13 nicht ausdrücklich, doch
wird schon durch den Gestus des Ausstreckens der Hand
gegen etwas bzw. jemanden, der sich auch in der Gottesrede Zef 1,4 fand, deutlich, daß Jahwe es ist, der
hier wiederum in die Geschichte eingreift. Der Grund
des vernichtenden Eingreifens Jahwes wird nicht ausdrücklich genannt, doch ist dies für den Kenner der
Geschichte des siebten vorchristlichen Jahrhunderts
und des ersten Kapitels des Zefanjabuches keine Unter-
lassungssünde. Assyrien, der Feind aus dem Norden,
hatte seit 733 ganz Palestina unter seiner Oberhoheit,
was bedeutete, daß Assur nicht nur die politischen
Entscheidungen seiner Vasallenstaaten mitbestimmte,
sondern auch starken Einfluß auf den Kult ausübte, ja,
Jahwe zu einem Nebengott im Jerusalemer Tempel degra-
dierte (vgl. 2 Kön 21ff). Das ganze erste Kapitel ist

-----

1) Vgl. zu Zef 2,14bγ den Abschnitt 4.4.7.; zu der Geschichte der Zeit Zefanjas die Kapitel 3 und 3.1.

ein beredtes Zeugnis davon, wie sich das Gottesvolk unter Druck oder freiwillig von Jahwe abwand-
te und zu götzendienerischen Praktiken überging.
Das Gericht Jahwes über Assur ist als Folge dieser
politischen, religiösen und menschlichen Unterdrük-
kung zu werten.
Daher streckt Jahwe seine Hand drohend gegen den Norden aus. Norden ist die Himmelsrichtung, aus der Unheil erwartet wird. Dies ist wohl ein Niederschlag
der Erfahrung, daß die asiatischen Großreiche aus
naheliegenden Gründen der Versorgung ihrer Heere mit
Wasser und Lebensmittel grundsätzlich von Norden her
in das israelitische Gebiet einfielen. [1]   So spricht
Jeremia in Jer 4,5-6.25 von einem nicht näher bezeich-
neten Feind aus dem Norden. [2]   Der Norden ist daher
grundsätzlich die Gegend, aus der Unheil kommt (vgl.
Jes 14,31; Jer 1,14; 4,6; 13,20).
In Zef 2,13 wird gleich das Volk genannt, dem der Un-
heilsgestus gilt: Assur ist angesprochen. Assur wird
zugrunde gehen, seiner über 100 Jahre dauernden Herrschaft wird durch Jahwe ein Ende gesetzt. Seit Sanherib (705-681) war das Machtzentrum Assurs in der
Hauptstadt Ninive lokalisiert. Diese politische Macht-
zentrale wird nun angegriffen (vgl. Zef 2,4: genannt
sind die politisch relevanten Städte), um an der Verwüstung der Hauptstadt, des Hauptes des Landes, den
Untergang des ganzen Machtgebildes zu illustrieren.

-----

1) Vgl. die Karte in Kapitel 3, S.39 (auch S.33).
2) Zu den mannigfachen Belegen für die Erwartung eines
   Feindes aus dem Norden, vgl. SCHMIDT, W.H., Art.:
   צָפוֹן - 'Norden', in: THAT II, a.a.O., Sp.579ff.

Zef 2,13 drückt das 'daß' dieses Gerichtshandelns
aus, der Prophet Nahum, der ebenfalls in der zweiten
Hälfte des siebten vorchristlichen Jahrhunderts leb-
te, beschreibt in seinem ganzen Buch das 'wie' des
Handelns Gottes an Ninive. Es wird eine kriegerische
Eroberung der Stadt angezeigt, die dem gottesläster-
lichen Treiben der Bewohner ein Ende macht (vgl.
Nah 2,1ff).

Das Los der Hauptstadt ist Untergang, Verödung und
Einsamkeit. Zef 2,14 nimmt diese Aussage von Zef 2,13
auf und formuliert in prophetischer Schau die Zustände in der verlassenen Stadt, dem verödeten Ninive.
Diese Beschreibung erinnert an Zef 2,4.6-7aγ.bα, an
das Schicksal der Philisterstädte, die auch von allen
Einwohnern verlassen den Hirten und ihren Herden nun
zum Unterschlupf dienen. [1]   Die Qualität des überlieferten Textes von Zef 2,14 ist leider sehr schlecht,
so daß die einzelnen Tierarten, die aufgeführt werden,
nicht mit aller Sicherheit wiedergegeben werden können.
Die Vorstellung jedoch, daß in den Ruinen verlassener
und zerstörter Städte die wilden Tiere hausen, findet
sich noch öfter im Alten Testament: so in Jes 13,21f
(Babel: Wüstenhunde, Eulen, Hyänen, Strauße, Böcke);
Jes 34,11-15 (Bozra: Dohlen, Eulen, Käuze und Raben!!,
vgl. Zef 2,14b, Wüstenhunde und Hyänen); [2]   auch
Jes 50,39.

Jes 34,11 verwendet außer für das Käuzchen dieselben Begriffe: קָאַת, קִפּוֹד und עֹרֵב. Es ist daher anzunehmen, daß
Jes 34,11 von Zef 2,14 beeinflußt ist, keineswegs jedoch

-----

1) Vgl. weitere Parallelen in 5.3.1.
2) Die Tiernamen sind jeweils der Einheitsübersetzung
   der Heiligen Schrift, Altes Testament, a.a.O., ent-
   nommen.

umgekehrt. Das Übernachten von Vögeln auf Säulenknäufen ist singulär. Ausdrücken will Zefanja sicherlich die völlige Inbesitznahme dessen, worauf Assur
so stolz war, durch die Tiere.

612 v.Chr. war es dann wirklich soweit, daß die Hauptstadt des Assyrerreiches den vereinigten Truppen der
Babylonier und Meder zum Opfer fiel, und damit das
Ende der assyrischen Macht angezeigt war. Der Todes-
kampf der Assyrer endete schließlich 605 v. Chr. in
Karkemisch. Das Eintreffen der Verkündigung Zefanjas
fügte ein Ergänzer nach 612 in Zef 2,15 dem authentischen Text von Zef 2,13-14bβ an. Wie die Geschichte
lehrt, war Juda damit keineswegs in die Freiheit ent-
lassen - es wechselte lediglich der Name der beherrschenden Macht. [1]

-----

1) Vgl. dazu das Kapitel 3: Der geschichtliche Hintergrund
   der Verkündigung des Propheten Zefanja.

6. DIE BOTSCHAFT GOTTES BEIM PROPHETEN ZEFANJA

דְּבַר־יְהוָה אֲשֶׁר הָיָה אֶל־צְפַנְיָה - 'das Wort Jahwes,
das erging an Zefanja'. Dies war unsere erste Aufgabe, zu zeigen, welche Worte des Zefanjabuches dieser Überschrift gerecht werden, damit also Jahweworte an den Propheten Zefanja seien. Die Lösung dieser Aufgabe gab uns die Möglichkeit, die authentische
Prophetie Zefanjas auszulegen.

An dieser Stelle wollen wir die im fünften Kapitel
dieser Arbeit ausgelegte Botschaft in Zentralthemen
gegliedert, zusammenfassend darstellen.
Das beherrschende Thema der authentischen Verkündigung ist ohne Zweifel das vom <u>Tage Jahwes</u>, welchem
alle anderen Themen bei- bzw. untergeordnet sind. [1]
Der Tag Jahwes beschreibt das Kommen Jahwes zum Gericht über sein bundesbrüchiges Volk. Dies ist die
erste bedeutende Aussage, die Zefanja macht. Er steht
damit in einer Reihe mit den älteren Propheten Amos
und Jesaja, die beide ebenfalls den Tag Jahwes über
das eigene Volk angesagt haben (Am 5,18-20; Jes 2,16ff)
und damit die heilsgeschichtliche Komponente dieses
Begriffes (Tag Jahwes = Unheil für die Feindvölker
und damit Heil für das Gottesvolk) negierten. Betonte
Amos besonders die Unentrinnbarkeit am Tage Jahwes [2]
und Jesaja die Hoheit Jahwes an diesem Tag, [3]   so

-----

1) Vgl. zu dem geprägten Thema des Tages Jahwes den Exkurs
   auf Seite 168-183.
2) Am 5,19:'Es ist, wie wenn jemand einem Löwen entflieht
   und ihn dann ein Bär überfällt; kommt er nach Hause und
   stützt sich mit der Hand an die Mauer, dann beißt ihn
   eine Schlange.'
3) Jes 2,11.17:' Der Herr allein ist erhaben an jenem Tag.'

ist Zefanja der erste, der diesen für das Gottesvolk zum Verhängnis werdenden Tag ausführlich mit
den Elementen der Theophanie und der Kriegssprache
beschreibt (Zef 1,15ff). Zefanja stellt uns die Ereignisse dieses Tages plastisch vor Augen, beschreibt
in aller Deutlichkeit die Vernichtung, die dieser
Tag bringen wird (Zef 1,17f; 3,8).

Der von Zefanja beschriebene Tag Jahwes ist nicht der
eschatologische Gerichtstag am Ende der Zeiten, sondern ein Gerichtstag in der Geschichte, der zur Neu-
besinnung, zur Umorientierung führen soll. Erst in
spätnachexilischer Zeit wurde der יהוה יום als eschatologischer Gerichtstag angesehen und als solcher
fand er dann auch Eingang in das Neue Testament als
ἡμέρα κυρίου, mit dem die Hoffnung auf einen neuen
Himmel und eine neue Erde verbunden wurde, auf einen
neuen Äon, der mit der Menschwerdung des Sohnes Gottes
bereits angebrochen ist. [1]   Dieser 'Tag des Herrn'
ist notwendige Durchgangsstufe zu dieser 'neuen Erde',
es ist der große Gerichtstag, an dem der Menschensohn
oder Gott selbst zu Gericht sitzen wird, um die Treuen
von den Ungetreuen zu trennen. [2]   Eine Interpretation
des Tages Jahwes bei Zefanja von dieser neutestament-
lichen Vorstellung her ist höchst ungeschichtlich und
wird dem Text keineswegs gerecht.

Die Schilderung des Tages Jahwes ist für Zefanja jedoch
kein Selbstzweck, vielmehr erfüllt sie zwei Aufgaben.
Zum einen wird damit zum Ausdruck gebracht, daß Jahwe
entgegen der Meinung der Selbstzufriedenen (Zef 1,12b)

-----

1) Vgl. Offb 21.
2) Vgl. Mt 25,31ff; Mk 13,24ff; Lk 13,25ff.

die Menschen und die Welt nicht sich selbst über-
lassen hat, sondern im Gegenteil wie in den Tagen
der ersten Begegnung sich als der <u>geschichtsmäch-
tige Gott</u> erweisen wird, der die Menschen für ihre
Taten zur Rechenschaft zieht. Die Wortverbindung
'Tag Jahwes' möchte gerade diese Aktivität Jahwes
herausstellen: dieser Tag (= dieses Ereignis) kommt
von Jahwe, ist von ihm initiiert und gewollt, er
ist es, der wirkt, der strafend oder huldvoll an diesem Tage handelt [1] (הִכְרַתִּי - Zef 1,4; נָטִיתִי יָדִי -
Zef 1,4; פָּקַדְתִּי - Zef 1,8.9.12; מִשְׁפָּטִי לֶאֱסֹף גּוֹיִם - Zef
3,8; הִשְׁאַרְתִּי - Zef 3,12).

In diesem seinem Handeln erweist sich Jahwe als der,
'der für uns da ist' (Ex 3,14; Hos 1,9). Es ist ihm
nicht gleichgültig, was die Menschen tun, er ist selbst
in Strafe und Gericht ein <u>Gott sorgender Liebe</u>. Dies
beinhaltet, daß sein Handeln grundsätzlich davon geleitet ist, den Menschen helfend unter die Arme zu greifen, das Beste für sie im Blick zu haben. Dies ist die
unendlich befreiende Botschaft der Propheten, daß wir
glauben dürfen, daß Gott für jeden einzelnen von uns
das Gute will und er, da er Gott ist, auch weiß, was
für uns das Gute ist, wogegen wir alleine oft falschen
Zielen nachjagen.

Für den Christen nahm diese Botschaft in Jesus von Na-
zareth Gestalt an, in dem Sohne Gottes, der Mensch wurde, um die Sünden der Menschen auf sich zu nehmen (vgl.
1 Joh 4,9). Diese Sorge um die Menschen kommt bei Zefanja besonders deutlich in Zef 3,2 und 3,6-7 zum Ausdruck. Jahwe ruft durch seine Propheten die fehlgegan-
genen Menschen zur Umkehr, zum Gehen des richtigen We-

-----

1) Siehe dazu ausführlich S.169f.

ges, und er gibt ihnen Beispiele, woran sie erkennen müßten, daß nur ein Leben mit ihm zum Ziel,
d.h. zum erfüllten, sinnvollen Leben führen kann. [1]
Das letzte Mittel, den Menschen zu zeigen, was Recht
und was Unrecht ist, ist Strafe und Gericht, der Tag
Jahwes über das eigene Volk.
Damit wird auch das zweite Ziel der Schilderung der
schrecklichen Ereignisse am Tage Jahwes deutlich: die
Gerichtsandrohung ist dringende Aufforderung zur Umkehr,
indem sie die Folgen des jetzigen Lebenswandels den
Menschen vor Augen stellt und damit zur Besinnung und
zum Nachdenken über die persönliche Lebensführung auf-
fordert.
So zeigt sich Jahwe also auch in der Gerichtsandrohung
und selbst noch im Gericht als Gott sorgender Liebe,
da sein Zorn (Zef 1,15.18; 2,2.3) kein vernichtender,
sondern ein aufbauender ist. [2]   Kein Gerichtshandeln
Gottes ist auf die totale Vernichtung ausgerichtet.
Immer bleibt ein Rest, mag er auch noch so klein sein,
der entweder die Umkehr schon vollzogen hatte und daher nicht vernichtet wurde (so Gen 6ff) oder der durch
das Gerichtshandeln Jahwes zur Umkehr veranlaßt wurde.

Somit kommen wir zu einem weiteren Zentralthema der Botschaft des Propheten Zefanja: der Aufforderung zur Umkehr,

-----

1) Vgl. HORKHEIMER, M., Zur Kritik der instrumentellen
   Vernunft, Frankfurt 1967, S.227:"Einen unbedingten
   Sinn zu retten ohne Gott, ist eitel."
2) Die Rede vom Zorn Jahwes (auch von seiner Liebe)ist
   selbstverständlich nur möglich in der Form der Analogie. Vgl. DS 806, NR 280: Analogia entis; SPLETT,
   J., PUNTEL, L.B., Art.: Analogia entis, in: Herders
   Theologisches Lexikon Bd. 1, Freiburg 1972, S. 90-
   96.

die sich, wie wir sahen, in der Ankündigung des
Gerichtes findet, aber darüber hinaus auch in dem
Aufweis der Vergehen, die zu dieser Gerichtsandrohung führten. Die Aufforderung zur Umkehr ist
ein wichtiges Merkmal aller Propheten (vgl. auch
Johannes der Täufer). In Jer 26,3 ist dies deutlich formuliert: 'Vielleicht hören sie und kehren
um, jeder von seinem bösen Weg, so daß mich das
Unheil reut, das ich ihnen wegen ihrer schlechten
Taten zugedacht habe'(vgl. Jer 36,3). Prophetische·
Verkündigung will also Unheil und Strafe abwenden
durch den Ruf zur Umkehr (vgl. Ez 13,5). Ganz ent-
schieden ist daher KAPELRUD zu widersprechen, der
sagt, Zefanja " does not warn, like other prophets,
nor does he appeal to his fellow country-men to
change their ways, sub, and come back to their God.
In his eyes their sins were obvious, and he did not
consider it necessary to offer any argument, as most
other prophets did... He simply stated the facts." [1]
Dies folgert KAPELRUD daraus, daß Zefanja selten כִּי
und לָכֵן verwendet. KAPELRUD steht mit dieser Behauptung nicht nur im Gegensatz zu unserer Interpretation
der Prophetie Zefanjas, sondern auch zu dem überlieferten Text, da Zef 2,1-3 überdeutlich macht (besinnt
euch, bevor über euch kommt der Tag des Zornes Jahwes.
Vielleicht bleibt ihr geborgen), daß Zefanjas Botschaft
letztlich auf die Umkehr seiner Zuhörer und der in den
Strafankündigungen Angesprochenen zielt. Welche Be-

-----

1) KAPELRUD, A.S., The message, a.a.O., S.77; auch S.78:
   "He also finds it useless to preach conversion; he
   does not expect anything of that kind."

253

deutung hätte die Prophetie auch, würde sich ihre
Aufgabe in 'stating facts' erschöpfen?! Zefanja be-
rührt in seiner Verkündigung die wunden Punkte, die
Jahwes Eingreifen herausfordern, um den Angesprochen-
en klar zu machen, daß solches Verhalten ihr Untergang sein wird, dem sie jedoch entfliehen können,
wenn sie bereit sind, von solchem Tun abzulassen.

Rekapitulieren wir in aller Kürze die von Zefanja angesprochenen Verhaltensweisen, die einer Revision be-
dürfen, in Form positiver Aufforderungen:

- Abkehr von Götzendienst und magischen Riten = Zuwendung zu Jahwe im Bekenntnis zu dem einzigen Gott,
  neben dem alle anderen Götter 'Nichtse' sind, Phan-
  tome, die nichts bewirken können. Damit ist verbunden die Aufforderung zur Reinerhaltung des Kultes,
  die Trennung von allen synkretistischen Praktiken.
  Dtn 6,4: שְׁמַע יִשְׂרָאֵל יְהוָה אֱלֹהֵינוּ יְהוָה אֶחָד (Zef 1,4f.9a).

- Rückbesinnung auf die eigene Tradition, die innigst
  verknüpft ist mit dem Gott, der das Volk mit starker
  Hand aus Ägypten geführt hat. Das bedeutet auch Vertrauen diesem Gott gegenüber, daß er sich auch in
  dieser geschichtlichen Situation (assyrische Oberherrschaft) als Retter erweisen wird (Zef 1,8).

- Erfüllung des Jahwerechtes durch die Achtung des Mitmenschen, die es verbietet, diesen als Objekt zur eigenen Bereicherung zu mißbrauchen, und die ein brüder-
  liches Nebeneinander garantiert (Zef 1,9b).

- Abkehr vom betrügerischen Handeln am Mitmenschen = Zuwendung zum gerechten Handeln, zu einer Verhaltens-
  weise, die Habgier und Neid ausschließt (Zef 1,11).

- Anerkenntnis Jahwes als Gott, der sich um die
  Menschen kümmert, den es sehr wohl betrifft,
  wenn die Menschen Gutes oder Böses tun, und der
  auf das Handeln der Menschen mit Hilfe bzw. Strafe reagiert (Zef 1,12).

- Aufforderung, mit Jahwe zu leben, d.h. auf seinen
  Ruf zu hören, sich von diesem Ruf treffen zu lassen,
  auf Jahwe vertrauen und sich ihm in diesem Vertrau-
  en nähern mit der Gewißheit, daß der, der Jahwe in
  seinem Lebensplan den ihm gebührenden Platz läßt,
  die Erfüllung finden wird (Zef 3,2).

- Erfüllung von Recht und Gerechtigkeit im Umgang mit
  den Mitmenschen, besonders mit denen, die von einem
  in irgendeiner Form abhängig sind. Erfüllung der
  Pflicht, ohne dabei die Person in den Vordergund
  spielen zu wollen. Treue gegenüber Jahwe (Zef 3,3-4).

- Wahrnehmen des Wirkens Gottes in der Welt, um daraus
  für das eigene Leben Lehren zu ziehen. Erkenntnis
  dessen, daß sich das Verhältnis zwischen Gott und den
  Menschen an der Einhaltung von Recht und Gerechtigkeit
  entscheidet (Zef 3,6-8bδ).

- Ausrichtung des Lebens auf das, was wirklich zählt,
  auf die Anerkenntnis Gottes und die Einhaltung des
  Jahwerechtes. Materieller Wohlstand ist keine Antwort
  auf die den Menschen bestimmenden Fragen (Zef 1,18a).

All diese Aufforderungen drehen sich um zwei Zentren,
die innig miteinander verknüpft sind: die Botschaft von
der Alleinzigkeit Jahwes und die Forderung, das Jahwerecht einzuhalten. Beide Themen dieser zefanjanischen
Botschaft sind in-sofern nicht zu trennen, als sich die

Anerkenntnis Gottes zu allererst in der Erfüllung
seines Rechtes zeigt und erst an zweiter Stelle die
kultische Verehrung betrifft. Begegnung mit Gott geschieht also vornehmlich im gerechten Umgang mit den
Mitmenschen. Diese Botschaft findet sich in beiden
Testamenten (vgl. 1 Sam 15,22; Jes 1,10-16; 29.13f;
58,1-8; Hos 6,6; Mich 6,5-8; Jer 6,20; Joel 2,13;
Sach 7,4-6; Lk 10,31ff; 11,41f; Mt 7,21; 9,13; 23,23;
Joh 4,21ff), sie ist zeitlos gültig: Gottesdienst
geschieht primär in meinem alltäglichen Verhalten
meinem Nächsten gegenüber.

Denselben Tenor finden wir auch in den positiven For-
mulierungen Zefanjas über die rechte Gottesverehrung
(Zef 2,3; 3,12f), die das Erfüllen des Jahwerechtes,
das gerechte Handeln (Gemeinschaftstreue), die wahr-
haftige Rede als Voraussetzung des wahrhaftigen Lebens,
das völlige Vertrauen auf Jahwe und eine demütige Grund-
haltung beinhaltet. Über das oben schon Angesprochene
geht die Forderung der Demut hinaus, Demut verstanden
als das Sich-an-den-richtigen-Platz-Stellen gegenüber
Gott, Ablehnung von Selbstüberschätzung und Überheblichkeit. Mit der Demut, dem Mut zum Kleinsein und Dienen,
ist wiederum ein zentrales Thema beider Testamente angesprochen, welchem im Neuen Testament durch die Menschwerdung des Sohnes Gottes besondere Bedeutung zukommt.
Dieser wurde zum Diener an uns und forderte damit auch
uns auf, einander selbstlos zu dienen. Mutter Theresa
prägte in unserer Zeit das Wort 'Lieben, sich hingeben
und dienen, bis es weh tut' - d.h. ohne den Rest irgendeines Vorbehaltes, einer letzten Versicherung, die es
erlaubt, wieder umzukehren, sondern mit dem Einsatz der
ganzen Person und Existenz.

Im Zusammenhang mit den 'Demütigen des Landes' und dem
'armen und geringen Volk' (Zef 2,3; 3,12), denen ein Be-

stehen am Tage Jahwes in Aussicht gestellt bzw. zu-
gesichert wird, betont Zefanja die Verantwortung jedes einzelnen Menschen für seine persönliche Lebens-
entscheidung und - gestaltung. Die Zugehörigkeit zum
Gottesvolk ist nicht automatisch und immer bleibend
mit der Geburt verliehen (für uns Christen nicht
mit der Taufe), sondern diese Zugehörigkeit muß
durch die persönliche Entscheidung zu diesem Gott,
die sich in der Lebensführung offenbart, immer wieder bestätitgt werden. Mit GERLEMANN [1] kann daher
gesagt werden, daß Zefanja unterscheidet zwischen einem Ἰσραὴλ κατὰ σάρκα und einem Ἰσραὴλ κατὰ πνεῦμα,
wobei das Wohlwollen Jahwes nur auf dem kleinen Rest
des Ἰσραὴλ κατὰ πνεῦμα, dem עַם עָנִי וָדָל liegt. [2]
Damit ist bei Zefanja selbstverständlich die Aufforderung an seine Zuhörer (und heute an seine Leser) zum
Ausdruck gebracht, sich für das arme und geringe Volk
zu entscheiden, sein Leben nach dessen Maximen auszurichten.
Betrachten wir die angesprochenen Zentralthemen der zefanjanischen Verkündigung, so läßt sich unschwer erkennen, daß diese Aufforderungen und Mahnungen in unserer
Zeit so wichtig sind wie damals. Die grundlegende Botschaft Zefanjas, die sich auch in den anderen Prophetenbüchern bestätigt findet - jeweils etwas modifiziert
nach der jeweiligen geschichtlichen Situation -, wie
auch im Neuen Testament reiche Parallelen hat, ist darum auch zeitlose Offenbarung Gottes. Diese Zeitlosig-

-----

1) GERLEMANN, G., Zephanja, a.a.O., S.117; vgl. LIPPL, J.,
   Das Buch des Propheten Sophonias, BSt 15,3, Freiburg
   1910, S.32.
2) Vgl. auch Jes 7,9; 10,19-23; 11,11; 16,4; 17,3; 21,17;
   28,5; 30,15; 31,1.

keit liegt primär darin begründet, daß Zefanja bevorzugt ethische Themen anspricht und sodann deren
Verbindung zum Jahwebekenntnis, zur Gottesverehrung
herstellt. Darin erinnert Zefanja an den ersten Jo-
hannesbrief des Neuen Testaments, welcher dieselbe
Blickrichtung aufweist. Das Verhältnis der Menschen
untereinander ist die Entscheidungsstelle des Be-
kenntnisses zu Gott. Diese jüdisch-christliche Lehre ist die Begründerin eines Humanismus, dessen
Kraft und Intensität von Gott kommt und deswegen Zukunft garantiert.

H. BÖLL hat sicher recht, wenn er sagt, daß die ca.
1,2 Milliarden Christen und die 15 Millionen Juden
die Welt durch ihren gelebten Glauben in Erstaunen
setzen und gewaltlos revolutionieren könnten, wenn
sie sich an die Grundlinien ihrer Religion im täglichen Leben halten würden. Der Prophet Zefanja fordert Sie und mich dazu auf.

-----

1) Vgl. BÖLL, H., Eine Welt ohne Christentum, a.a.O.,
   S.22.

Die Tafeln I - III geben einen Überblick über
die Entscheidungen der wichtigsten Kommentatoren zu
der Frage nach der Authentizität der einzelnen Verse
und Versteile des Zefanjabuches. Die nicht angeführten Autoren nehmen entweder gar nicht oder nur sehr
vage Stellung zu dieser Frage, so daß eine Einordnung
ohne Gefährdung der Übersichtlichkeit nicht möglich
gewesen wäre. Andere Kommentatoren konnten vernachläs-
sigt werden, da sie sich einem der genannten Autoren
direkt anschließen (so z.B. BUCK, F., BAC 323, Mad-
rid 1971 identisch mit GEORGE, A., Sophonie, SB, Paris
^{2}1958).

XXX - bedeutet, daß dieser Vers von dem Kommentator als
      inauthentisch angesehen wird,
aγ - der Versteil aγ wird als inauthentisch betrachtet.

Die Entscheidung der angeführten Kommentatoren ist nicht
immer eindeutig gefällt und öfter mit einem ' vielleicht'
oder 'möglicherweise' versehen. Gelegentlich finden sich
auch bei demselben Autor sich widersprechende Aussagen.
Diese Feinheiten kann diese Übersicht nicht wiedergeben,
siesoll daher nur als eine erste Information über die
gegensätzlichen Meinungen verstanden werden. Als letzte
Stellungnahme ist die Entscheidung des Verfassers dieser
Arbeit angeführt, welche in den Kapiteln vier und fünf
ausführlich dargestellt wurde.

Zu Tafel II : Für CORNILL ist das ganze zweite Kapitel
              des Zefanjabuches inauthentisch, für SCHWAL-
              LY ist nur Zef 2,13-15 und eventuell noch
              2,1-4 echt.
Zu Tafel III: MARTI und SCHWALLY bestreiten die Authenti-
              zität des ganzen Kapitels Zef 3. Für TAYLOR
              ist vielleicht Zef 3,1-5 echt, alle anderen
              Verse Zef 3,6ff unecht.

Die Tafel IV gibt die jeweils letzte Spalte der Ta-
feln I - III in der gewonnenen Differenzierung der
Kapitel vier und fünf dieser Arbeit wieder. Dieser
Überblick veranschaulicht die Arbeit der Redaktoren
und Ergänzer. Zu den verwendeten Begriffen ist 4.0.
VORBEMERKUNGEN zu vergleichen.

Zu Tafel IV: Die authentischen Einheiten des Propheten Zefanja sind durch Kästchen deutlich
gemacht (vgl. 5.1.1. - 5.3.3.). Die inauthentischen Verse und Versteile sind kursiv geschrie-
ben und folgendermaßen klassifiziert:

Er - Erweiterung
Gl - Glosse
Fr - Fragment
Ei - einfache Einheit.

Tafel I: Zefanja 1

	Rudo lph	Elli ger	Hor st	Kel ler	Deiss ler	Gerle mann	Krine tzki	Kape lrud	Sel lin	Ra mir	Bič	De den	Geor ge	Tay lor	Lang ohr	Mar ti	Irsig ler	Ed ler
1	XXX	XXX			XXX	XXX	XXX		aβ b	b		XXX	XXX	XXX	XXX	b	XXX	XXX
2	XXX	XXX			XXX	XXX	XXX			β				XXX		āβγ		XXX
3	aγ	XXX	aγ	aγ	aγ	XXX	aγ	aγ				aγ	XXX	XXX		āβγ	aγ	XXX
4	bβε	bβε	bβ	bε	bβε	bβε	bβε	bε	bβε	bβε	bε	bβε	bε	bε	bε	bε	bβε	bβε
5																		
6		XXX		XXX	XXX	bα			XXX	XXX				XXX	XXX	XXX	XXX	XXX
7					VOR 14											VOR 2		VOR 14
8	aα	aα	aα		aα	aα		aα	aα	aα			aα	aα	aα	aα	aα	aα
9		aγ	aγ		aγ			aγ	aγ	aγ		aγ	aγ	aγ	aγ	aγ	aγ	aγ
10		aα	aα			aα		aα	aα	aα			aα	aα	XXX	aα	aα	aα
11															XXX	b		
12	aα	aα	aα			aα		aα	aα				aα	aα	aα	aα	aα	aα
13	b	b			b				b	b				b	b	b	b	b
14																		
15																		
16																		
17	aγ	XXX	aγ	aγ	aγ	aγ			aγ aδ	aγ aδ		aγ	aγ	a	aγ aδ	aγ	aγ	aγ
18	aδ b	XXX				aγδ b			aδ b	b				b	b	XXX	aγδ b	aδ b

261

	Rudolph	Elliger	Horst	Keller	Deissler	Gerlemann	Krinetzki	Kapelrud	Sellin	Ramir	Bič	Deden	George	Langohr	Marti	Taylor	Edler
1																	
2		bγδ					baβ					bγδ	bγδ	bδ	b	b	
3		a			a					a / baβ		aβ	xxx		b	xxx	xxx
4																	
5		baβ			bα		xxx		bβ	bβδ				bα			bα
6							xxx				β						
7	aαβ bβ	xxx	aαβ bβ	aαβ bβ	xxx		xxx		aαβ bβ	a bβ		aα bβ		aα bβ	aα bβ	a bβ	aαβ bβγ
8		xxx	xxx		xxx		xxx		xxx	xxx				xxx	xxx	xxx	xxx
9	b	xxx	aα b		xxx	xxx	xxx		aα b	xxx				xxx	xxx	xxx	xxx
10	xxx	xxx	xxx	xxx	xxx	xxx	xxx		xxx	xxx		xxx		xxx	xxx	xxx	xxx
11		xxx	xxx	xxx	xxx	xxx			xxx	xxx		xxx		xxx	xxx	xxx	xxx
12														aα			
13																	
14	bγ	bγ	bγ	bγ	bγ		bγ	bγ		bγ		bγ					bγ
15					xxx					xxx				xxx	xxx	xxx	xxx

Tafel III: Zefanja 3

	Rudo lph	Elli ger	Hor st	Kel ler	Deiss ler	Gerle mann	Krine tzki	Kape lrud	Sel lin	Ra mir	Bič	De den	Geor ge	Lang ohr	Ed ler
1														?	
2														?	
3														?	
4														?	
5		XXX	XXX		? bγ			bγ	bγ	bγ	bγ	bγ		XXX	XXX
6														aδ	
7															
8	bε	aβ bε	bε		bε	bε			bε			bε	bε	XXX	bε
9		b			b	XXX						bα	XXX	XXX	XXX
10		XXX	XXX		XXX	XXX	bα				bα			XXX	XXX
11		aα	a		a	aα		aα	aγ	aγ			aα	XXX	
12					b									XXX	
13			b		b									XXX	aα b
14		XXX			XXX		XXX							XXX	XXX
15		XXX			XXX		XXX							XXX	XXX
16	XXX	XXX	XXX		XXX	bγ	XXX		aα			aα	aα	XXX	XXX
17	XXX	XXX	XXX		XXX	XXX	XXX					aβ b	aα	XXX	XXX
18	XXX	XXX	XXX	aβ- b	XXX	XXX	XXX		aγ	XXX				XXX	XXX
19	XXX	XXX	XXX	XXX	XXX	XXX	XXX		XXX	XXX		XXX	XXX	XXX	XXX
20	XXX	XXX	XXX	XXX	XXX	XXX	XXX		XXX	XXX		XXX	XXX	XXX	XXX

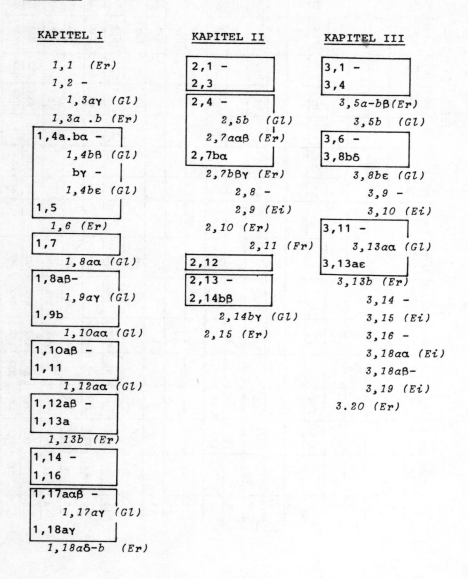

KAPITEL I	KAPITEL II	KAPITEL III

KAPITEL I

1,1 (Er)
1,2 -
   1,3aγ (Gl)
  1,3a .b (Er)

1,4a.ba -
   1,4bβ (Gl)
    bγ -
   1,4bε (Gl)
1,5
  1,6 (Er)

1,7
  1,8aα (Gl)

1,8aβ-
   1,9aγ (Gl)
1,9b
  1,10aα (Gl)

1,10aβ -
1,11
  1,12aα (Gl)

1,12aβ -
1,13a
  1,13b (Er)

1,14 -
1,16

1,17aαβ -
   1,17aγ (Gl)
1,18aγ
  1,18aδ-b (Er)

KAPITEL II

2,1 -
2,3

2,4 -
   2,5b (Gl)
  2,7aαβ (Er)
2,7ba
  2,7bβγ (Er)
   2,8 -
   2,9 (Ei)
  2,10 (Er)
    2,11 (Fr)

2,12

2,13 -
2,14bβ
  2,14bγ (Gl)
  2,15 (Er)

KAPITEL III

3,1 -
3,4
  3,5a-bβ(Er)
   3,5b (Gl)

3,6 -
3,8bδ
  3,8bε (Gl)
   3,9 -
   3,10 (Ei)

3,11 -
  3,13aα (Gl)
3,13aε
  3,13b (Er)
   3,14 -
   3,15 (Ei)
   3,16 -
  3,18aα (Ei)
   3,18aβ-
   3,19 (Ei)
  3.20 (Er)

LITERATURVERZEICHNIS

AALEN, S., Die Begriffe 'Licht' und 'Finsternis' im Alten Testament, im Spätjudentum und im Rabbinismus, in: SANVA.Hf II, 1 (1951)

AHRONI, Y., The Macmillian Bible Atlas, Jerusalem [7]1968

ALT, A., Kleine Schriften zur Geschichte des Volkes Israel, Bd. II, München 1963, S. 250-288

ANDERSON, G.W., The Idea of the Remnant in the Book of Zephaniah, in: ASTI XI/1977/1978, S. 11-14

AUGE, R., Profetes Menors, La Biblia versio dels Textos oroginals, commentari pels monjos de Montserrat XVI, Monestir de Montserrat 1957

BACHER, W., Zu Zephanja 2,4, in: ZAW 11(1891), S. 185ff

BACHMANN, J., Zur Textkritik des Propheten Zephanja, in: ThStKr 67(1894), S. 641-655

BALLA, E., Die Botschaft der Propheten, Tübingen 1958

BEA, A., Kinderopfer für Moloch oder für Jahwe?, in: Bib 18(1937), S. 95-107

BENNETT, W.H., Sir J.G. Frazer on 'Those that leap over (or on) the threshold' (Zeph 1,9), in: ExpT 30(1918-19), S.379f

BENTZEN, A., Introduction to the Old Testament, II, Copenhagen [2]1958

BEWER, J.A., Textual Suggestions on Isa. 2,6;66,3; Zeph 2,2.5, in: JBL 27(1908), S. 163ff

BIČ, M., Trois prophètes dans un temps de ténèbres: Sophonie-Nahum-Habaquq, in: LD 48, Paris 1968

BIEMEL, W., Jean-Paul Sartre, Hamburg [15]1980 (Rowohlts Monographien 87)

BÖLL, H., Eine Welt ohne Christentum, in: DESCHNER, K., Was halten Sie vom Christentum?, München 1957, S. 22f

BOMMER, J., CONDRAU, G., Schuld und Sühne, Würzburg 1970

BOTTERWECK, G.J. (Hrsg.), Die Bibel und ihre Welt, Art.: Kanaanäische Religion, Sp. 882-897, Bergisch-Gladbach 1969

BOURKE, J., Le jour de Yahvé dans Joel, in: RB 66 (1959), S. 5-31

BRANDENBURG, H., Die kleinen Propheten I, Das lebendige Wort, Bd. IX, Giessen 1963

BRIGHT, J., Geschichte Israels, Düsseldorf 1966

BRONGERS, H.A., Die Wendung besem jhwh im Alten Testament, in: ZAW 77(1965), S. 1-19

BRUNO, A., Das Buch der Zwölf. Eine rhythmische und textkritische Untersuchung, Stockholm 1957

BUBER, M., Der Glaube der Propheten, Zürich 1950

-, mit ROSENZWEIG, F., Bücher der Kündung, Köln 1958

BUCK, F., La Sagrada Escritura, Texto y commentario, Antiquo
    Testamento Vol. VI, BAC 323, Madrid 1971

BUDDE, K., Die Bücher Habakkuk und Sephanja, in: ThStKr
    66(1863), S. 383-399

BUHL, F., Einige textkritische Bemerkungen zu den kleinen
    Propheten, in: ZAW 5(1885), S. 182ff

CALES, J., L'authenticité du Sophonie II,11 et son context
    primitif, in: RSR 10(1920), S. 355ff

CARSON, J.T., Zephaniah, New Bible Commentary Revised[3],
    London 1970

CAZELLES, H., Sophonie, Jérémie et les Scythes en Palestine,
    in: RB 74(1967), S. 24-44

CERNY, L., The Day of Yahweh and some relevant Problems,
    Práce z vedeckých Ustavu 53, Prag 1948

CLAMER, A., Sophonie, in: Dictionnaire de théologie catholi-
    que, Paris 1941, Sp. 2367ff

COPPENS, J., Les douze petits prophètes, Breviaire du prophé-
    tisme: Introduction à l'étude historique de l'Ancien Testa-
    ment II, Paris 1950

CORNILL, C.H., Die Prophetie Zephanjas, in: ThStKr 89(1916),
    S. 297-332

DEDEN,D., De kleine Profeten, BOT XII, Roermond 1953

DEISSLER, A., Sophonie, in: La Sainte Bible (Pirot-Clamer),
    Tome VIII/1$_2$, Paris 1964, S. 435-472

-, Die Grundbotschaft des Alten Testaments, Freiburg [5]1976

-, Zwölf Propheten, Hosea, Joel, Amos, NEB, Würzburg 1981

DELEKAT, L., Zum hebräischen Wörterbuch, in: VT 14 (1964),
    S. 7-66

DELLING, G., Art.: ἡμέρα, Der Gebrauch im NT, ThWNT II,
    Stuttgart 1957, S. 954ff

DENZINGER, H[36] SCHÖNMETZER, A., Enchiridion Symbolorum, (DS),
    Freiburg [36]1973

DINGERMANN, F., Massora-Septuaginta der kleinen Propheten.
    Eine textkritische Studie, Würzburg 1948

DONNER, H., Die Schwellenhüpfer. Beobachtungen zu Zeph 1,8f,
    in: JSS 15(1970), S.42-55

DÜRR, L., Wollen und Wirken der alttestamentlichen Propheten,
    Düsseldorf 1926

DUHM, B., Das Buch Jeremia, KHC 3, Tübingen 1901

-, Die Zwölf Propheten, 1910

-, Anmerkungen zu den zwölf Propheten, in: ZAW 31(1911),
    S. 81-110.161-204

-, Israels Propheten. Lebensfragen Bd. 26, Tübingen [2]1922

EAKIN, F.E.jr., Zephaniah, BBC 7, Nashville 1972

EATON, J.H., Obadiah, Nahum, Habakuk and Zephaniah, TBC, London 1961

EGGEBRECHT, G., Die früheste Bedeutung und der Ursprung der Konzeption vom 'Tag Jahwes', Diss. Halle 1966

EHRLICH, A.B., Randglossen zur hebräischen Bibel V., Ezechiel und die 'kleinen Propheten, Hildesheim 1968

EISSFELDT, O., Baalsamen und Jahwe, in: ZAW 59(1939), S. 1ff

-, Art.: Baal, in: RGG I, Tübingen [3]1960, Sp. 805f

-, Art.: Moloch, in: RGG IV, Tübingen [3]1960, Sp. 1089f

-, Einleitung in das Alte Testament, Tübingen 1964

ELLIGER, K., Das Ende der 'Abendwölfe' Zeph 3,3; Hab 1,8, in: Feschrift A. Bertholet, Tübingen 1950, S. 158-175

-, Das Buch der zwölf kleinen Propheten II, ATD 25, Göttingen [6]1967

EWALD, H.G.A., Die Propheten des Alten Bundes, Bd. 1, Göttingen [2]1867-68

FLORIT, D.E., Sofonia, Geremia e la cronaca di Gadd, in: Bib 15(1934), S. 8-31

FOHRER, G., Literaturberichte zur alttestamentlichen Prophetie: ThR NF 19(1951), S. 277ff; ThR NF 20(1952), S. 193-271, 293-361; ThR NF 28(1962), S.1-75, 235-297, 302-374

-, Die Propheten des Alten Testaments,Bd. 2, Gütersloh 1974, S. 13-22

-, Geschichte Israels, Heidelberg 1977

-, u.a., Exegese des Alten Testaments.Einführung in die Methodik, Heidelberg [2]1976 (UTB 267)

-, Das Alte Testament, Teil 2 und 3, Gütersloh [2]1977

GALLING, K., Textbuch zur Geschichte Israels, Tübingen [2]1977

GASTER, Th.H., Zephaniah III.17, in: Exp.T 78 (1966/67), S. 267

GELIN, A., Jours de Yahvé et jour de Yahvé, in: LV 11(1953), S. 39-52

-, Les Pauvres de Yahvé, Paris [3]1956; deutsch: Die Armen - sein Volk, Mainz 1957

GEORGE, A., Michée, Sophonie, Nahum, La Sainte Bible, Paris [2]1958

GERLEMANN, G., Zephanja. Textkritisch und literarisch untersucht, Lund 1942

-, Review zu L. Sabottka (1972), in: VT 23(1973), S. 253f

-, Art.: בָּקַשׁ - 'suchen', in: THAT I, Sp. 333-336

-, RUPRECHT, E., Art.: דָּרַשׁ - 'fragen nach', in: THAT I,
Sp. 460-467

GERSTENBERGER, E., Art.: חָסָה - 'sich bergen', in: THAT I,
Sp. 621-623

GESE, H., Zephanjabuch, in: RGG VI (1962), Sp. 1901f

GESENIUS, W., Hebräisches und Aramäisches Handwörterbuch über
das Alte Testament, Berlin [17]1962

GRAY, J., A Metaphor from building in Zephaniah II,1, in:
VT 3(1953), S. 404-407

GRESSMANN, H., Der Ursprung der israelitisch-jüdischen Eschatologie, FRLANT, Göttingen 1905

-, (Hrsg.), AOT, Tübingen [2]1926

-, (Hrsg.), AOB, Tübingen [2]1927

-, Der Messias, Göttingen 1929 (posthum)

GUNNEWEG, A.H.J., Geschichte Israels bis Bar Kochbar, Theologische Wissenschaft Bd. 2, Stuttgart [2]1976

HAAG, H., Art.: Baal, in: Bibel-Lexikon, H. HAAG (Hrsg.),
Einsiedeln [2]1972, S. 157

HARRISON, R.K., Introduction to the Old Testament, London
1970

HAUPT, P., The Prototype of the Dies Irae, in: JBL 38(1919),
S. 142-151

HEATON, E.W., Die Propheten des Alten Testaments, Stuttgart
1959

HECHT, F., Eschatologie und Ritus bei den 'Reformpropheten',
Leiden 1971 (Pretoria Theological Studies, Bd. 1)

HEINTZ, J.-G., Aux Origines d'une expression biblique: úmúšū
gerbū, in A.R.M., X/6,8'?, in: VT 21(1971), S. 528-540

HELEWA, F.J., L'origine du concept prophétique du 'Jour de
Yahvé', in: ECarm 15(1964), S. 3-36

HELLER, J., Zephanjas Ahnenreihe, Eine redaktionsgeschicht-
liche Bemerkung zu Zeph I,1, in: VT 21(1971), S. 102ff

HENTSCHKE, R., Die Stellung der vorexilischen Schriftpropheten
zum Kultus, in: BZAW 75(1957)

HERBSTRITH, W., Was uns frei macht, in: Christ in der Gegenwart 34(1982), S. 281

HERODOT, Historien, FEIX, J. (Hrsg.), 2 Bände, München 1963,
bes. Bd. 1, Buch I, 103-106, S. 100ff

HERRMANN, S., Geschichte Israels in alttestamentlicher Zeit,
München 1973

HITZIG, F., Die zwölf kleinen Propheten, KEH I, Leibzig [4]1881

HOONACKER, A. van, Les douze prophètes, traduits et commentés,
EtB 3, Paris 1908

HORKHEIMER, M., Zur Kritik der instrumentellen Vernunft,
    Frankfurt 1967

HORST, F., Zephanja, in: Die Zwölf kleinen Propheten, HAT,
    1,14, Tübingen ³1964

HOWARD, G., The Quinta of the Minor Prophets: A first Century
    Septuagint Text?, in: Bib 55(1974), S. 15ff

HYATT, J.P., The Date and Background of Zephaniah, in: JNES
    7(1948), S. 25-29

IHROMI, Amm ani wadal nach dem Propheten Zephanja,
    Diss. Mainz 1972

IRSIGLER, H., Gottesgericht und Jahwetag: die Komposition
    von Zef 1,1-2,3 untersucht auf der Grundlage der Literar-
    kritik des Zefanjabuches, St. Ottilien 1977 (Münchener
    Universitäts Schriften: Fachbereich Kath. Theologie. Arbei-
    ten zu Text und Sprache im AT, Bd. 3)

-, Äquivalenz in Poesie, Die kontextuelle Synonyme s^{ae}aqa
    - yatata-sibr jada(w) in Zeph 1,10 c.d.e, in: BZ NF 22/2
    (1978), S. 221ff

JENNI, E., Art.: הוֹי - 'wehe', in: THAT I, Sp. 474-477

-, Art. יוֹם - 'Tag', in: THAT I, Sp. 707-726

JEREMIAS, J., Theophanie, Die Geschichte einer altl. Gattung,
    WMANT 10, Neunkirchen ²1977

JONGELING, B., Jeux de mots en Sophonie III,1 et 3?, in:
    VT 21(1971), S. 541ff

JUNKER, H., Die zwölf kleinen Propheten II, HSAT VIII, Bonn
    1938

KAISER, O., Einleitung in das Alte Testament, Gütersloh ⁴1978

KAPELRUD, A.S., The Message of the Prophet Zephaniah, Morpho-
    logie and Ideas, Kragerø 1975

KEIL, C.F., Biblischer Kommentar über die zwölf Propheten,
    BC III,4, Leipzig ³1888

KELLER, C.-A., Nahoum, Habacuc, Sophonie, CAT XI b, Neuchâtel
    1971

-, Art.: שׁבע - 'schwören', in: THAT II, Sp. 855-863

KITTEL, R., Geschichte des Volkes Israel II, Gotha ³1917

KLEINERT, P., Ob, Jon, Mich, Nah, Hab, Zef wissenschaftlich
    und für den Gebrauch der Kirche ausgelegt, Bielefeld und
    Leipzig 1868

KLOPPENSTEIN, M.A., Art.: בָּגַד - 'treulos handeln', in: THAT
    I, Sp. 261-264

-, Art.: כָּזַב - 'lügen', in: THAT II, Sp. 817ff

269

KNIERIM, R., Art.: מרה - 'widerspenstig sein', in: THAT I,
Sp. 928-930

-, Art.: עָוֶל - 'Verkehrtheit', in: THAT II, Sp. 224-228

-, Art.: פֶּשַׁע - 'Verbrechen', in THAT II, Sp. 488-495

KOCH, K., Die Profeten I, Assyrische Zeit, Stuttgart 1978
(Urban 280), S. 170ff

-, Art.: צֶדֶק - 'gemeinschaftstreu/heilvoll sein', in: THAT
II, Sp. 507-530

KÖNIG, E., Einleitung in das Alte Testament, Bonn 1893

KORNFELD, W., Art.: Moloch, in: Bibel-Lexikon, H. HAAG
(Hrsg.), Einsiedeln ²1972, Sp. 1163ff

KOSMALA, H., Art.: Jerusalem, in: BHH II, Göttingen 1964,
Sp. 820-850

KRAUS, H.-J., Psalmen I und II, BK XV/1+2, Neunkirchen ⁵1978

KRAUSE, G., Studien zu Luthers Auslegung der Kleinen Propheten, BHth 33, Tübingen 1962

KRINETZKI, G., Zefanjastudien, Bern 1977 (Regensburger Studien
zu Theologie 7)

KSELMAN, J.S., A Note on Jeremiah 49,20 and Zephaniah 2,6-7,
CBQ 32(1970), S. 579ff

KÜHLEWEIN, J., Art.: בֵּן - 'Sohn', in: THAT I, Sp. 316ff

-, Art.: בַּעַל - 'Besitzer', in: THAT I, Sp. 327ff

KÜHNER, H.O., Zephanja, Prophezei (Schweizerisches Bibelwerk
für die Gemeinde), Zürich 1943

KUHL, C., Israels Propheten, München 1956

KUNZ, L., Dies irae, in: LThK² III(1959), Freiburg, Sp. 380f

KULP, J., Der Hymnus Dies irae, dies illa, in: MGKK 38(1933),
S. 256ff

KUSCH, E., Art.: כָּרַת - 'abschneiden', in: THAT I, Sp. 857-860

LAETSCH, T., Bible Commentary: The Minor Prophets, St. Louis
1956

LANCZKOWSKI,G., SCHMOGRO, H., Das Menschenbild in den Religio-
nen, Göttingen 1979

LANGOHR, G., Le livre Sophonie et la critique d'authenticité,
in: EthL 52(1976), S. 1-27

-, Rédaction et composition du livre Sophonie, Le Muséon 89
(1976), Louvain, S. 51ff

LEEUWEN, C. van, The Prophecy of the yom YHWH in Am 5,18-20,
in: OTS 19(1974), S. 113-134

LIEDKE, G., Art.: תּוֹרָה - 'Weisung', in: THAT II, Sp. 1032-1043

-, Art.: שָׁפַט - 'richten', in: THAT II, Sp. 999ff

LIPINSKI, E., Review zu Kapelrud (1975), in: VT 25 (1975),
S. 688ff

LIPPL, J., Das Buch des Propheten Sophonias, BSt XV,3,
    Freiburg 1910

LISOWSKY, G., Konkordanz zum hebräischen Alten Testament,
    Stuttgart ²1958

LORETZ, D., Textologie des Zephanja-Buches, Bemerkungen zu
    einem Mißverständnis, UF 5 (1973), S. 219ff

LUTZ, H.-M., Jahwe, Jerusalem und die Völker, Zur Vorgeschich-
    te von Sach 12,1-8 und 14,1-5, Diss. Mainz 1966 (auch WMANT
    27)

MAASS, F., Art:: חָלַל - 'entweihen', in: THAT I, Sp. 570ff

MARTI, K., Das Dodekapropheton, KHC XIII, Tübingen 1904

MARTIN-ACHARD, R., Art.: עָנָה II - 'elend sein', in: THAT II,
    Sp. 341-350

-, Yahvé et les anawim, in: ThZ 21 (1965), S. 349-357

MAYER, R., Einleitung in das Alte Testament, 2. Teil, Speziel-
    le Einleitung, München 1967

METZGER, M., Grundriß der Geschichte Israels, Neunkirchen
    ⁴1977

MORGAN, G.C., The Minor Prophets, The Men and Their Message,
    London 1960

MOWINCKEL, S., Psalmenstudien II, Das Thronbesteigungsfest
    Jahwäs und der Ursprung der Eschatologie, Amsterdam 1961

-, He that cometh, Oxford ²1959

MÜLLER, D.H., Der Prophet Ezechiel entlehnt eine Stelle des
    Propheten Zephanja und glossiert sie, in: WZKM 19(1905),
    S. 263ff

MÜLLER, H.P., Art.: קָדֹשׁ - 'heilig', in: THAT II, Sp. 589ff

-, Ursprünge und Strukturen alttestementlicher Eschatologie,
    in: BZAW 109(1969), S. 74ff

MÜLLER, P., Emendationen zu Hab 1,9; Zeph 1,14b; 3,17;
    Ps 141,7, in: ThStKr 80(1907), S. 309f

MUNCH, P.A., The Expression bajjom hahu - is it an eschatolo-
    gical terminus technicus?, ANVAO.HF 2 (1936)

MURPHY, R.I.A., Zephaniah, Nahum, Habakkuk, JBC I, London 1970

NEUNER, J., ROOS, H., Der Glaube der Kirche in den Urkunden
    der Lehrverkündigung, Regensburg ¹⁰1971

NICOLSKY, N.M., Pascha im Kult des jerusalemer Tempels, in:
    ZAW 45(1927), S. 171ff

NÖTSCHER, F., u.a., Art.: Baal, in: RAC I, Stuttgart 1950,
    Sp. 1063-1113

NOTH, M., Geschichte Israels, Göttingen ³1956

PETER, A., Die Bücher Zefanja, Nahum und Habakuk, Geistliche
    Schriftlesung 3, Düsseldorf 1972

PLOEG, J. van der, Les pauvres d'Israel et leur Piété, in:
    OTS 7(1950), S. 236-270

PRITCHARD, J.B., ANET, Princeton ²1955

RAD, G. von, Der Heilige Krieg im alten Israel, AThANT 20
    (1951)

-, Art.: ἡμέρα - Der 'Tag' im AT, in: ThWNT Bd. II, Stuttgart
    1957, S. 945ff

-, The origin of the concept of the Day of Yahweh, in: JSSt 4
    (1959), S. 97-108

-, Theologie des Alten Testaments, Bd. I und II, München
    ⁷1978; ⁶1975

RAHNER, K., VORGRIMMLER, H., Kleines Konzilskompendium,
    Freiburg ¹²1978 (Herderbücherei 270)

RAMIR, A., Profetes Menores, La Biblia XVI, Monestir de Mont-
    serrat 1957

RAMLOT, L., Art.: Prophétisme, in: Supplément au Dictionnaire
    de la Bible, Tome VIII, Paris 1972, Sp. 811-1222

RENDTORFF, R., Emanzipation und christliche Freiheit, in:
    Christlicher Glaube in moderner Gesellschaft, Teilband 18,
    Freiburg 1982

RINALDI, P.G., LUCIANI, F., I Profeti Minori, La Sacra Biblia,
    Fascicolo III, Turin 1969

ROWLEY, H.H., Men of God, London 1963

RUDOLPH, W., Jeremia, HAT 12, Tübingen ³1968

-, Micha-Nahum-Habakuk-Zephanja, KAT XIII/3, Gütersloh 1975

SABOTTKA, L., Zephanja, Versuch einer Neuübersetzung mit
    philologischem Kommentar, Rom 1972, BibOr 25

SCHARBERT, J., Die Propheten Israels bis um 600 v.Chr.,
    Köln 1967

SCHMID, H.H., Art.: אֲדָמָה - 'Erdboden', in: THAT I, Sp. 57-60

-, Art.: אֶרֶץ - 'Erde, Land', in: THAT I, Sp. 228-236

SCHMIDT, M., Prophet und Tempel, Eine Studie zum Problem der
    Gottesnähe im Alten Testament, Zürich 1948

SCHMIDT, W.H., Einführung in das Alte Testament, Berlin-
    New York 1979

-, Art.: צָפוֹן - 'Norden', in: THAT II, Sp. 575-582

SCHNEIDER, N., Melchom, das Scheusal der Ammoniter, in: Bib
    18(1937), S. 337-343

SCHOTTROFF, W., Art.: פָּקַד - 'heimsuchen', in: THAT II,
    Sp. 466-486

SCHREINER, J., Jeremia 1-25,14, NEB, Würzburg 1981

SCHÜNGEL-STRAUMANN, H., Israel - und die anderen? Zefania-
    Nahum-Habakuk-Obadja-Jona, Stuttgarter kleiner Kommentar
    AT 15, Stuttgart 1975

SCHUMPP, M., Das Buch der zwölf Propheten, HBK X,2,
Freiburg 1950

SCHUNK, K.-D., Strukturlinien in der Entwicklung der Vorstellung vom 'Tag Jahwes', in: VT 14(1964), S. 319-330

SCHWALLY, F., Das Buch Ssefanja, eine historisch-kritische
Untersuchung, in: ZAW 10(1890), S. 165-240

SEIDEL, H., Horn und Trompete im alten Israel unter Berücksichtigung der 'Kriegsrolle' von Qumran, in: Wiss. Zeitschrift der Karl-Marx-Universität Leibzig 6(1956/57), Ge-
sellschafts- und Sprachwiss. Reihe, Heft 5, S. 589ff

SEIERSTAD, I.P., Die Offenbarungserlebnisse der Propheten
Amos, Jesaja und Jeremia, SANVA.HF 2, Oslo 1946

SEKINE, M., Zephanja. Zephanjabuch, in: BHH III, Göttingen
1966, Sp. 2232-2234

SELLIN, E., Das Zwölfprophetenbuch übersetzt und erklärt,
KAT XII/2, Leipzig 1930

-, Geschichte des **Israelitischen** Volkes I

-, FOHRER, G., Einleitung in das Alte Testament, Heidelberg [10]1965

SMITH, J.M.P., Zephaniah, in: ICC, Edinburgh [3]1948, S. 159-263

SMITH, L.P., LACHEMAN, E.R., The Authorship of the Book of
Zephaniah, in: JNES 9(1950), S. 137-142

SOGGIN, J.A., Art.: מֶלֶךְ - 'König', in: THAT I, Sp. 908ff

-, Art.: רָעָה - 'weiden', in: THAT II, Sp. 791-794

SPLETT, J., PUNTEL, L.B., Art.: Analogia entis, in: Herders
Theologisches Lexikon, Bd. 1, Freiburg 1972, S. 90-96
(Herderbücherei 451)

STADE, B., Geschichte des Volkes Israel I, Berlin 1889

STÄHLI, H.P., Art.: גָּאָה - 'hoch sein', in: THAT I, Sp. 379-382

-, Art.: יָרֵא - 'fürchten', in: THAT I, Sp. 765-778

STEGEMANN, U., Der Restgedanke bei Isaias, in: BZ NF 13
(1969), S. 161-189

STENZEL, M., Zum Verständnis von Zeph III:3b, in: VT 1(1951),
S. 303-305

STOEBE, H.J., Art.: חָמָס - 'Gewalttat', in: THAT I, Sp. 583-587

STOLZ, F., Art.: אֲרִי - 'Löwe', in: THAT I, Sp. 225ff

-, Art.: בּוֹשׁ - 'zuschanden werden', in: THAT I, Sp. 269-272

-, Art.: צִיּוֹן - 'Zion', in: THAT II, Sp. 543-551

STONEHOUSE, G.G.V., The Books of the Prophet Zephaniah and
Nahum with Introduction and Notes, in: WC, London 1929

SULLIVAN, K., The Book of Sophonias, in: Worship 31 (1957),
S. 130-139

TAYLOR, C.L.jr., The Book of Zephaniah, in: Interpreter's
    Bible 6, New York 1956, S. 1007-1034

THOMAS, D.W., Documents from Old Testament Times, Lund [2]1958

-, A Pun on the Name Ashdod in Zephaniah II,4 in: ExpT 74
    (1962/63), S. 63

TOUZARD, J., L'âme juive pendant la période persanne, I,5:
    Sophonie, Nahum, Habacuc, in: RB 14(1917), S. 54ff

UNGERN-STERNBERG, R. Freiherr von, Der Prophet Zephanja, in:
    BAT 23,IV, Stuttgart 1960, S. 73-132

VAHANIAN, G., Kultur ohne Gott?, Göttingen 1973

VAWTER, B., The Conscience of Israel, Pre-exilic Prophets
    and Prophecy, New York 1961

VAUX, R. de, Rezension zu O. Eissfeldt, Molk als Opferbegriff
    im Punischen und im Hebräischen und das Ende des Gottes
    Moloch, in: RB 45(1936), S. 278-282

VOLLMER, J., Art.: פָּעַל - 'machen, tun', in: THAT II,
    Sp. 461-466

WATTS, J.D.W., The Books of Joel, Obadjah, Jonah, Nahum,
    Habakkuk and Zephaniah, CNEB, Cambridge 1975

WEBER, O., Bibelkunde des Alten Testaments, Bielefeld [11]1977

WEISER, A., Das Buch des Propheten Jeremia 1-25,13, ATD 20,
    Göttingen 1952

WEISS, H., Zephanja c.1 und seine Bedeutung als religionsge-
    schichtliche Quelle, Diss. Königsberg i. Pr. 1922

WEISS, M., The Origine of the 'Day of the Lord' - Reconside-
    red, in: HUCA 37(1966), S. 29-71

WELLHAUSEN, J., Die kleinen Propheten, Berlin [4]1963

-, Israelitische und jüdische Geschichte, Berlin 1958

WESTERMANN, C., Die Begriffe für Fragen und Suchen im Alten
    Testament, in: KuD 6(1960), S. 2-30

-, Kurze Bibelkunde des Alten Testaments, Stuttgart 1974

-, Grundformen prophetischer Rede, BevTh 31, München [7]1978

WILDBERGER, H., Art.: שָׁאַר - 'übrig sein', in: THAT II,
    Sp. 844-855

WILKE, F., Das Skythenproblem im Jeremiabuch, in: Beiträge
    zur Wissenschaft vom AT XIII, 1913, S. 222-254

WILLIAMS, D.L., The date of Zephaniah, in: JBL 82(1963),
    S. 77-88

WOLFF, H.W., Amos' geistige Heimat, WMANT 18, Neunkirchen 1964

-, Joel und Amos, BK XIV/2, Neunkirchen [2]1975

-, Hosea, BK XIV/1, Neunkirchen [3]1976

-, Mit Micha reden, Prophetie einst und heute, München 1978

WOUDE, A.S. van der, Art.: שֵׁם - 'Name', in: THAT II,
    Sp. 935-963

-, Art.: צָבָה - 'Heer', in: THAT II, Sp. 496ff

-, Predikte Zephanja een wereldgericht?, in: NThT 20(1965),
    S. 1-16

ZIEGLER, J., Die Hilfe Gottes am Morgen, in: Festschrift
    F. Nötscher, Bonn 1950, S. 281ff

ZIMMERLI, W., Grundriß der alttestamentlichen Theologie,
    Theologische Wissenschaft Bd. 3, Stuttgart ²1975